U0093076
一笑
古龍自署

盛期之風貌

臥龍生作品　帶動武俠風潮

《飛燕驚龍》開一代武俠新風

《飛燕驚龍》(1958)爲臥龍生成名作，共48回，約120萬言。此書承《風塵俠隱》之餘烈，首倡「武林九大門派」及「江湖大一統」之說，更早於香港武俠巨匠金庸撰《笑傲江湖》(1967)所稱「千秋萬世，一統」達九年以上。流風所及，臺、港武俠作家無不效尤；而所謂「武林盟主」、「江湖霸業」等新提法，竟成爲社會大眾耳熟能詳的流行術語了。

《飛燕》一書可讀性高，格局甚大。主要是寫江湖群雄爲覬覦傳說中的武林奇書《歸元秘笈》而引起一連串的明爭暗鬥；再以一部假秘笈和萬年火龜爲餌，交插敘述武林九大門派（代表正派）彼此之間的爾虞我詐，以及天龍幫（代表反方）網羅天下奇人異士而與九大門派的對立衝突。其中崑崙派弟子楊夢寰偕師妹沈霞琳行道江湖，卻如夢似幻地成爲巾幗奇人朱若蘭、趙小蝶之絕世武功技驚天龍幫，而海天一叟李滄瀾復接連敗於沈霞琳、楊夢寰之手；致令其爭霸江湖之雄心盡泯，始化解了一場武林浩劫云。

在故事佈局上，本書以「懷璧其罪」（與真、假《歸元秘笈》有關）的楊夢寰屢遭險難，卻每獲武林紅妝垂青爲書膽(明)，又以金環二郎陶玉之嫉才害能，專與楊夢寰作對(暗)爲反派人物總代表。由是一明一暗交織成章，一波未平，一波又起，極盡波譎雲詭之能事。最後天龍幫冰消瓦解，陶玉帶著偷搶來的《歸元秘笈》跳下萬丈懸崖，生死不明，卻予人留下無窮想像空間。三年後，作者再續寫《風雨燕歸來》以交代陶玉重出江湖，爲惡世間，則力不從心，當屬狗尾續貂之作。

在人物塑造方面，臥龍生寫男主角楊夢寰中看不中用，固然乏善可陳，徹底失敗；但寫其他三名女主角如「天使的化身」沈霞琳聖潔無瑕，至情至性，處處惹人憐愛；「正義的女神」朱若蘭氣質高華，冷若冰霜，凜然不可犯；「無影女」李瑤紅則刁蠻任性，甘爲情死等等，均各擅勝場。乃至寫次要人物如「賓中之主」海天一叟李滄瀾之雄才大略，豪邁氣派；玉簫仙子之放蕩不羈，爲愛痴狂；以及八臂神翁聞公泰之老奸巨猾，天龍幫軍師王寒湘之冷傲自負等，亦多有可觀。

與

摘自 葉洪生、林保淳著《台灣武俠小說發展史》

台港武侠文學

流行天王

臥龍生

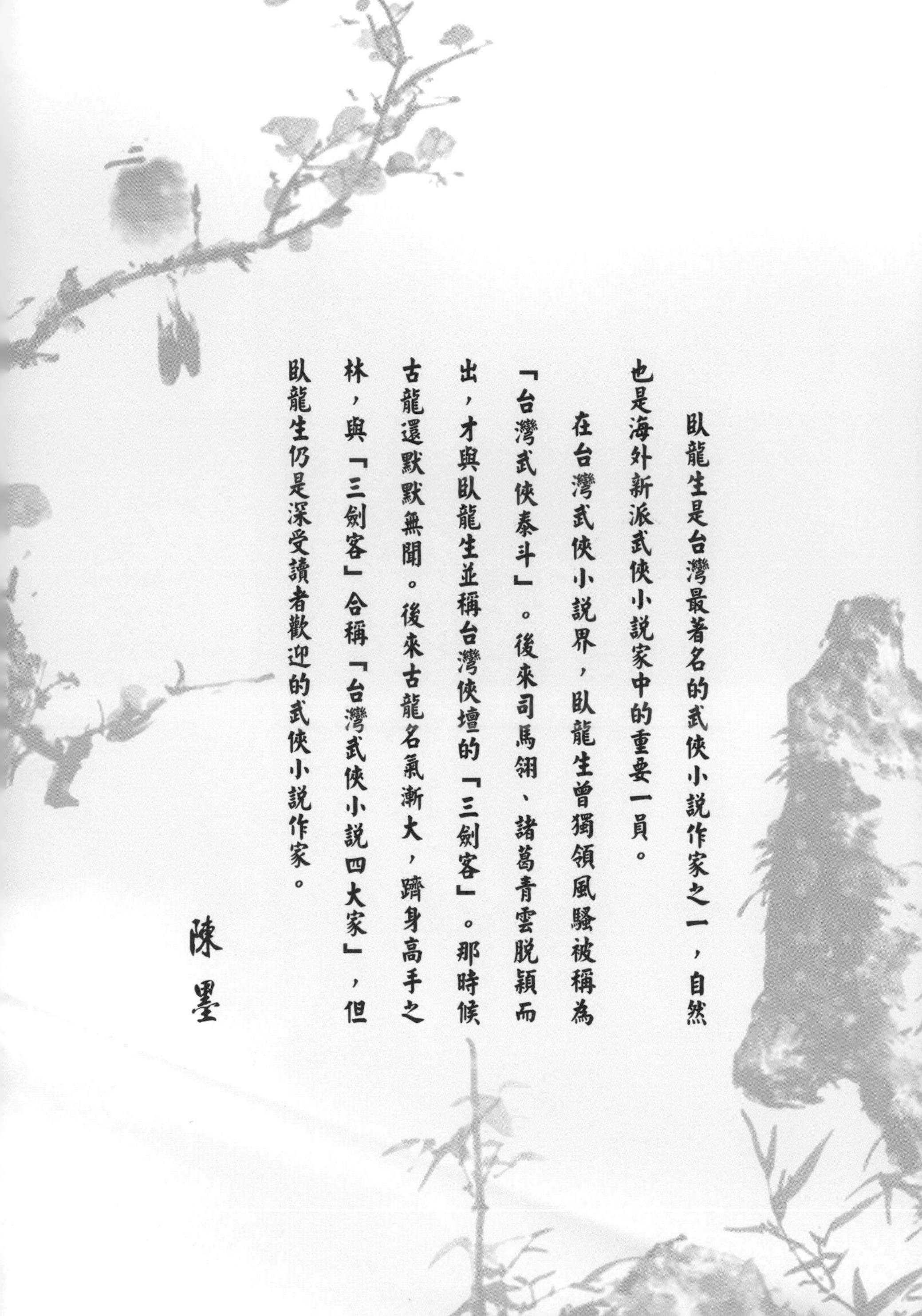

臥龍生是台灣最著名的武俠小說作家之一，自然也是海外新派武俠小說家中的重要一員。

在台灣武俠小說界，臥龍生曾獨領風騷被稱為「台灣武俠泰斗」。後來司馬翎、諸葛青雲脫穎而出，才與臥龍生並稱台灣俠壇的「三劍客」。那時候古龍還默默無聞。後來古龍名氣漸大，躋身高手之林，與「三劍客」合稱「台灣武俠小說四大家」，但臥龍生仍是深受讀者歡迎的武俠小說作家。

陳墨

翠袖玉環（一）

臥龍生

武俠經典珍藏版 37

臥龍生精品集37

翠袖玉環(一)

目錄

【導讀推薦】

霸業雄圖，何如翠袖玉環？
——臥龍生成熟時期的理念與技法

知名文學評論家
秦懷冰

在當年台港武俠小說創作的全盛時期，夠份量引領風騷、聳動讀者的諸位名家中，臥龍生顯然最喜歡揄揚女性的才慧與能耐，甚至不惜一再以俠女力挽武林浩劫作為故事的主軸，而眾多出身名門或肩負重任的年輕俠士則只能淪為才女或俠女的陪襯。這一點幽微的心思，從臥龍生為他那些最具代表性的作品所取的書名來看，即可以一目了然，例如：飛燕驚龍、玉釵盟、天香飆、絳雪玄霜、飄花令、雙鳳旗……可謂無一而非以女性的象徵符號作為他構思和發揮的樞紐。

詭秘與殺機

而臥龍生在創作武俠故事時這一彰明昭著的偏好，在《翠袖玉環》中表現得格外強烈。他一方面將武俠世界中女性可能展露的神秘、恐怖、凌厲、殘酷，抒寫得淋漓盡致，另方面卻又將顛覆一代梟雄的霸業雄圖、扭轉無數白道英雄的悲慘命運之關鍵重任，付託於紅顏麗人的

纖纖玉手。故而，《翠袖玉環》大抵可視爲臥龍生在其創作的成熟時期，將他長期醞釀與經營的創作主題加以「聚焦化」和「凝固化」的一部作品，風格鮮明，但情節多變，就通俗小說而言，可讀性自然不在話下。

序幕如此展開：雄踞江淮，威名卓著，其府邸被江湖豪傑共尊爲「江東第一家」的大俠藍天義面臨危機，其女藍家鳳似在外招惹了詭異兇悍的強敵，以致多起神秘莫測的事件發生在藍府左近，而藍天義的夫人又似有難言之隱，無法與藍天義開誠布公，反而隱隱形成禍起蕭牆的氣氛。於是，平素與藍天義結爲盟友的眾多黑白兩道豪傑之士，紛紛趕來藍府，準備助藍大俠一臂之力。其中，甫才出道江湖的少年劍客江曉峰則是因對藍家鳳「驚艷」，知悉藍女遭逢外力威脅，好奇心作祟，亦來到藍府一探究竟。然而，藍府果真遇到了危機嗎？

隨著情節推展，藍府的詭秘與殺機一層層地透顯。眾多趕來助陣的豪傑逐漸發覺，藍府的老僕人藍福竟是深藏不露的高手，功力之精深迥非他們所能想像，接著，又發現藍大俠言不由衷，行止詭異，似在有意無意地將他們玩弄於股掌之間。但要直到功力深湛的少林高僧無缺大師、武當耆宿玄真道人出面，抽絲剝繭，當場揭露藍天義的秘密，直指他擁有武林盛傳習之可以無敵於天下的「金頂丹書」及「天魔令」，卻一直藏斂鋒芒，佯裝武功並非絕高以避免引起矚目，故必定暗中有所圖謀。至此，藍天義圖窮匕現，終承認要將在場眾人一網打盡。

雄圖與野心

風雲乍變，藍天義由大俠搖身一變而成爲魔頭，自是武俠小說常見的套路，臥龍生尤其擅於鋪陳此等詭變。而被困藍府的眾豪傑或降或逃，無人敢對身懷丹書、魔令的藍天義直攖其鋒，亦是意料中事。但初出場時只是次要角色的江曉峰面臨生死關頭，卻不卑不亢，表現出「臨大節而不可奪也」的昂然氣概，以致贏得同樣不願受藍天義支配的江湖人物如「神算子」王修、才女方秀梅等人傾心，願與他並肩作戰，對藍天義所網羅的勢力周旋到底。情節推進至此，仍屬臥龍生所擅長的「兩陣對圓，各顯神通」模式，只不過更加緊湊熾烈而已。

藍天義多年蟄伏，不動聲色，暗自修煉丹書、魔令上所載的奇功，如今氣候已成，想要恃暴力懾服武林各大門派，一統江湖；在武俠小說的寫作傳統中，這般霸業雄圖的野心，為自古以來所有的梟雄人物所常有，丹書、魔令的取得，不過是促使藍天義的野心驟然膨脹而提前發難而已。當然，以江曉峰為首的抗爭派，與以藍天義、藍福二人為首的當權派展開鬥智鬥力，千里爭鋒，各逞機謀，乃是必然要濃墨重彩加以鋪陳的情節，也正是臥龍生信筆拈來即可扣人心弦的技法，在此書中，他自有不少突破先前那些作品的大膽展演，逐步推向最後的高潮。

丹書與魔令

本書的畫龍點睛之筆，落在丹書、魔令的來源問題上。所謂「天魔令」，是早年武林正邪兩大勢力相爭之際，由於魔道中人受挫，為求捲土重來，由一些殘存的魔道首領各將平生所諳絕技書寫出來，編為一冊，準備培植一名絕世無雙的魔道高手，俾與白道勢力再爭天下。結果卻因此而養成了三個驚才絕艷的邪派頂尖人物，造成少林、武當等名門正派高手的大敗。於是，各大門派也在峨眉金頂集合菁英人物各獻平生藝業，編成「金頂丹書」以資抗衡。但在正邪決戰前夕，丹書、魔令竟均被一位來歷不明的奇人盜走，以致貽下禍根。

歲遠年淹，久無丹書、魔令的訊息，如今不幸落入野心家藍天義之手，成為啓動眼前這場

災劫的觸媒。其實，明眼人應可看出，本書中關於丹書、魔令的設計，是融合了金庸作品《笑傲江湖》中有關「葵花寶典」突兀問世的傳奇，與司馬翎《劍神傳》中有關黑白兩道碩果僅存的耆宿各自集合群力，培植年輕一代頂級高手準備再決勝負的情節；但值得強調的是，臥龍生雖巧取並世武俠名家的創意，卻只點到為止，並能自出機杼，將其崁入層層轉折的情節布局中，就通俗文學常見的「遞相祖述」現象而言，亦誠屬取法乎上了。

但本書之所以被視為臥龍生創作成熟期的代表作，主要原因還在於著力抒寫女性作為主導全局的樞紐。翠袖玉環的女性形象確定性地顛覆了霸業雄圖的男性野心，從而將他在此前諸部名著中婉轉陳示的「祟她」心思，坦然呈現。藍天義掌握了丹書、魔令，並不足以威懾天下，他的真正「必殺」利器，竟是秘密訓練的十二個所向無敵的美女殺手；江曉峰等人為了遏制藍天義的勢力，出生入死，歷盡艱險，眼看已是勝券在握；詎料，十二金釵倏然現身，整個形勢又告逆轉。

美女與殺手

以絕世美女為必殺利器，臥龍生在早年作品《天香飆》中曾設計過同類的情節；但以多達十二名美女殺手這般浩浩蕩蕩的陣容，來凸顯決定江湖爭霸勝負誰屬的關鍵因素，乃是某種特定的「女性力量」（female power），畢竟是令人目眩神搖的另類寫法。而更值得玩味的是，臥龍生安排破解十二金釵的必殺威力，是靠人性覺醒的藍家鳳藉由同為女性的「軟實力」，摧毀了十二金釵所向無敵的「硬實力」。女性的力量，決定了兩大勢力殊死戰的最終結果。

十二金釵所留下的形象，是翠袖玉環；藍家鳳覺醒後的妝束，也是翠袖玉環。從而，「翠

袖玉環」遂成為書中不言而喻的女性表徵，而且兼含了女性強悍的一面與柔情的一面。再進而剖析，則藍家鳳從懵懵懂懂地追隨其父爭逐武林霸業，到後來徹底叛離藍天義集團，毅然加入分明屬於弱勢的抗爭派，固然是緣於她因種種實際相處的機遇而逐漸認同了江曉峰的立場，甚至心裡不自覺地愛上了江曉峰；但更直接而深沉的肇因，則是受到母親藍夫人的影響。原來，藍府之所以一直呈現陰鬱詭異的氣氛，真正的秘密是藍夫人根本反對其丈夫企圖宰制武林、君臨天下的野心，並早已預見若藍天義一意孤行，以權謀與暴力交相運作的手段來追求其霸業雄圖，最終必然眾叛親離，難逃慘敗的命運。

諷世的寓言

藍夫人的武功與才智其實猶高於自命不可一世的藍天義，因她信守夫妻情誼，寧願隱忍自苦，而不肯先發制人，出手懾服藍天義，以致反而死於後者的圈套。但她才慧過人，早已預見其夫一旦得勢，可能荼毒武林各派，造成浩劫，故而暗中點醒女兒，並安排由藍家鳳在她死後出面消弭十二金釵之禍的方案。因此，書中真正堪為才慧雙全的女性典型，亦即臥龍生所要刻畫的真正「翠袖玉環」，其實乃是極少正面出場、只以暗筆從側面提到的藍夫人！準此而言，則臥龍生心目中的「翠袖玉環」毋寧有一更基本的價值：她是家庭的支柱與核心，正因藍天義摧毀了這個支柱與核心，所以注定了天理難容的下場。

霸業雄圖，何如翠袖玉環？臥龍生以一環扣一環的緊湊情節，敘述了一個引人入勝的奇詭故事，乍看是武俠小說的技法展演，深層看去，卻像是隱含著濃郁倫理意涵的諷世寓言。

一　江東第一嬌

位處長江、運河之交的鎮江府，不但商業繁茂，而且風景秀麗，名勝林立，金焦、北固諸山各擅形勝。

鎮江府北門外，有一座宏偉的高大宅院，面對著滔滔江流，高大的朱漆木門前面，豎立著一支青銅鑄成的旗杆，閃閃生光，看上去氣象萬千。

一面五尺見方的金龍旗，高掛在青銅旗杆上，迎風招展。

朱漆門樓上一塊金字匾，豎寫著：「江東第一家」。

金匾下密密地排上一十二個加有稱號的人名字，無一不是江南武林道上有頭有臉的大人物。他們依序是：

太湖漁叟黃九洲，金陵劍容張伯松，神行追風萬子常，金刀飛星周振方，袖裏日月余三省，踏雪無痕羅清風，千手仙姬祝小鳳，一輪明月梁拱九，金旗秀士裔玉朗，嶺南神鷲鍾大光，茅山閒人君不語，笑語追魂方秀梅。

只看那十二個落款送匾人的名號，包括了江南黑、白兩道上頂尖兒的人物，大江南北，果然是很難再找出第二家了。

這時天色過午不久，六月天烈陽如火，官道上一片靜寂。

突然間，兩匹快馬，奔馳而來，得得蹄聲，劃破了午後時刻的沉寂。

當先一匹馬上，是一個四十左右的大漢，濃眉、虎目，白綢子短衫長褲，鞍前掛著一把金柄綠鞘的大砍刀。

第二匹馬上，是一位二十四、五的年輕小伙子。一張臉被烈日曬得油漆生光，一身黑色密扣短裝，雙手抱著一個尺許見方的黑漆描金小箱子。

兩匹馬都跑得滿身大汗，顯是經過了長途跋涉而來。

兩匹馬行到那青銅旗杆下面，一齊停了下來。

當先中年大漢，抬頭望望那隨風飄蕩的金龍旗，緩緩躍下馬背，把手中馬韁交給身後小伙子，舉步行向那高大宅院的朱漆門前。

一陣江風吹來，飄起那中年大漢衣袂，也帶動門樓上一個小巧風車，發出輕微的呼嘯之聲。

中年大漢抬頭望望那門樓上的風車，微微一笑，暗道：「金旗秀士裔玉朗果然是一個匠心巧手的人物，這架小風車能在風力大小不同中，發出十餘種不同的聲音，倒也是一樁別開生面的壽禮，但今年大約要數我這份壽禮最爲豐富了，如是在壽筵上打開，必將是震驚四座。」

心中念轉，右手卻拍動了門上銅環。

但聞木門呀然而開，一個白髮老蒼頭當門而立。

老蒼頭打量了來人一眼，欠身說道：「原來是周總鏢頭大駕光臨，老奴稟報老主人去。」

原來中年大漢乃是金陵「永興」鏢局的東主兼總鏢頭，金刀飛星周振方。

周振方搖搖手，道：「藍福，不用了，此刻正是午睡時刻，你帶我到府裏休息一下，待會

兒再見貴主人不遲。」

藍福道：「周總鏢頭不辭千里而來，老奴如不稟報老主人，難免要受老主人的責罵了。」

周振方道：「不要緊，你家老主人問起來時，在下承當便了。」

藍福道：「周爺吩咐，老奴恭敬不如從命了。」

抬頭望望旗杆下那牽馬的黑衣人，接道：「那是周爺從人了。」

周振方道：「局子裏一位趟子手，跟我七、八年了。」

回頭一招手，道：「你過來。」那黑衣人應聲行了過來。

藍福同時也招來了一個廿三、四歲的青衣人，道：「這位是周爺的從人，你好好招待。」

那青衣人應了一聲，接過那黑衣人手中馬韁，道：「走！咱們後面喝兩杯去。」

那黑衣人望了周振方一眼，把手中的描金箱子遞給了周振方。

周振方接過木箱，沉聲說道：「王四，藍府中規矩森嚴，不似咱們鏢局裏人手混雜，你要舉動小心一些，不能隨便走動。」

王四一欠身，道：「總鏢頭放心，小的決不會給總鏢頭丟人。」隨著那青衣人轉入左側而去。

藍福道：「望江樓已然打掃乾淨，老奴帶周爺去吧！」舉步向前行去。

周振方緊隨在藍福身後，問道：「今年是藍大俠花甲大壽吧！」

藍福道：「是啊！周爺記得很清楚！」

周振方道：「藍大俠威震江東，名播天下武林道上，哪一個不對他崇敬有加，在下更是身受其恩，若非十年前，藍大俠出面替在下討回那筆鏢銀，永興鏢局的招牌，早就砸了，哪裏還

有今天這等局面，這份恩情，周某人是一輩子也還不完了。」

藍福微微一笑，道：「周爺不用擺在心上，咱們老主人一生做事，從不望人報答，老奴追隨他闖蕩江湖，刀裏來，劍下去，三十春秋，眼看他行俠義，濟危難，救人無數，大都連姓名都不肯留下，十年前，定居於此，承諸位送了一方第一家的匾，才很少在江湖走動，全心調教少主人和姑娘的武功。」

周振方接道：「藍少爺和大姑娘都已得藍大俠的真傳了？」

藍福道：「我家少主人不喜炫露，成就如何？老奴不敢妄自測言，但大姑娘卻已得老主人十之七、八的武功，人又像花朵一般地討人喜歡，凡是老主人故人來訪，都被她伯伯、叔叔叫得樂不可支，誰都自願傳她兩招，在江東地面上，已經小有名氣了。」

周振方哈哈一笑，道：「老管家太客氣，江東道上誰不知玉燕子藍家鳳藍大姑娘。」

藍福怔了一怔，道：「周爺也知道我家姑娘的閨名了？」

周振方道：「何只在下知曉，三月前，兄弟在開封府，也聽到玉燕子的名氣。」講話之間，已然行近望江樓。

這一座建築很別致的碉樓，用青石砌成了一丈七、八尺一座高台，四面都有石階，石台上用松木建築成一座廳房，四面垂簾，捲開垂簾，八方通風，因樓台高過圍牆，登樓四顧，可見江流滾滾，一面是假山花樹，一面是荷池飄香。

雖是六月暑天，登樓小坐，江風徐來，頓使人感覺到暑氣全消。

藍福帶著周振方登上望江樓，只見樓內打掃得十分乾淨，纖塵不染，兩個青衣童子早已恭候門外。

藍福舉步入室，一面吩咐兩個青衣童了，道：「周爺遠道而來，快些沏茶奉客。」青衣童子應了一聲，自去張羅。

藍福卻把周振方讓在一處靠北窗籐椅上坐下，道：「周爺說我家大姑娘的名氣，已經遠播到開封府了？」

周振方道：「不錯，在下確在開封府聽人說過，其實又何只開封府呢，只怕大江南北，都已經傳出了玉燕子的名氣。」

沉吟了一陣，接道：「老管家，咱們相識多年，在下一向是有話直說，如果說錯了，老管家可不要見怪。」

藍福道：「老奴十六歲追隨主人，四十年主僕情深，老主人確也未把我當外人看待，周爺若有什麼事，只管請說，老奴斗膽也不敢怪到周爺頭上。」

這時，兩個青衣童子，分別獻上香茗、美點之後，又悄然而退。

周振方輕輕咳了一聲，道：「藍姑娘俠名大著，但江湖上傳說最烈的，卻是她的美麗，兄弟聽得傳言，江湖上送了她一個『江東第一嬌』的雅號，老管家想必早已知曉了。」

藍福搖搖頭，道：「這『江東第一嬌』的雅號，老奴倒是不知，不過，我家大姑娘的確是美，這江東第一嬌的雅號，應該是當之無愧？」

似是突然想起了什麼大事，一皺眉頭，道：「近月來情形卻似有些不對。」

周振方道：「什麼事？」

藍福道：「過去，我家老主人一直不太管大姑娘，她有足夠的聰明，和足以保身的武功，

常常任她出遊，近半年來，卻是一直未再見我家大姑娘離開過家。」

周振方道：「大約是藍大俠聽到了風聲，不願她以清白女兒之身，在江湖之上混跡，不許她出去闖，也許是覺到了她的名氣太大，怕她招惹來麻煩。」

藍福歎息一聲，道：「周爺和我們老主人交非泛泛，老奴心中有什麼，也就說什麼。」

周振方看藍福神色凝重，不禁一怔，說道：「老管家有什麼事嗎？」

藍福道：「老奴這把年紀，生死都已看開，還會有什麼大事，自然是關於我家老主人的事了。」

周振方道：「藍大俠實至名歸，百年來，江東武林道上，從無人能夠比擬，還會有什麼不開心的事了？」

藍福道：「老奴也是覺著奇怪，這兩、三個月來，始終未見我家老主人有過笑容，唉！在老奴記憶之中，數十年來從未有著此等事，我家老主人也有過盛怒的時候，但怒火過去就平靜無事，我從未見過我家老主人，有過近數月來的憂慮，終日裏愁眉不展，若似有無限心事。」

周振方道：「藍大俠沒有和老管家談過麼？」

藍福道：「沒有，所以老奴才覺著十分不安，往常發生什麼事，我家老主人都招老奴去商談一下，但這次，卻是大反常情，一直未和老奴說過。」

周振方道：「有這等事？」

藍福神情嚴肅地說道：「不錯，老奴說的句句實言，老奴也曾盼望著老主人六月十五大壽之日，諸位來此時，暗裏和諸位商量一下，查明個中內情。」

周振方道：「今晚六月十二日，在下早來了三日，原本是希望能和藍大俠、老管家多談

談，以受教益，想不到，以藍大俠的武功聲望，竟然也會遇上煩惱的事。」

周振方已然警覺到事情嚴重，神情肅然地接道：「老管家，近數月來，可曾發現過有什麼可疑的人物出入藍府中呢？」

藍福搖搖頭，道：「沒有，府中大小諸事，都由老奴管理，如是有生人來過藍府，老奴斷無不知之理。」

周振方凝目沉思了一陣，道：「那麼，藍大俠，近月之中，可曾離開過藍府一步？」

藍福想了一陣，道：「三月個前吧！有一次，老主人夫婦同往外面進山玩耍，日出而去，日落時分回府，除此之外，這半年來，未再離開過藍府一步。」

周振方道：「老管家，可曾留神到藍大俠那日回來的神色，那憂苦之容，是否自那日開始呢？」

藍福道：「那天老主人夫婦歸來時，老奴正好被府中一些瑣事纏身，未能親身相迎，所以，未見到老主人的神情如何。」

這時，那青衣童子突然輕步行了過來，道：「啓稟老管家，金旗秀士商玉朗求見。」

藍福道：「人在何處？」

青衣童子道：「已被招待之人，帶在望江樓下。」

藍福急急行出了門外，只見一個黑髯垂胸，劍眉星目，身著青衫，手中提著一把似傘非傘的中年文士，緩緩行了進來。

來人正是金旗秀士商玉朗。

藍福一抱拳，道：「商爺，別來無恙，老奴藍福，未能遠迎商爺，還望恕罪。」

商玉朗笑道：「老管家言重了。」一面還禮，一面緩步行入望江樓。

周振方起身抱拳，道：「商兄，久違了。」

商玉朗哈哈一笑，道：「周兄早到了。」

藍福道：「兩位請聊聊，老奴告退了。」

周振方道：「老管家請便，不用招呼我等了。」

藍福欠身一禮，逕自下樓而去。

商玉朗在周振方對面坐下，說道：「周兄的生意越來越發達了。」

周振方道：「這都是朋友們捧場，藍大俠的照顧，日後還望商兄能夠多多支持。」

商玉朗笑道：「周兄如能看得起兄弟，只要四指寬一個帖子，兄弟無不應命。」

周振方一抱拳，道：「兄弟這裏先謝過了。」

商玉朗微笑道：「不敢當，聽說周兄近年來，極力羅致人才，永興鏢局中，已有不少後起之秀的高手。」

周振方道：「吃鏢局這行飯，雖是要交往廣闊、朋友幫忙，但本身也得有些實力才行，爲了夥計們的生活，兄弟不得不擴充店面。」

他措詞雖然說得婉轉，但語氣中隱隱透出春風得意的滿足。

這時一個青衣童子，手托木盤而至，送上來香茗、細點，放在兩人之間的木案上，然後又悄然而退。

商玉朗端起茶杯，道：「周兄，兄弟以茶代酒，祝周兄宏圖大展。」

周振方道：「借商兄的金口玉言，兄弟生受了。」說完也端起茶杯，喝了一口。

周振方目光轉動，只見整個的望江樓中，除了自己和啇玉朗外再無他人，兩個待客的童子，都已退避樓外，當下低聲說道：「啇兄和藍大俠的交情如何？」

啇玉朗略一沉吟，道：「周兄問此是何用心？」

周振方道：「兄弟聽到一些傳言，如是啇兄和藍大俠沒有這份交情，兄弟就不用談了。」

啇玉朗道：「藍大俠救過兄弟一次危難，相互論交，在下倒有些慚愧，事實上在下身受了藍大俠很深的恩情。」

周振方微微一笑道：「兄弟這永興鏢局，能有今日這等局面，亦是藍大俠所賜，兄弟承受藍大俠的恩情，比啇兄只重不輕。」

啇玉朗眉頭連聳，緩緩說道：「周兄之言，弦外有音，可否明白見告兄弟呢？」

周振方道：「兄弟適才和藍福交談，得知藍大俠這數月以來，一直愁眉不展，似是有著很沉重的心事。」

啇玉朗道：「在下也聽到一個傳言，以周兄耳目之眾，想必早已聽說了？」

周振方道：「也是關於藍大俠麼？」

啇玉朗道：「不錯，而且還牽扯到玉燕子藍家鳳的身上。」

周振方道：「有這等事，在下倒未聽過。」

啇玉朗道：「那傳說是藍大俠要在六十大壽後金盆洗手，從此退隱林泉，此後不再問江湖中事，但他放心不下愛女，要借這場壽筵中，選一位乘龍快婿，了他心願。」

周振方怔了一怔，道：「這個，兄弟怎麼沒有聽人說過呢？」

啇玉朗道：「也許是礙於那藍大俠在武林中的威望，這樁傳言，並非流播於街頭巷尾，但

它卻流傳得很廣，而且能夠知曉此事的，都是武林中人。」

周振方道：「商兄如何聽到的？」

商玉朗道：「說來，也是一樁巧合，兄弟在一處酒樓上進餐，有兩位武林道上人，多喝了兩杯，談論此事時，聲音大了一些，被兄弟聽了來。」

周振方道：「果有此事？兩日後，不難證明。」

商玉朗道：「就兄弟觀察所得，此事可不會假，因為兄弟一路行來，遇上不少武林人物，行向大都集中於此，其中大部份人，兄弟都未見過，往年亦未參與過藍大俠的壽筵。」

周振方道：「如果此事當真，咱們應該先去見見藍大俠，問明真相。」

商玉朗沉吟了一陣，道：「在下也曾想到應該先見藍大俠說個明白，但又覺著此事來自道聽塗說，不便啓齒。」

周振方道：「此事關係重大，不能掉以輕心。」

只聽見一個清亮的聲音，接道：「什麼事這麼嚴重？」

兩人同時轉頭看去，只見一個身著天藍長衫，面貌清瘦的中年人，緩步而入。

周振方道：「余兄來得正好，你號稱袖裏日月，智謀過人，咱們正有樁疑難之事，要煩余兄評斷評斷。」

來人正是袖裏日月余三省。

余三省微微一笑道：「周兄和商兄解不了的難題，兄弟豈有此能？但請兩位先說出來，咱們研商一下。」

周振方道：「商兄可聽過一樁傳說？」

余三省接道：「可是說藍大俠要在六十壽筵中金盆洗手，退出武林，而且還有玉燕子藍姑娘，也要在藍大俠六十壽筵中，選擇一位佳婿，藍大俠了去心願，即將飄然而去，息隱於深山大澤之中。」

周振方道：「余兄相信麼？」

余三省神色鄭重地說道：「目前，已有很多人擁向藍府，老管家藍福正守在大門口處擋駕，只怕要鬧出不歡之局。」

周振方霍然起身道：「咱們也該去瞧瞧才是。」

余三省道：「暫時還不用去，兄弟已然留心瞧過那些聚於藍府門外的人，大都是三、四流的腳色，癩蛤蟆想吃天鵝肉，準備來此撿便宜。」

周振方冷哼一聲，道：「這些人膽子不小。」

余三省道：「問題在以後，也許真有高手混跡其間，咱們不知藍大俠的心意，很難處理。」

商玉朗突然說道：「這幾年來，藍姑娘一直未在藍大俠壽筵中出現過，兄弟已記不起那藍姑娘長什麼樣子了？」

余三省道：「在下倒見過一面，的確是美豔得很。」

商玉朗道：「余兄在何處見過藍姑娘？」

余三省道：「無錫縣城。不過，兄弟未和她打招呼，稱她江東第一嬌，並非虛言。」

周振方道：「她一個人麼？」

余三省道：「有一個五十上下的老嬤隨行。」

周振方歎息一聲，道：「藍大俠如早約束她一下，也不會有今日之事了。」

余三省搖搖頭，道：「周兄，你認為這是一件偶發事件麼？」

周振方道：「難道這其間還有什麼陰謀不成？」

余三省肅容說道：「以藍大俠在江湖的聲望，這些武林道上的無名小卒，豈敢太歲頭上動土，老虎口裏拔牙，幕後自然是有人策動了。」

周振方道：「這話說來，那藍福的話，並非是無的之矢了。」

余三省道：「藍福說什麼？」

周振方道：「藍福說，藍大俠近數月來，一直是愁眉不展，若有心事。」

余三省左手輕輕在右手上擊了一掌，道：「這就是了，藍大俠憂必有因，也許就是為今日之事，兄弟之見，這些人膽敢如是，必有所傳，至少是有人在幕後推動。」

周振方道：「事已如此，余兄有何應付之策？」

余三省道：「咱們先得了然藍大俠的心意，才能有所施展。」

商玉朗道：「咱們先到門口瞧瞧，順便要藍福去通報一聲。」

周振方道：「就憑咱們三人，江東道人物，也該賣咱們幾分面子。」說完站起身子，當先行去。

余三省快行兩步，追在周振方的身後，低聲說道：「周兄，藍大俠比你我如何？」

周振方道：「聲望、武功無不高過我等。」

余三省道：「這就是了，他們敢來藍大俠的府上，難道還會怕咱們不成？」

商玉朗冷哼一聲，道：「如是真有人在幕後推動，在下倒是想見識一下那位幕後人物。」

余三省道：「如若那人是衝著藍大俠來的，那咱們都有一份，不論對方是何等厲害人物，也是義無反顧。不過，咱們應先知道藍大俠的心意？」

商玉朗道：「這話倒也有理，咱們先瞧瞧前面情形，再去見藍大俠，請教內情。」

余三省道：「小心一些沒有錯。咱們好意出頭，卻不能替藍大俠幫個倒忙。」

談話之間，已然行到大門口處。

凝目望去，果見門外群集了數十個疾服勁裝的大漢。

周振方凝目望去，只見那些人個個都不相識，不禁一怔，暗道：「以我周某人在江湖識人之多，怎的這些人一個也不認識呢？」

余三省道：「這就是可疑之處了，這些人如常在江湖道上走動，咱們三人，斷無不認識之理，但目下雲集了數十人，咱們連一個也不認識。」

周振方道：「不錯，他們定是受命而來。」

商玉朗道：「兄弟倒有一個主意，不知二兄是否同意？」

周振方道：「請教高見？」

商玉朗道：「咱們生擒一人，逼問內情。」

余三省低聲說道：「兄弟已仔細看過了這些人，其中並無特出的高手，對付他們並非難事，問題是藍大俠是否同意？」

但聞藍福向人群說道：「諸位的好意，老朽是感激不盡。不過，敝主人是否肯開壽筵，目下還難決定，諸位請留下名帖，先行請回，待敝主人決定之後，老朽再行奉邀。」

只聽人群中一個宏亮的聲音說道：「我等不辭千里而來，慕名拜壽，閣下如此相拒，未免太不近情理了。」

另一個高聲應道：「不錯啊！你既然作不了主，我們只有面見藍大俠了。」

藍福臉色一沉，冷冷說道：「老朽活了這一把年紀，還未見過強行爲人拜壽的事，諸位如是想找麻煩，老朽希望你們自己估量一下，江東藍府也不是怕事的人家。」

余三省低聲說道：「藍福這位老管家涵養好，惹他發火真還不太容易。」

啇玉朗道：「昔日他隨藍大俠闖蕩江湖，會過不少高人，手下十分紮硬，這些人再鬧下去，只怕要出事情。」

只聽人群中一個冷冷的聲音說道：「咱們千里迢迢，來此拜壽，那是對藍大俠的敬慕。閣下是何許人，竟然敢擅作主意，拒人於千里之外？」

藍福道：「老朽藍福，是藍府中的總管。」

那冷冷的聲音又道：「一個管家，能有多大權威，竟敢胡作主意，我等久聞那藍大俠乃江東第一英雄，豪氣干雲，決不會吝惜幾桌酒席，只要藍大俠出面講一句話，我等立刻就走，老總管擅作主意，不怕汙了那藍大俠的威名麼？」

這幾句話，說得十分尖刻，但其中卻又有一些道理，藍福胸中雖然怒火高燒，但卻又不便發作，強自忍下怒火，說道：「這位兄台之言，乍聽起來，卻也有道理，不知可否出來和老朽談談？」

只見人群之中，大步行出一個身著藍色勁裝的少年。

藍福凝目望去，只見那人穿著的那一身藍色衣服，已經洗成灰白色，年約二十三、四，臉

色也是一片蒼白，似是大病初癒一般，但他的氣度，卻很悠閒，目光不時轉向天際，一副孤傲自賞的氣概。

藍福輕輕咳了一聲，道：「朋友貴姓？」

藍衣少年冷冷說道：「在下馬榮。」

藍福心中暗忖：「馬榮這名字好生啊！從未聽人談過。」口中卻說道：「馬兄很少在江東道上走動吧。」

馬榮道：「不錯，這是在下第一次到江東地面。」

藍福昔年隨主人闖蕩江湖，見聞廣博，聽口氣已覺出情勢非同尋常，胸中的怒火反而消退了下去，淡淡一笑道：「馬兄從何處來？」

馬榮道：「尋根問柢，不知是何用心？」

藍福冷笑一聲，道：「老朽走了一輩子江湖，見過怪事甚多，但還未遇過此等怪事，諸位雲集數十人，身佩兵刃，說為拜壽而來，實是叫人難信。」

馬榮道：「天下之大，無奇不有，閣下雖然年紀不小，但不過是藍府中的一個管家，替主人擅作主張，那未免太過自負。」

藍福道：「閣下的口氣很大啊！」

馬榮道：「在下之意，老管家最好去請示主人一下，免得自作主張鬧出不歡之局。」言下之意，似乎是那藍大俠定會同意幾人拜壽一般。

藍福聽得心中一動，暗道：「此人口氣，如此硬朗，我倒是不便太過獨斷了。」心中念轉，緩緩說道：「閣下可是這群人們的首腦麼？」

馬榮道：「首腦倒不敢當，但這般兄弟，大約還肯聽兄弟的話。」

藍福點頭說道：「好，馬兄如肯約束隨來的同伴，老朽就去請示主人。」

馬榮一揮手道：「閣下儘管請，在閣下未回來之前，兄弟擔保他們不越雷池一步。」

藍福道：「咱們一言爲定。」轉身向府內行去。

只見周振方、余三省、裔玉朗三人並肩站在府門裏面，立時低聲道：「這群無賴來得奇怪，未得老主人之命，老奴倒是不便打發他們，勞三位的神，照顧一下門戶，老奴去請示老主人一聲。」

余三省道：「老管家，不要吝惜唇舌，把話說清楚。」

藍福先是一怔，繼而淡淡一笑，道：「老奴明白。」快步直入內宅。

余三省低聲對周振方和裔玉朗道：「這些人口口聲聲要見藍大俠，心中必有所恃，藍福已去稟報藍大俠，立刻就有消息回來，咱們只要守住大門，不讓他們衝進來就成了。」

裔玉朗道：「這些人來路難測，說不定有圖而來，咱們最好能抓他一個，問問明白，了然內情，也好設法對付他們。」

余三省道：「兄弟看走眼了。」

裔玉朗道：「什麼？」

余三省道：「那位馬榮。」

周振方道：「怎麼呢？」

余三省道：「是一個練有奇功的高手，兄弟剛才竟然沒有瞧得出來。」

要知余三省外號叫袖裏日月，不但智謀多端，料事如神，而且胸羅甚博，天下各大門派

的武功，固然耳熟能詳，而且，觀察入微，察人所不能察，商玉朗和周振方對他之言，十分信服。

商玉朗道：「余兄覺著那馬榮有何特殊之處？」

余三省低聲說道：「他雙目炯炯，面色蒼白，右手掌心，卻泛起一片血紅之色，似乎是練的血手掌奇門毒功。」

周振方怔了一怔道：「血手掌，這門武功失傳很久了。」

余三省道：「所以才有些事非尋常。」

只見馬榮舉手一揮，數十個大漢突然齊齊向後退去，登上泊在江邊的一艘巨帆大舟之上。

藍府門外，只留下馬榮和兩個背插砍刀的大漢，仍然站在烈日之下等候。

余三省點點頭，自言自語說道：「他們是乘坐一艘帆舟趕來，無怪乎，陡然間出現於斯，咱們事先竟不知道有這麼一批遠道的武林人物到此。」

商玉朗道：「兄弟想不明白，他們千里迢迢，趕來此地，為了何故？」

余三省道：「如是咱們能夠一下子想得明白，那也不足為奇了。」

那馬榮的耐性很好，靜靜地站在烈日下面，一語不發，也不向門內探望。

大約過了有一盞熱茶工夫，只見藍福滿臉憂苦地緩緩行了過來。

商玉朗低聲問道：「藍大俠怎麼說？」

藍福道：「很奇怪，敝東主似早知此事，要老奴善為接待他們。」

余三省道：「要把數十人一齊接入府中？」

藍福搖搖頭道：「老東主說只要接待他們幾個為首之人，餘下要他們大壽之日再來。」

余三省道：「老管家可曾提到我等麼？」

藍福道：「提到了。老東主要老奴安排過來的人之後，帶三位到內宅一見，三位稍候片刻。」說完，行出府門。

只見馬榮冷冷問道：「閣下見過藍大俠了？」

藍福道：「敝主人說諸位遠道來此，十分辛苦，要老奴為諸位安排宿住之地……」

馬榮接道：「藍大俠太客氣了，我等愧不敢當……」

語聲微微一頓，接道：「安排倒是不用，我等自乘一艘帆船而來，船上可睡可食，不用勞動藍大俠了，不過，還請管家上告藍大俠，請他在明日午時之前，到焦山岸畔在下帆船之上一敘，如過了明日，恐怕就不在船上了。」

藍福心中暗暗忖道：「我家老主人在江湖上是何等崇高身分，就算是當今九大門派的掌門人邀請我家老主人，也要備禮投帖，鄭重其事，你馬榮不過一個無名小卒，說話如此口氣。」心裏越想越火，正待發作，突然想到了老主人諄諄告誡之言，強自忍下心中怒火，道：「老朽只管轉告，我家老主人是否肯去，老朽就無法斷言了。」

馬榮道：「管家只要把話轉到，去不去那是藍大俠的事了，在下言盡於此，告別了。」一抱拳，轉身大步而去。

藍福望著馬榮和兩個隨行大漢的背影，只氣得全身微微的顫抖，但他仍然強自忍下，卻沒有發作出來。

直待三人的背影消失不見，藍福才緩緩行入府門。

余三省低聲說道：「老管家不用生氣，此中只怕大有內情，待我等會見過藍大俠，再作計

議。」

藍福氣得臉色鐵青，搖頭說道：「如非老奴覺出其中大有內情，早就動手了。」

余三省道：「藍大俠要老管家帶我等內宅相見，也許已存心要說明內情。」

藍福道：「余爺說得是，老奴替三位帶路。」舉步向前行去。

周振方、余三省、商玉朗魚貫隨在藍福身後，向前行去。

穿過了兩重庭院，行入內宅。

只見一個身著藍綢子長衫，胸垂花白長髯的老者，站在廳門口處。

他雖然臉上帶著笑容，但卻無法掩去那眉宇間的重重隱憂。

周振方、余三省、商玉朗齊齊向前行了兩步，抱拳說道：「藍大俠別來無恙。」

原來，那長衫老者，正是江東道上，人人敬重的藍天義藍大俠。

藍天義欠身一禮，笑道：「又是一年不見，諸位近況可好？」

周振方道：「托藍大俠的福，在下的事情還算順遂。」

余三省道：「區區遊蹤不定，這一年過得不算愜意。」

商玉朗道：「在下大半年來的時光，留居於一座佛寺之中，餘下時光，遊覽了一下山水風光。」

藍天義笑道：「兩位閒雲野鶴，無牽無掛，實叫人羨慕得很。」

語聲微微一頓，接道：「諸位請入廳中坐吧！」當先向大廳之中行去。

周振方等魚貫相隨，行入了客廳之中。

一個青衣童子手捧木盤，分別為幾人獻上香茗。

藍天義端起茶杯，道：「諸位遠道來此，區區未能遠迎，還望諸位恕罪！」

余三省道：「藍大俠言重了……」

輕輕咳了一聲，接道：「適才，我等見到了一群武林人物……」

藍天義接道：「我知道……」

余三省、周振方、商玉朗一個個凝神靜聽，但見藍天義一直舉著茶杯，沉吟不語。

藍福一直靜靜地站在門口，此刻卻突然舉步行入廳中，道：「啓稟東主，老奴已遵照主人的吩咐，但那馬榮卻不肯要老奴安排，告辭而去……」

藍天義連連揮手，不讓藍福說下去，接道：「我知道了。」

藍福望望余三省，接道：「那馬榮臨去之時，告訴了老奴幾句話。」

藍天義抬起頭來，望了藍福一眼，道：「他說些什麼？」

藍福道：「他說在明日午時之前，要老主人到他的船上去看他，不論白天晚上，他都在船上等候，但不能超過明天午時。」

藍天義臉色一片嚴肅，緩緩說道：「好！我知道了，你去吧！」

藍福應了一聲，轉身而去。

藍天義抬起頭來，望了周振方一眼，道：「三位心中定然有些想不明白，是麼？」

余三省道：「不錯，在下已然用盡了心機，但卻想不明白內情原因。」

藍天義輕輕歎息一聲，道：「唉！一言難盡。」

仰起頭來，望著屋頂，呆呆出神。

余三省輕輕咳了一聲，道：「以藍大俠爲人的謙沖和藹，在武林的聲譽地位，難道真有人存心和你藍大俠爲難不成？」

藍天義緩緩說道：「都是我家教不嚴，讓一個女孩子家在江湖之上走動，無端的惹出這一場糾紛，老妻護女情深，出面和人論理，以致身受重傷，已臥床一月有餘了。」

這消息，確使周振方等三人大吃一驚，都不禁呆在當地。

原來，藍夫人亦是一位武林高手，一套越女劍、十二枚銀蓮花，縱橫江湖數十年，從未遇過敵手。

余三省較爲鎭靜，長長吁一口氣，道：「尊夫人可是傷在『血手毒掌』之下麼？」

藍天義道：「不錯，正是傷在『血手毒掌』之下，余兄怎麼知曉？」

余三省道：「在下習武未成，但卻練成了一副鑒別善惡的眼睛，適才兄弟瞧到來人，其中一個叫馬榮的，似有練過血手毒掌之癥，想不到竟然被兄弟不幸猜中。」

商玉朗道：「血手毒掌這門武功，兄弟是從未聽人說過？以藍大俠的武功，難道還不能對付麼？」

藍天義搖搖頭，歎道：「照他們留下的警語，六七四十二天之後，傷處就開始潰爛，七七之前，必死無疑。計算拙荊中掌臥床，已滿三十七日，屈指數來，拙荊還有五日施救時間，但在下已然遍請了鎭江名醫，個個束手無策。」

余三省接道：「血手毒掌，是一種很邪惡的外門奇功，一般名醫，自然是束手無策了。」

商玉朗道：「在下有一愚見，不知能否適用？」

余三省道：「商兄有何高見，我等洗耳恭聽。」

商玉朗道：「那馬榮既練過血手毒掌，必知解救之法，藍大俠不妨答允他的約會，咱們赴約之後，藉故鬧翻，如能生擒馬榮，迫他交出解藥，以救藍夫人，一見之愚，不知諸位意下如何，商某不才，願為先驅。」

周振方道：「周某身受藍大俠之恩，圖報無門，如若藍大俠有心和強敵周旋，周某願盡出我永興鏢局精銳，和他們一較高下。」

藍天義愁苦的臉上，泛現出笑意，道：「諸位的心意，兄弟感激不盡，只是此舉太過冒險，萬一咱們失手，只怕要誤了拙荊之命。」

周振方、商玉朗覺著茲事體大，不便再復多言。

余三省雙眉微微一聳，說道：「就兄弟所知，那血手毒掌打中人之後，十二個時辰，毒傷就要發作，中掌之人，很難再撐過一日，但尊夫人，能支持了一月有餘……」

抬頭望了藍天義一眼，接道：「這其中可能有兩個原因，一是尊夫人內功深厚，抗毒之力，強過他人，二是對方發掌早有分寸，別有所圖。」

藍天義道：「余兄才智過人，果然未卜先知，從事情開始到發展，似是一直都在對方的控制之下，他們早有預謀，我們卻一直陷入在他們的謀算之中。」

余三省道：「藍大俠已知曉他們的陰謀？」

藍天義道：「他們劃了兩個道子，要老夫任擇其一！而且道子雖然劃下了兩個，事情卻是只有一件，都和小女有關……」

輕輕歎息一聲，接道：「他們送來一封信，強行求親，要小女配與他們掌門人的二少爺！」

周振方怒道：「可惡，可惡！」

藍天義接道：「信中說在下如若答允這門親事，不但拙荊的老命可保，而且他們將扶助我繼續稱霸江東，如若不允，三日之內，將誅絕老夫滿門，信上開列一張詳細名單，繼拙荊之後是犬子、小女、藍福，最後再搏殺老夫，他們要老夫在死去之前，先有喪妻失子之痛。」

啇玉朗接道：「好惡毒的手段。」

周振方道：「江東武林道上，誰不敬仰你藍大俠，只要你登高一呼，江東武林同道尠有不為你效命的人。」

余三省道：「目下，藍夫人毒傷難醫，生死操諸敵手，藍大俠伉儷情深，咱們先機全失，只有聽人擺佈了。」

藍天義道：「唉！那日如是在下同往一行，也許不會有今日之事了！」

余三省道：「藍大俠適才說過對方劃下兩道子，不知他們還有什麼鬼謀？」

藍天義道：「信上又說道，如在下想考教他二少爺的武功，那就在六十壽筵之上，宣佈比武選婿的事，不論何人，都可參加，最後得勝之人，就把小女許其為妻，他們二少爺要以武功，獨敗群豪。」

周振方道：「好狂的口氣。」

藍天義道：「老夫亦曾仔細想過，當今武林道上，能夠擊敗拙荊的人，實也不多，對方能敗拙荊，那也並非全是誇口之言了。」

余三省道：「藍大俠可曾問過夫人，和對方動手的情形麼？」

藍天義道：「拙荊被他們送回來時，人已暈迷不醒，迄今三十餘日，一直在暈迷之中，

因此，對敵方情勢，全不了然。不過我查點她身上的銀蓮花，只有餘下九枚，那是說在對敵之中，已然用去三枚了。」

余三省沉吟了一陣，道：「藍大俠準備如何呢？」

藍天義道：「在下苦思甚久，決不能讓在下壽筵之上，鬧出流血慘局，因此，在下準備和他們背水一戰。」

余三省道：「但藍夫人……」

藍天義縱聲大笑一陣，道：「在下已深思熟慮，覺除此之外，實無別法了。」

余三省道：「這麼說來，藍大俠準備赴焦山之約了。」

藍天義道：「以在下料想，適才府外來人，決非對方首腦，赴約之後，見機而作，最好能約定一個日期，帶犬子、小女和對方首腦人物，一決死戰，拙荊小我四歲，也已年過半百，死了也不算夭壽了。」

周振方道：「這檔事兄弟要算一份。」

裔玉朗道：「藍大俠若看得起在下，在下願爲先驅。」

余三省搖搖頭，道：「不是辦法，不是辦法。」

周振方回顧余三省一眼，道：「余兄有何高見？」

余三省道：「姑不論和對方決一死戰的勝負如何？但藍夫人算是無救了。」

藍天義目光轉到余三省的臉上，接道：「余兄之意，可是要老夫答應這門親事。」

余三省道：「在下並無此意，不過，咱們應該先把敵人的底細摸清，知己知彼，才能百戰百勝。就兄弟所知，血手毒功是一個門戶，數十年前，一度在江湖稱凶，橫掃黑白兩道，但很

快的又在江湖之上消失！」

商玉朗接道：「爲什麼它忽然出現，又很快的消失呢？」

余三省道：「詳細內情，在下亦無法了然，似乎是被逼迫得退出江湖。不過，什麼人強迫血手門退出江湖，武林中人知道內情的人，只怕是少之又少了。」

商玉朗道：「以余兄的博學多聞，如不知內情，當今武林中人，只怕是再無人知曉了。」

余三省道：「也不盡然。」

藍天義道：「血手毒功造劫的事，在下也聽說過，也正因如此，區區才覺得事非尋常，不願拖累朋友們蹚這趟混水，一直隱忍著，未把此事宣揚出去，連藍福他也不知內情。」

余三省道：「藍大俠可是準備應付過六十壽筵，再放手和他們一戰麼？」

藍天義道：「區區確有此心，只望多拖數日，借六十壽筵，和諸位好友，作一告別，再和血手門作一場生死之戰，想不到，他們竟然遣人找上門來，事情既然被諸位發覺了，區區倒也不便隱瞞了。」

余三省道：「可惜那茅山閒人君不語未能早些趕來。」

商玉朗奇道：「怎麼？這檔事和君兄有關麼？」

余三省道：「商兄不可錯會意思。」

語聲微微一頓，接道：「就兄弟搜集近百年中江湖上演變的資料所得，血手門被逼退江湖一事，可能有兩個人知曉。其中一個是少林寺的四空大師，一個就是茅山閒人君不語。那四空大師，德高望重，已然絕跡江湖甚久，咱們這俗凡之人，只怕是很少有機會見到他了。唯一可問之人就是茅山君不語君兄了。不過，君兄一向不喜多言是非，才以不語爲名，要他說出內

情，只怕不是一件容易的事。」

目光轉注到藍天義臉上，接道：「如若見著君兄，唯一能使他開口的人，就是藍大俠了。屆時，還望藍大俠問他一聲。」

藍天義點點頭，道：「好吧！屆時，在下只好厚起老臉問問了。」

余三省輕輕咳了一聲，道：「藍大俠，在下有幾句話，不知當不當講？」

藍天義奇道：「什麼事，儘管請說。」

余三省道：「除了少林寺的四空大師和茅山閒人君不語之外，還有一個人可能知曉血手門中一點內情。」

藍天義道：「什麼人？」

余三省道：「藍大俠的令嬡，藍姑娘。」

藍天義道：「你是說家鳳麼？」

余三省道：「不錯！正是藍姑娘。」

藍天義道：「家鳳怎會知曉血手門中事呢？」

余三省道：「在下只是這樣想想而已，如是藍大俠可以把藍姑娘請出來，在下想問她幾句話。」

藍天義略一沉吟，道：「好。」舉手互擊一掌。

一個青衣童子急急奔了過來，道：「老主人有何吩咐？」

藍天義道：「去請姑娘來。」

那青衣童子應了一聲，轉身而去。

藍天義目光轉到余三省的臉上，道：「余兄，小女若知曉血手門中事，怎會不告訴我呢？」

余三省道：「也許藍姑娘不覺有何重要，也許她有不便說出的苦衷。」

藍天義道：「她母親傷在血手毒掌之下，臥床甚久。如若她知曉血手門中隱密，不告訴我，那是不孝了。」

余三省微微一笑，道：「藍大俠，令嬡是否知曉，還無法確定，在下只是想到此處而已，等會兒令嬡到此之後，還望藍大俠忍耐一、二，千萬不可發火。」

談話之間，突覺眼前一亮。只見一個全身綠衣的少女，緩步行了過來。

雖然，她眉宇間籠罩一層憂鬱，但仍無法掩住那天香國色的美麗。

余三省抬頭看去，只見她雙目微現紅腫，顯然是長時飲泣所致。

她緩緩移動著蓮步，行到藍天義的身前，欠身一禮，道：「爹爹叫我麼？」

藍天義道：「見過你三位叔叔。」

藍家鳳秀目轉動，掃掠了余三省等三人一眼，萬福說道：「給三位叔叔見禮了。」

周振方、余三省、商玉朗齊齊欠身還了一禮，道：「不敢當，賢侄女越來越標緻了。」

藍家鳳道：「諸位叔叔誇獎了。」緩步退到藍天義的身後，垂手而立。

藍天義輕輕咳了一聲，道：「家鳳，還認識你余叔叔麼？」

藍家鳳望了余三省一眼，道：「這位是余叔叔吧！數年未見了，余叔叔近況可好？」

余三省道：「賢侄女好眼力，居然還記得我。」

藍天義道：「你余叔叔有幾樁事情問你，你要暢言所知。」

藍家鳳道：「女兒遵命，不知余叔叔要問些什麼？」

余三省微微一笑，道：「沒有一定的題目，我想到哪裏就問到哪裏。」

藍家鳳道：「晚輩洗耳恭聽。」

余三省道：「賢侄女見過血手門中人麼？」

藍家鳳沉吟了一陣，道：「見過。」

余三省道：「令堂爲姑娘出頭，和血手門中決鬥之時，姑娘可曾在場？」

這等單刀直入的問法，鋒芒凌厲，只聽得藍天義暗暗點頭，心中暗道：「怎的我竟然沒有想到問她這些事情呢。」

但聞藍家鳳道：「家母和他們動手時，晚輩也在旁邊。」

余三省點點頭道：「姑娘可曾見到他們的首腦人物？」

藍家鳳道：「見到過！」

余三省道：「那首腦人物，多大年紀，形貌如何？」

藍家鳳道：「四十多些，虯髯繞頰。」

余三省道：「姑娘可知道他的姓名麼？」

藍家鳳搖搖頭道：「不知道。」

余三省道：「令堂可是傷在那虯髯大漢的手中麼？」

藍家鳳道：「晚輩沒有看到，家母和人動手時，晚輩也在和人動手！」

二　情惹慈母劫

藍天義聽到這裏，突然接口說道：「家鳳，這些事，你怎麼沒有和我說過呢？」

藍家鳳道：「爹爹幾時問問過我了？」

藍天義怔了一怔，道：「這些事，爹又怎麼會想到問你呢？」

藍家鳳道：「女兒也覺不出它有何重要之處？所以，沒有告訴爹爹。」

余三省接道：「藍大俠不用生氣，這些事，在藍姑娘想像之中，想當然爾，實也用不著告訴別人聽了。」

目光轉到藍家鳳的臉上，接道：「藍姑娘，可否把詳細經過之情，仔細述說一遍。」

藍家鳳道：「晚輩在蘇州和血手門中人造成衝突，被我傷了他們三人，當夜血手門中人找上客棧，擄去晚輩的娘姨，相約七日後，在天女廟中比武，晚輩歸來之後，曾經告訴家母，家母允許，但爹爹見責，故而未曾稟報爹爹……」

藍天義冷哼一聲道：「如是你早告訴我，那也不會有今日之事了。」

余三省不理藍天義，接口道：「七日之後，姑娘和令堂雙雙赴約？」

藍家鳳道：「是的，晚輩當時心情矛盾，幾度想把內情告訴爹爹，但卻被母親攔阻，恐爹爹爲此生氣，家母之意，只想赴約時救回娘姨，想不到，竟害家母身中血手毒功。」話至此處，雙目淚若泉湧，嗚咽難再成聲。

余三省重重咳了一聲，道：「姑娘。」

藍家鳳舉起衣袖拂拭一下臉上的淚痕，道：「余叔叔還有話要問晚輩麼？」

余三省道：「是的，目下只有賢侄女一條線索，在下希望能夠多找一些血手門的資料，對那血手門多上一分了解。」

藍家鳳道：「晚輩和家母趕到天女廟後，那大漢立時和家母動上了手，同時，另有兩個勁裝大漢圍攻晚輩。」

余三省接道：「他們可曾使用兵刃麼？」

藍家鳳道：「攻晚輩的兩個人都用單刀，刀法十分怪異，功勢凌厲，迫得晚輩要全力應付。」

余三省道：「以後呢？」

周振方心中大奇，暗道：「藍姑娘已經說得很清楚了，怎的這余三省竟是細微不遺，苦苦追問，這不像問自己人，倒是像在逼敵人的口供了。」

只聽藍家鳳道：「晚輩知曉家母武功強我甚多，那大漢決非其敵，因此，全副精神用在對敵之上，不知家母和敵人搏鬥的變化。」

余三省道：「那是說令堂受傷一事，姑娘沒有看到了。」

藍家鳳道：「是的，晚輩沒有看到。」

余三省道：「姑娘幾時才發覺令堂受了傷呢？」

藍家鳳道：「直到兩個和我對敵之人，忽然退下，晚輩才發覺家母受了重傷。」

余三省道：「是姑娘逼退了他們？」

藍家鳳搖搖頭，道：「不是，是他們自動退了下去。」

余三省道：「情形很明顯，他們早有算計，故意找兩個人纏住姑娘，卻借機傷了令堂，如若在下的推斷不錯，他們還有幾句話，交代姑娘。」

藍家鳳道：「不錯，他們告訴我，家母受傷很重，但不會很快死亡，要我帶家母回去，及早施救。」

余三省道：「麻煩賢侄女了！」

藍家鳳一欠身，道：「晚輩告退。」緩步出室而去。

藍天義望著女兒的背影，長長吁了一口氣道：「唉，這其間還有如許曲折。」

周振方接道：「余兄，你問了半天，可曾問出一點內情麼？」

余三省道：「這是他們早已設好的圈套，誘使藍夫人和藍姑娘入伏。」

藍天義道：「拙荊武功不弱，能傷她並非易事。」

余三省道：「藍夫人也許吃虧在不知對方身懷血手毒功，因而身遭暗算。」

藍天義歎道：「她們母女如在赴約之前，告訴我一聲，也不會有今日之禍了。」

周振方道：「夫人和令嬡，不願驚動藍大俠，恐你生氣之故，那也不能全怪她們了。」

目光轉到余三省的臉上，道：「余兄一向足智多謀，對此事，也許已胸有成竹了。」

余三省道：「周兄不用誇獎兄弟，此事極端複雜，對敵方情況，咱們全無所知！而且茲事體大，咱們不能有絲毫差錯，必須要仔細地研究一下，才能為藍大俠提供一個可行之法。」

站起身子一抱拳，道：「事已至此，還望藍大俠多多保重，來日還要仗憑你藍大俠之力，

挽回大局，我等不多打擾，容得在下仔細推敲一夜，明日清晨，無論如何，在下都將提供一策，恭請裁決。」

藍天義道：「區區心情不佳，恐難參與謀商。」

余三省道：「當局者迷，天下至理，藍大俠一直領袖咱們江東武林同道，驟然間經此大變，自然是難免情緒激動，但形勢如此，急亦無用。」

語聲微微一頓，道：「在下希望藍大俠答允在下一件事。」

藍天義道：「什麼事？」

余三省道：「藍大俠今宵暫不要趕去赴約，等明晨咱們見過之後，再去赴約不遲。」

藍天義略一沉吟，道：「好！明晨希望諸位有以教我。」

余三省道：「不敢當，在下多盡心而爲。」轉身行出廳外。

商玉朗、周振方緊隨余三省的身後，退出內廳。

藍福早已在廳外等待，引幾人直登望江樓。

樓中小廝早已爲幾人備下香茗、細點。

藍福輕輕咳了一聲，道：「幾位和我家老主人談過了，我家老主人怎麼說？」

余三省道：「藍大俠已答允我等明晨再去赴約。」

這時，一個青衣大漢匆匆登上樓來，低聲說道：「老管家，有客人到了。」

藍福欠身對余三省等一禮，說道：「老奴有事，先走一步了。」

余三省道：「老管家請便。」

目注藍福的背影消失之後，才低聲說道：「周兄、商兄，兩位可瞧出破綻麼？」

周振方怔了一怔，道：「什麼破綻？」

余三省道：「我是說藍姑娘……」

周振方和商玉朗臉上同時閃掠過一抹驚異之色，緩緩說道：「藍姑娘有什麼可疑之處呢？」

余三省道：「在下懷疑她隱藏了很多事實，未說出來。」

周振方沉吟了一陣，道：「這還要余兄點撥一下了。」

余三省道：「她們母女赴約，和人動手，母女之情，是何等親切、深摯，但那藍姑娘竟然未看到母親爲何人所傷，此爲可疑之一。」

周振方點點頭，道：「有道理。對方如若施展群攻，那藍夫人決不放心讓藍姑娘一人對敵，母女二人聯手，也好有個照應，依此而論，藍夫人受傷經過，藍姑娘定然很清楚了。」

余三省道：「就算他們母女爲人逼開，分頭和人相搏，藍姑娘無恙而歸，豈有不知母親傷在何人手中之理，至少也該說個大概經過，豈能以不知作爲搪塞。」

商玉朗道：「嗯！果是大費疑猜的事。」

周振方道：「還有可疑之處麼？」

余三省道：「在下已然暗中留心看過了那藍姑娘的神色，發覺她憂而不傷，顯然，心中有數，知道藍夫人不致於身遭橫死。」

高玉朗道：「可是那藍姑娘不是哭得很傷心麼？」

余三省道：「那是焦慮和懺悔之淚，並非傷心欲絕的哭泣。其實察微知著，哭和笑都是人感情的流露，驟看起來，並無不同，但如仔細看去，那哭笑之間，卻有數十種不同的變化，如能夠仔細觀察，哭笑之間，實是大有學問了。

周振方道：「余兄這麼一點撥，在下倒也有此感了，如以藍大俠和藍姑娘相較，那藍大俠傷疼椎心，重過藍姑娘甚多了。」

余三省道：「所以，在下把此點列為可疑之二。」

商玉朗道：「那是說還有第三點可疑之處了？」

余三省道：「不錯，那藍姑娘如若是心無所知，哪裏能那樣鎮靜，從從容容，回答兄弟的問話，而且語氣又那樣平靜。」

周振方道：「這麼說來，是那藍姑娘勾結血手門中人，對付她自己的生身父母了。」

余三省道：「兄弟看那藍姑娘，美豔之中，不失忠厚之氣，怎會如此大逆不道？」

商玉朗道：「余兄，此時此情，余兄還賣的什麼關子，乾脆明說了吧。」

余三省道：「非也，非也，兄弟正在推敲此事，這其間，只怕要涉及一個情字。」

商玉朗道：「情字？」

余三省道：「藍姑娘太美麗了，就像天上仙子，小謫人間，世間能有幾個男子，不為此等絕色所動呢？」

商玉朗道：「這和藍夫人身為血手毒功所傷，有什麼相關麼？」

余三省道：「自然是大有關係了。」

周振方道：「是說藍姑娘用情對象，是血手門中人麼？」

余三省道：「兄弟只是這樣想！還得更進一步的求證才成。」

周振方略一沉吟，道：「余兄之意，是說那藍姑娘和血手門中其一人，早有情債，心知藍大俠，不會答允這門婚事，所以，才想出這個方法，用那藍夫人的生死，來威迫藍大俠應允這門親事……」

余三省微微一笑，道：「大致不能算錯，不過，其間有很多和兄弟想得不同。」

周振方道：「哪裏不同了？」

余三省道：「在下看那藍姑娘，是位甚具孝心的淑女，決不會同意讓她母親受此等痛苦。」

周振方道：「那是說兄弟完全猜錯了？」

余三省搖搖頭，道：「那倒不是。」

商玉朗雙眉一聳，大感不耐地說道：「余兄，咱們此刻寸陰如金。余兄有何高見，還請直說了吧，似這股轉彎抹角，豈不要誤了大事。」

余三省望了周振方一眼，道：「適才周兄所言，已然猜對一半，這件事的內情，藍姑娘心中早已知曉，不過，在下相信藍姑娘和對方相約之初，迫婚之計，決非如此，只是到中間時，對方突然改變了計畫，施下毒手，重傷了藍夫人……」

周振方接道：「對方不守約言，改變計畫，那藍姑娘也大可不守信約了。」

余三省道：「事實造成之後，對方再婉言解說，發誓擔保。那麼藍姑娘縱然想變臉，也是有所不能了。」

商玉朗道：「如果那藍姑娘自知受騙，爲什麼不把內情告訴藍大俠呢？他們有著父女之情，藍大俠就算心中氣忿，也不過是責罵她一頓就是。」

余三省淡淡一笑，道：「也許其間還有最為複雜的內情……」似是突然之間，想起了什麼重大之事，急急接著說道：「也許今夜之中，咱們就可以查出一點眉目來。」

周振方、商玉朗精神同時一振，道：「今夜？怎麼一個查法？」

余三省道：「因為在下心中對那藍姑娘動了懷疑，所以，對她的行動，十分留心，就在下所見，那藍姑娘行入內室時，形似離去，實則藏在門後偷聽，也許她今夜有所行動。」

商玉朗道：「那很好，咱們今宵暗裏監視她，如是她真的有所行動，那就不妨暗中追蹤，以明內情。」

余三省道：「那藍夫人武功，強過咱們甚多，但她仍傷在了血手毒掌之下，所以此舉必得有詳密的計畫，彼此呼應，如能避不和人見面，自是上上之策，萬一被人發現，也可會合一處，以增實力。」

周振方道：「余兄似乎是早已經胸有成竹了？」

余三省微微一笑，伸手蘸茶，就在木案之上迅快地畫出藍府形勢，一面低聲說道：「藍姑娘很聰慧，她也許會想到我們對她動疑，所以，行動之間，自然是極力求取隱密，但她決不會繞道前面出府，由內宅外出，不外三條路，周兄、商兄，分別隱身於此，兄弟守住這一條路，她如有行動，也必是在三更之後，咱們二更時分，各自起身，分赴各處埋伏，四更後，如是仍然不見動靜，那就各自請回，不用再見面了……」一面口述，一面手畫，清晰明白，一目了然。

商玉朗低聲說道：「如若咱們之中一方發覺了那藍姑娘，時機稍縱即逝，無法再行會晤聯

繫，如何才能彼此呼應。」

余三省伸手從懷中摸出一支竹哨，低聲說道：「這是一種不登大雅之堂的小玩藝，但用於靜夜中的聯繫，十分有效。聲音有如宿鳥驚鳴，咱們人手一支，爲了不露破綻，不宜多次，以兩聲爲限，一長一短，那藍姑娘雖然精明，也不致懷疑及此。」

周振方點點頭，道：「好辦法。」

三人又研商了一套暗記指向的辦法，以免追蹤之時，失掉聯繫。

三人剛剛講好，只見藍福帶著一個青帕包頭，身著玄色勁裝，外罩玄色披風，背上插著長劍的中年美婦，登上樓來。

周振方等三人望了來人一眼，齊齊站起了身子，還未來得及說話，那中年美婦已搶先說道：「三位早啊！」

落落大方地行到三人面前，伸手拉過一把木椅，當先坐下，接道：「三位請坐吧。」

商玉朗笑道：「方姑娘別來無恙，風采依舊。」口中說話，人卻依言坐了下去。

周振方、余三省也隨著坐下身子。

來人正是江東道上，亦正亦邪的笑語追魂方秀梅。

方秀梅舉手理一下鬢旁散髮，笑道：「好說，好說！三位也都和昔年一樣啊！」

周振方道：「方姑娘這一年行跡何處，江東道上，未見芳蹤久矣！」

方秀梅道：「周兄的生意，越做越大，不但南六省行鏢大部爲你包辦，而且，生意遠達中原道上，小妹麼？爲了避嫌，只好遠走高飛了。」

原來，方秀梅五年之前，劫了周振方保送的一批紅貨，兩人因而衝突，相約而戰，苦鬥一

日未分勝敗，幸得藍天義及時而至，調解了兩人紛爭，方秀梅交出劫得的紅貨，周振方設筵陪禮，一場干戈，總算化為玉帛，但方秀梅卻一直對周振方存有一些心病，見面時，總要半真半假地諷譏周振方幾句。

但周振方為了行鏢時，減少麻煩，不得不大度包涵，容忍三分，當下微微一笑，道：「方姑娘當年，確然給兄弟很多面子，兄弟已然通令所屬分部，只要方姑娘有所吩咐，他們都將立時遵辦，不得有延誤。」

方秀梅格格一笑，道：「小妹不劫鏢，也勉可混口飯吃，周兄的好意，小妹心領了。」

商玉朗、余三省卻是遊俠身分，和方秀梅全無利害衝突，交談之間，自是不像周振方那等拘謹。

談話之間，兩個青衣童子，已然開上晚筵。

方秀梅只顧著和幾人談話，忘了和藍福招呼，晚筵開上，才想起追隨藍天義多年的老管家，回目四顧，望江樓上哪裏還有藍福的蹤影。

原來，藍福送方秀梅登上望江樓後，就悄然離去。

方秀梅輕顰一下柳眉兒，低聲說道：「藍福怎麼悄然而去？」

余三省道：「藍大俠花甲大壽，事務繁忙，咱們自己吃吧！」

方秀梅目光轉動，掃掠了三人一眼，欲言又止。

四人匆匆用過晚飯，又在望江樓上閒聊一陣，方各自回房休息。

余三省回房之後，順手折了一段細竹，做成竹哨，和衣登榻，盤坐調息一陣。

待天過二更之後，悄然起身。

這是烏雲掩月的夜晚，四周一片幽漆，難見丈外景物。

余三省暗暗忖道：「好一個夜行人出動的黑夜。」

悄然行到商玉朗宿住之室，商玉朗早已結束停當，在門口等待。

余三省把竹哨交給商玉朗，低聲說道：「老管家今夜必也會暗中出巡，咱們舉動小心一些。」

商玉朗點點頭，兩人施展輕功提縱術，行出藍府，立時加快腳步，奔向守候之地。

且說商玉朗守候之處，正是藍府內宅花園，也是藍家鳳閨閣所在之地。

商玉朗隱藏在一片草叢之中，暗暗吁一口氣，運足目力，四顧了一陣，立時又閉上雙目。

原來，他在習練自己的目力，使它能適應昏暗的天色。

在商玉朗感覺之中，余三省分給他這一條守候之路，最可能是藍家鳳的去路，所以心中特別緊張，覺著無論如何，都不能有所失誤。

果然，三更剛到，瞥見藍府中高大的圍牆上，出現一條人影。

商玉朗心中一動，暗道：「袖裏日月余三省，果然才氣過人，算無遺策。這位藍姑娘當真是一位問題人物。唉！如非余三省及時趕來，要我想破腦袋，也不會想到藍姑娘的身上。」

忖思之間，那圍牆上的人影，已然疾飛而起，直竄起兩丈多高，斜斜向下飄落。人才落地，已到了圍牆兩丈以外。

那人影落足之處，相距商玉朗藏身之地，不足一丈的距離。

一則距離不遠，二則那商玉朗目力已然適應夜間的黑暗，凝目望去，只見那人穿著一身黑色的衣服，頭上用一方黑帕包起，除了兩隻眼睛，和雙手之外，全身都裹在一色的黑布之中。

商玉朗仔細地看了那黑衣人的雙手，只覺她雙手潔白、纖巧，分明是女子無疑。顯然，這黑衣人，八成是藍家鳳了。

只見那黑衣人兩點寒星一般的眸子，四下轉顧了一下，突然拔步而奔，直向正東而去。

商玉朗吃了一驚，暗道：「好快的身法。」長身而起，放步疾追。

但那黑衣人去如流矢，夜色中只見人影閃了一閃，頓然消失。

商玉朗追出了五丈，已然不見對方的蹤影，不禁呆在當地。

良久之後，才暗暗歎息一聲，忖道：「慚愧啊！慚愧！如果那是藍家鳳藍姑娘，我這個老江湖竟然生生把她追丟，此事日後傳到江湖之上，那才是大失顏面的事了。」

只聽一、兩聲鳥鳴，傳了過來，正是用以連絡的竹哨聲。

商玉朗顧不得再想下去，放腿向哨音處奔了過去。

這時，天上的陰雲更為深重，似是要直壓大地，原本已夠黑暗的夜色，也更顯得黑暗。

商玉朗的目力，雖然超異常人，但也無法看到一丈外景物，只能憑藉聽覺，判斷出那哨音方位，估計差不多時，停了下來。

果然，一個低微的聲音，傳了過來，道：「是商兄麼？」

商玉朗也聽出那是余三省的聲音，當下應道：「正是兄弟。」

只聽一陣窸窣之聲，道旁草叢分動，余三省由草叢中鑽了出來，低聲說道：「好黑的天色，這等漆黑的夜色，數十百年，只怕也難得遇上一次。」

商玉朗輕輕歎息一聲，道：「兄弟慚愧得很，追丟了人。」

事情似早已在佘三省預料之中一般，接道：「難怪，商兄，這等深暗的夜色，目力難及丈外景物，換了兄弟，也是一般。」

佘三省略一沉吟，道：「那人是否發覺了商兄呢？」

商玉朗笑道：「大概沒有。」

佘三省仰臉望天，長長吁一口氣，道：「如若兄弟的設計不錯，這天色對咱們倒是大有幫助了，如若兄弟的推斷有誤，今宵咱們就勞而無功了。」

商玉朗道：「怎麼？佘兄似乎是早已別有計較了？」

佘三省略一沉吟，道：「不論何等周密的佈置設計，都無法保證成功，因此，在下未雨綢繆，早已思慮及此，萬一咱們追丟了人，又該如何？」

商玉朗尷尬一笑，道：「如此看來，佘兄是早已料到兄弟會追丟人了？」

佘三省道：「那藍夫人以輕功見長，藍姑娘的輕功，自然是不會錯了，咱們三人，誰也無法和她較量。」

商玉朗輕輕歎息一聲，道：「佘兄不用給兄弟我面子了，下一步該當如何？咱們還是得快些行動才是。」

佘三省道：「兄弟已然查看過四周的形勢，如果藍姑娘要和血掌門中人見面，自然要找一處隱密所在。」

突聞幾聲吱吱鳥鳴，傳了過來。

佘三省低聲說道：「那周振方也追丟了人。」舉步向前行去。

商玉朗緊追在佘三省身後而行。

兩人行到一處三岔路口，余三省突然停了下來，摸出竹哨，吹出兩聲鳥鳴。

但見一條人影，疾快地奔了過來，直到兩人停身五尺左右，才停了下來。

原來，天色太黑，那人奔出五、六尺左右，才瞧到了兩人。

余三省低聲說道：「是周兄麼？」

來人也低聲應道：「正是兄弟。」緩步行了過來。

余三省道：「見到動靜麼？」

周振方道：「兄弟追不及五丈，就把人給追丟了。」

啇玉朗心中暗笑道：「果然周振方也追丟了人。」

余三省趕緊接口說道：「周兄，那人可是奔往東北方這條小徑。」

周振方道：「不錯，正是奔向東北方。」

余三省道：「走！咱們快些追去。」當先向前奔去。

余三省似是已胸有成竹，放步而奔，一口氣奔行了七、八里路，才停了下來。

啇玉朗抬頭看去，只見一片房舍，聳立在夜色之中，忍不住低聲說道：「這是什麼地方？」

余三省道：「這是一座荒涼的宗祠，而且距離那焦山不遠，如若那藍姑娘和血手門中人見面，此地是最爲適當了。」

啇玉朗道：「咱們如何進去？」

余三省道：「兩位就請在此等候，容兄弟先進去瞧瞧看，如若不聞兄弟求救之聲，兩位就

不用進來了。」

商玉朗道：「我們就守在這宗祠之外麼？」

余三省道：「商兄守在北面，那是血手門中人歸去之路，只要留心到他去的方向就行，不用追蹤他了。」

商玉朗點點頭，起身而去。

余三省目光轉到周振方的臉上，道：「兩丈外有一株大樹，周兄守在樹上，正好可以監視藍姑娘的去路。」

周振方：「可要追蹤麼？」

余三省道：「不用了，等他們去後，咱們在此會齊，一起回藍府中去。」舉步向前行去。

周振方望著余三省的背影，消失在暗夜中，才轉身向大樹上奔去。

且說余三省小心翼翼地行近那宗祠之後，一提真氣躍上圍牆。

凝目望去，祠中一片黑暗，傾耳靜聽，不聞一點聲息。

余三省躍下圍牆，沿著牆根，向正殿中行去。

只見殿門大開，卻不見殿中有人。

其實夜暗如漆，縱然有人，余三省也是無法瞧到了。

余三省為人謹慎，伏在殿門處，等候了一盞熱茶功夫之久，才站起身子，舉步向大殿中行去。

大殿中更見黑暗，余三省沿著牆壁，緩緩移動身軀，一面傾耳聽著，直待他確定了大殿中

沒有人時，才縱身而起，飛落到橫貫大殿一角的樑背之上。他早已相度過大殿上的形勢，殿中可以容身之處，都已默記心中，此刻只有耐心地等待。

又過了一頓飯工夫之後，天氣已將近四更，余三省漸感失望，正待躍下橫樑時，奇蹟出現了，一條人影，帶著衣袂飄風之聲，飛入大殿。

深沉的夜色下，余三省雖無法看清楚來人，但他心中明白，來人不是藍家鳳，就是血手門中的人。

那黑影進入大殿之後，突然點燃了一支火摺子，燭火下，余三省看清楚殿中之人，穿著一身黑色衣服，除了雙目和雙手之外，全都包在一色黑布之中。

只看那一雙瑩玉一般的手掌，和那纖纖的十指，定然是女子無疑。

那黑影十分膽大，右手執著火摺子，左手一伸，從供台內取出一支蠟燭，燃了起來，大殿陡然間亮了起來。

但見那人影緩緩解下包在臉上的黑紗，露出來一張美麗絕世的容貌。果然，來人正是藍姑娘藍家鳳。也許是天色太過黑暗，托襯得殿中燭火，特別明亮。

藍家鳳美麗的臉上，柳眉緊顰，現出了重重的憂苦，不停在殿中走動，顯然，她內心之中，亦有著極度的不安和等人的焦慮。

突然間，人影一閃，大殿中多了個身著青衫、頭戴方巾、劍眉朗目的俊美少年。

那少年赤手空拳，神態瀟灑，微一欠身，抱拳作禮，道：「鳳妹妹久候了。」

余三省心中暗道：「果然不出我所料，這丫頭和血手門早已有了勾結。」

藍家鳳緩緩轉過臉去，眉宇間微帶怒意，冷漠地說道：「我母親一直暈迷不醒，已數日未

進粒米，咱們早先約好之事，我看只有作罷了……」

青衣少年急道：「鳳妹不要生氣，小兄亦知這方法太過分了些，但非如此，令尊決不會答允咱們的婚事……」

藍家鳳接道：「如是我母親有了三長兩短，我不但不會嫁給你，而且，我要恨你一輩子，我要殺你一家，給媽媽報仇。」

青衫少年對藍家鳳極爲遷就，微微一笑，道：「當初，咱們施用此法時，還是鳳妹出的主意，只有令堂的生死，可威脅你爹爹答允婚事。」

藍家鳳答道：「我出的主意不錯，但我沒有讓你施用如此重的手法啊！」

青衣少年道：「令堂武功高強，非此等重手法，不足以使她神智暈迷……」

語聲微微一頓，接道：「鳳妹探詢令尊的口氣如何了？不知令尊是否有答允之意？」

藍家鳳搖搖頭，道：「我看爹爹憂苦重重，不敢啓齒。」

青衣少年歎息一聲，道：「看來，咱們是弄巧成拙了，這中間，少了一個遊說的人，如是早聽小兄之言，咱們一走了之，令尊的火氣消退之後，咱們再來見他，求他諒解，他如見到咱們夫婦恩愛相敬，想他老人家決然不會再反對了。」

藍家鳳道：「哼，我知道你的心，想把生米煮成熟飯，我爹爹要反對，也是無可奈何了，是麼？」

青衣少年忍不住嗤的一笑。

藍家鳳道：「你那鬼主意，根本就行不通。要知我爹爹乃是江東道上，人人敬重的武林領袖，如果是他的女兒和人私奔了，要他如何在江湖上立足，難道爲了你，我連爹娘全都不要了麼？」

青衣少年輕輕歎息一聲，道：「鳳妹，小兄今宵會晤鳳妹，就是想請教今後當該如何，難道當真要我率領血手門中人，去攪鬧令尊的六十壽筵麼？」

藍家鳳道：「事情演變到這步田地，連我都沒想到，更爲難的是，今天事情又有了變化，使我難再啓齒了。」

青衣少年劍眉一聳，道：「什麼變化？」

藍家鳳道：「我們江東道上，有一位足智多謀的人物，論他武功算不得怎麼高強，但他的才智卻是常人難及。」

青衣少年道：「什麼人？」

藍家鳳道：「余三省，人稱袖裏日月，他們今日來到我家，正趕上你的手下在我家鬧事，今日午後，就見我爹，而且，把我叫出，當面質問了很多事情，他言辭尖銳，使人答辯不易，看情形，他已經對我動了懷疑，今夜我離家之時，似乎覺著有人追蹤，所以，我繞了一個大圈子，才轉到這裏。」

青衣少年眉頭皺起，沉吟不語，顯然，這突如其來的消息，也使他沒了主意。

藍家鳳突然一整臉色，肅然說道，「現在只有一個法子。」

青衣少年道：「什麼法子？」

藍家鳳輕移蓮步，行到那青衣少年身前，柔聲說道：「你去參加祝賀我爹爹六十壽辰，如能在酒席前大展雄風，藝壓江東群豪，再奉送靈丹，解救我母親之傷，如此，我爹爹既見識了你的武功，也許會答應我們的親事……」

青衣少年哈哈一笑，道：「我道是什麼大事，原來如此，不是小兄誇口，江東道上除了令尊和鳳妹之外，我還想不出誰是我手下百合之敵。」

藍家鳳眉頭一皺，接道：「不過江東武林道上，高人甚多，我真爲你擔心，萬一有了什麼差錯，那可怎麼得了！」

青衣少年笑道：「鳳妹但請放心，小兄自有保身之道，只怕……」

藍家鳳急急說道：「只怕什麼？」

青衣少年道：「只怕我們血手門的名聲不太好，我縱能技壓江東，威震壽筵群豪，令尊也一樣不會答應咱們的婚事。」

藍家鳳道：「如若我爹再不答應，我只有一死了之。」

青衣少年突然伸出雙手，抱住了藍家鳳的雙肩，搖動著，說道：「你是我唯一的紅顏知己，也是我唯一傾心相愛的人，你如一死，叫我如何自處？答應我不要死。」

藍家鳳點點頭，黯然說道：「好！答應你，我不死。」兩行清淚順腮而下。

青衣少年探手從懷中摸出一方絹帕，輕輕拭去藍家鳳臉上的淚痕，沉聲說道：「記著，咱們對神許過誓言，咱們是一對同命鴛鴦，誰也不能一個人死。」

藍家鳳點點頭，道：「我諸般刁難你，你心中一點也不恨我嗎？」

青衣少年搖搖頭，道：「不恨，我反而更敬重你，咱們要堂堂正正的請令尊答應婚約，我要盡我之力，使咱們的大禮，新奇別致，前無古人。」

藍家鳳道：「你能了解到我的苦心，我心裏就很高興。」緩緩偎入青衣少年的懷中。

這一刻，兩人似乎是忘了眼下的重重煩擾，相與溫存，纏綿難分。

隱身在樑背上的余三省，直看得暗暗搖頭，忖道：「看來，我余三省當真是狗拿耗子，多管閒事了。」

突然間一道閃光，劃破了暗夜，緊接著響起一聲驚天動地的巨雷。一天陰雲，化成了滂沱大雨，傾盆而下。

那一聲，也振醒了纏綿一起，難捨難分的藍家鳳和那青衣少年，只見藍家鳳緩緩抬起偎入那青衣少年懷中的粉臉，舉手理一下鬢邊散髮，緩緩道：「你們送給我爹爹那封信，如何措詞？」

青衣少年道：「措詞很婉轉，但立意很堅決，要令尊答允婚事，否則不但難救令堂，而且要在六十壽筵之上，大鬧一場，三月內逼誅你們……」突然住口不言。

藍家鳳道：「怎麼樣，說下去啊？」

青衣少年道：「小兄覺著口氣太狂了一些，但用心只是想逼令尊有個回音，據實說出，還望鳳妹不要生氣才好。」

藍家鳳道：「事到如今，我生氣也無濟於事了，快些說吧！」

青衣少年長長歎息一聲，道：「信中已然把利害陳述極明，但令尊竟然是置之不理，這幾日我又無法和鳳妹相見，只好譴人到府上一行了。」

藍家鳳道：「我爹爹自有苦衷，以他老人家在江東道上的身分、地位，怎能受你們的要脅。唉！事情越弄越糟了。」

青衣少年輕輕歎息一聲，道：「令尊生性剛強，大出人意料之外……」望了藍家鳳一眼，停口不言。

藍家鳳道：「我爹娘患難與共，情深似海，我娘的生死，在爹爹的心中，自是一樁其重無比的大事，我原想在娘受傷之後，爹爹定然向我詢問內情，那時，我再婉轉進言，說出心願，使爹爹許諾我們的婚事，想不到他老人家竟然一身獨擔，默默地忍受著那椎心泣血的痛苦，竟不肯和我談論此事，而且還多方隱瞞，不讓我知曉那封恐嚇的密函，可憐天下父母心，對兒女的深厚之情！如若他知曉了內情，竟是他心愛的女兒，從中獻策作奸，真不知要傷心到何種程度，近日來每思及此，就不由傷心淚下。」

青衣少年緩緩說道：「一步失錯，造成此局，但事已至此，急亦無用，為今之計，小兄只有參加令尊的祝壽大筵，憑武功，試博令尊青睞了……」

探手從懷中摸出一個玉瓶，道：「瓶中有三粒丹丸，乃是療治血手掌傷的獨門解藥，令堂之傷，不宜再拖下去，丹丸用溫水送服，日服一粒，第一粒可使她傷處消腫，第二粒可使神智恢復，第三粒，可使餘毒盡消，傷體復元。」

藍家鳳道：「我已是做了不孝的女兒，再不能做對不起父母的事了，我要療治好母親的傷勢，好好的跪到母親面前，說明內情，求她饒恕。」

青衣少年沉吟了一陣，道：「鳳妹才慧過人，如何處理，請自裁決，小兄如能會晤到令尊時，也盡量對他敬重就是。」

藍家鳳道：「你幾時要和我爹爹會面？」

青衣少年道：「不知令尊幾時會去，小兄要馬榮奉邀，明天之前，希望令尊能到舟中一晤，如是屆時令尊仍固執不允，咱們再想他法，直到他老人家答允為止。」

藍家鳳道：「這一來，豈不是太過委屈你了。」

望望殿外的滂沱大雨，柔聲說道：「看來這陣雨一時間很難停下，我想我得回去了，而且我還要早些讓母親服用藥物。」

青衣少年道：「既是如此，小兄送你一程。」

藍家鳳搖搖頭，道：「不用了，事情還未明朗之前，我們的來往還不能讓別人發覺，小心一些最好。」

青衣少年握著藍家鳳一雙柔荑，低聲說道：「鳳妹多多珍重。」

藍家鳳道：「你也要小心，對我爹爹雖然恭敬，但也要暗作戒備，爹爹掌力，碎碑粉石，不能太大意了。」

青衣少年道：「多謝鳳妹指教。」

藍家鳳道：「我要走了。」

轉身一躍，飛出大殿，消失於夜暗大雨之中。

那青衣少年目睹藍家鳳背影消失，才緩緩回過身子，目光流動，四顧了大殿一眼，突然冷冷喝道：「什麼人？」

余三省吃了一驚，暗道：「這小子好靈敏的耳目，我已屏住呼吸，連大氣也不敢喘一聲，仍被他聽了出來。」

但見那青衣少年的目光，望著殿外，又不似發覺了自己藏身之地，一時間大感猶豫，不知是否該現身相見。

正感為難之間，突聞一聲清脆的聲音應道：「是我。」

緊接著，一個全身勁裝的婦人，緩步行入殿中。

只見她背插長劍，一身單薄夜行衣都被雨水淋透，緊緊地貼在身上，顯得柳腰纖細，胸峰大聳，極盡玲瓏之妙。

余三省目睹來人，竟是笑語追魂方秀梅，不禁一怔！暗道：「想不到她竟找到此地。」

那青衣少年神態十分鎮靜，冷冷地問道：「你是什麼人？暗中偷聽別人的隱密，是何用心？」

方秀梅舉手理一下頭上的秀髮，笑道：「笑語追魂方秀梅，聽人說過麼？」

那青衣少年皺皺眉頭，道：「沒有。」

方秀梅道：「那是因為你年紀太輕了。」

青衣少年兩道冷峻的目光，望了方秀梅一眼，道：「你藏在殿外時間很久了？」

方秀梅笑道：「不久，我到此時間，兩位已談了很久……」

說著微微一笑，接道：「不過，我不得不佩服閣下靈敏的耳目，那藍姑娘一走，你就發覺了我。」

青衣少年冷笑說道：「若不是大雨滂沱，幫了你的忙，料想你也無法接近兩丈之內。」

語聲突轉冷峻，接道：「你已經聽了我們很多隱密，如是在下不願這些隱密洩露出去，只有殺你滅口一法了。」

方秀梅淡淡一笑，道：「說說自然是很容易了，不過，姑娘我也不會坐以待斃啊！」

青衣少年冷笑一聲，道：「殺你之前，我要先問你幾句話。」

方秀梅柳眉聳動，嫣然一笑，道：「什麼事？」

青衣少年道：「你和藍姑娘認識？」

方秀梅道：「我和她爹爹相識，至於藍姑娘麼？看到我應該叫聲阿姨。」

青衣少年吁一口氣道：「這就叫在下為難了。」

方秀梅道：「怎麼樣？」

青衣少年道：「我如殺了你，只怕家鳳要怪我，不殺你，又將洩露我們的隱密。」低頭沉思，似是想在殺、放之間，找出一條路來。

方秀梅格格一笑，道：「你好像很有自信能夠殺我？」

青衣少年冷冷說道：「我能在二十回合內生擒於你。」

方秀梅格格一笑，道：「好大的口氣。」

青衣少年道：「你如不信，那就請亮劍一試。」

隱身在樑背上的余三省，暗暗忖道：「方秀梅武功，如若真和這青衣少年動起手來，倒可見識一下血手門的武功，有什麼厲害之處。」

方秀梅目光轉動，迅快地四顧了一眼，笑道：「動手可以，但我還未請教大名。」

青衣少年冷笑一聲，道：「咱們無意論交，通名作甚？」

方秀梅緩緩抽出背上長劍，道：「我在江湖上闖蕩了二十年，還未遇到過如此狂傲的人，你也請亮兵刃吧！」

青衣少年一揚雙掌，道：「在下就用雙掌，鬥鬥姑娘的長劍。」

方秀梅笑道：「嗯！當真是狂得厲害，小心了。」

陡然欺身而上，長劍一探，橫裏掃來。

青衣少年左手虛落一掌，身子卻借著發出的掌勢，迅快地一個大轉身，陰陰避開了方秀梅的劍勢。

就在他身子翻轉的同時，迅快地劈出右掌，削向方秀梅的右腕。

方秀梅腕勢一沉，避開了掌勢，但那青衣少年已然欺入她的懷中，只好縱身向後退開五尺。

只一招，逼得那方秀梅向後退避五尺，不但方秀梅心中震駭不已，就是隱身在樑背上的余三省，也看得心頭震動，暗道：「這少年人，不過二十三、四的年紀，不但招術奇幻，而且身法、膽氣，無不過人一等，看來內功修爲，定也不弱，如若假以時日，其成就實難限量，無怪藍家鳳要傾心相愛，暗許終身，甚至不惜施手段，拖累父母，以求得償心願。」

那青衣少年劈出一掌，未再出手追襲，卓然而立，冷冷說道：「我的武功，路數十分毒辣，一個失指，就要傷人，而且很可能使受傷之人終身殘廢，你是家鳳的長輩，我不想傷你，但望能暫爲保守聽得的隱密，此事，三、五日就有結果，如是你洩露出去，壞了我們的大事，不論你逃到天涯海角，我都要找到你，殺你一千劍，再讓你殺，希望你多想想，免得到時後悔不及，在下去了。」

突然一長身，雙臂向前探出，有如離弦弩箭一般，投入了大殿外夜雨之中。

他去勢奇快，話落口，人已離地而起，方秀梅想說幾句場面話，也沒有機會出口。

她呆呆地望著那殿外的滂沱大雨，出了一會兒神，才緩緩轉過身子，行入大殿中，說道：「余兄，出來吧！」

余三省微微一怔，暗道：「好啊！她早已經盯上我了。」

心中念轉，人卻飄身而下，拱手說道：「姑娘怎知區區在此？」

方秀梅道：「我看你們三個鬼鬼祟祟，必然有什麼舉動，果然，被我料中了，你們三人的舉動，一直在我監視之下……」

回手把長劍插回鞘中，接道：「但夜色太暗，我不能離你們太近，還是追丟了，不過我聽到你說出到此查看的話，因此找來此地。」

微微一笑，又道：「你瞧到了，我剛才被人一招逼得向後退了四、五尺遠，這笑柄落在你余兄手中，那是有得小妹受了！」

余三省搖搖頭，道：「方姑娘把區區看成什麼人了，再說也的確奇幻難測，換了兄弟，只怕還不如方姑娘了。」

余三省輕輕咳了一聲，道：「方姑娘自覺一身武功，比起那藍夫人如何？」

方秀梅道：「小妹自覺比那藍夫人相差甚多。」

余三省道：「這就是了，那藍夫人尚且傷在他的手下，姑娘何愧之有，再說，方姑娘也未和他認真的動手，勝敗還未定論。」

這幾句話，只說得方秀梅展顏微笑，舉手理了一理鬢邊散髮，說道：「余兄說得也是！只是，如今余兄已經了然個中內情，不知要如何處理此事？如是有需用小妹之處，小妹願效微勞。」

余三省長長歎息一聲，道：「未明真相之前，使人有著撲朔迷離之感，如今真相既明，在下倒感到有些爲難了。」

方秀梅道：「爲難什麼？」

余三省道：「真相既已了然，按理是該告訴藍大俠，但告訴藍大俠後，必將得罪藍姑娘，

唉！區區原先推斷，這只是一場騙局，那血手門必然有所謀圖，但今宵目睹兩人纏綿之情，才了然兩人是發乎於情、止於禮的真正情愛，而且那血手門的二公子，論人才、武功，都是武林中罕見的後起之秀，珠聯璧合，玉貌才人，在下實應成全他們才是。」

方秀梅道：「嗯！小妹亦有此感。」

余三省道：「但在下又覺對那藍大俠無法交代，難道咱們幫忙藍姑娘欺騙藍大俠不成？」

方秀梅道：「小妹冷眼看江湖，從未看到過十全十美的事，如是余兄覺得應該成全那藍姑娘，咱們就幫她一個忙吧！至於藍大俠，小妹倒覺著，並非很難應付。」

余三省道：「請教姑娘。」

方秀梅微微一笑，道：「今宵目睹內情的，除了余兄，就是小妹，如是小妹不講，余兄不說，藍大俠自然是不會知曉了。」

余三省道：「在下憂慮的並非是此……」

方秀梅接道：「那你憂慮的什麼？」

余三省道：「以藍大俠的性格，未了然真相之前，決不會向血手門低頭，藍大俠一直隱忍不發，原是想應付過花甲壽誕，那位血手門二公子，又正是血氣方剛之年，如若他果然在藍大俠壽筵之上出現，挑戰祝壽眾豪，想一想，那將是一個什麼樣的局面，不論誰勝誰敗，都將要鬧出流血慘局。而這才是在下憂慮之處，欲解此結，只有一法！」

方秀梅道：「把真相告訴藍大俠，是麼？但你可曾想到過，把此事告訴藍大俠的後果麼？」

余三省道：「什麼後果？」

方秀梅道：「藍大俠心痛愛妻之傷，必將痛責女兒，玉燕子藍家鳳愧悔交集，說不定會羞忿自絕，那又將是怎樣一個後果呢？」

余三省呆了一呆，道：「這方面，兄弟倒是未曾想到。」

方秀梅輕輕歎息一聲，道：「我是女人，對女孩子的了解，自信要比余兄深刻一些，希望余兄不要把小妹之言，當作過耳東風。」

余三省道：「讓在下多想想，看看是否有一個兩全之策。」

方秀梅道：「小妹倒有一法，不知是否可行？」

余三省道：「願聞高見。」

方秀梅道：「小妹已然暴露，願再去見血手門二公子一次，陳說利害，要他在壽筵中，手下留情，只要不傷人，事情就好辦了，不過，這中間，還要余兄費點心機才行。」

余三省道：「要在下如何效力？」

方秀梅微微一笑道：「你要設法使幾個武功高強的與會人，不要和那血手門的二公子，全力搏鬥，他們縱然不願相讓，也不要施下毒手，如若余兄能夠把壽筵上的單鬥，變成了以武會友，點到爲止，這場好事，就大有希望了。」

余三省道：「藍大俠名重一時，六十大壽，必然招引來無數祝壽之人，與會人十分龐雜，叫兄弟如何防止。」

方秀梅道：「只要余兄肯盡全力，必有辦法，咱們都受過藍大俠恩惠，不能眼看著演出慘局。」

余三省道：「在下和方姑娘相識不短，竟不知姑娘是這樣一位古道熱腸的人物。」

方秀梅道：「小妹過去的名聲不太好，那是因爲小妹太過忌惡，出手毒辣，結仇太多，又有些玩世不恭，說來話長，一言難盡，日後有暇，小妹當奉告一段往事，倒要余兄評論一下，似小妹際遇的人，是否會行爲偏激。」

余三省道：「好！咱們相識甚久，但在下對姑娘，自覺還不夠了解，如承見告往事，區區是榮幸萬分。」

方秀梅格格一笑，道：「聽說你專門收集武林人物的隱密，好聽些是說你博達多聞，無所不知，說難聽些是集人陰私，用以自娛，當心有一天報應臨頭。」

余三省微微一笑道：「多承指教。」

心中卻是暗暗驚駭，忖道：「只知她和人搏鬥時一向下手毒辣，想不到她還是一位如此善於心機的人物，而且城府深沉，喜怒變化莫測，對這女人，真還得小心一些才成。」

方秀梅微微一笑道：「好風度，果然是一位深沉善謀的人物，我知道你心裏正揣測我說話之意，但表面卻一點不動聲色，需知我說的一番話，並非是無的之矢，徒逞口舌之快，而是出自肺腑之言，就小妹所知，就有一個人對你記恨甚深……」

余三省接道：「什麼人？」

方秀梅道：「這個，咱們以後再說吧……」

語聲微微一頓，道：「小妹先去了。」

也不待那余三省回答，一長柳腰躍出殿外，冒雨而去。

三　再現金蟬步

余三省望著方秀梅消失的去向，呆呆出一會兒神，回身熄去火燭，轉身向外行去。

突然間，一道閃光，照亮了夜暗，也使得一向沉著的余三省幾乎失聲驚叫。

只見一條人影，當門而立，擋住了去路。

那人穿著一身黑衣，來得無聲無息，就在余三省轉身熄了火燭之時，他卻悄無聲息地到了大殿門口之處。余三省雖然是閱歷豐富，但此刻也不禁心頭震動。

他勉強鎭靜一下激動的心情，緩緩說道：「什麼人？」

那黑衣人答非所問地道：「你就是被江東武林道上譽爲第一謀士的袖裏日月余三省。」

余三省暗中提氣戒備，口中卻冷冷說道：「不錯，正是區區在下。」

那黑衣人臉上也用黑紗包起，余三省暗運目力，想看清楚他的形貌，但卻始終無法看得清楚。

但聞那黑衣人冷冷地說道：「此刻雷雨交加，正是殺人之夜，但咱們素無冤仇，在下也並非一定要殺你不可，因此，留給你兩條路，任你選擇一條。」語音冷漠，大言不慚。

余三省輕輕咳了一聲，道：「哪兩條路？」

黑衣人道：「兩條路都很簡單，不過抉擇之間，卻是要大費閣下一番心機了。」

余三省心情逐漸地平靜下來，緩緩說道：「願聞其詳。」

黑衣人道：「第一條路，我要你立下重誓，不許再管血手門和玉燕子藍家鳳的事情。至於第二條路呢，那更簡單了，你如一定要管，那是自尋死路，怪不得我取你之命了。」

余三省道：「聽閣下口氣，似乎是很有殺我余某的把握。」

黑衣人道：「難道你認為區區是信口開河麼？」

余三省道：「那閣下總得露兩手，要我余某見識一下才成。」

黑衣人道：「好！你用的什麼兵刀？」

余三省道：「區區用的短劍。」

黑衣人道：「那很好，我要你用劍刺我八劍，在八劍之內，在下決不還手，如若你八劍之中，刺傷了我，在下回頭就走，任憑你自作主意，如是把我刺死，那也是在下命中該絕，和你無關，如果八劍不中，閣下當知應擇之路了。」

余三省心中暗道：「這人口氣如此之大，倒要試他一試了。」口中應道：「就此一言為定，如是我八劍都無法刺中閣下，區區就此退出，不再管血手門和藍家鳳的事了。」

黑衣人突然把雙手一背，道：「閣下可以動手了。」

余三省探手入懷，取出短劍，道：「小心了。」

右手一探，一招「神龍出雲」，刺向那黑衣人的前胸。

那黑衣人背負的雙手未動，雙肩一晃，輕巧絕倫地避過了一劍。

余三省心中一動，暗道：「好靈巧的身法，似乎聽人說過這等輕功。」

心中念轉，手卻未停，右手伸縮，連攻三劍。這三劍勢道奇快，分刺向那黑衣人三個部位。

但見那黑衣人身子連轉，雙肩搖擺，有如風擺柳絮一般，靈快無倫地避開了三劍。

只見那靈巧的身法，余三省已知遇上了生平未曾遇過的勁敵，停劍不攻。

黑衣人冷笑一聲，道：「閣下才攻出四劍，還有四劍，爲何停手不攻了。」

余三省道：「閣下身法奇奧，區區生平僅見，身不離原地，避開了我四劍，江湖高手有此武功的，實也不多。」

黑衣人道：「閣下快請出手，我沒有耐心等待，也沒有時間等待。」

余三省一皺眉頭，揮手攻出四劍。

他極善智略，這四劍攻得變化萬端，既不用防敵還擊，全心運劍攻襲。第一劍指向那黑衣人的前胸，待他仰胸避劍時，余三省陡然一沉右腕，劍勢突然攻向小腹。

但那黑衣人似是早已防到此著，仰臥的身子，忽然一個旋轉，橫移三步。

余三省再攻兩劍，仍被那黑衣人巧妙地避過。

八劍攻完，余三省早已自知難敵，收住劍勢，說道：「閣下的身法，可就是名動天下的『金蟬步』麼？」

那黑衣人默然了一陣，道：「是又怎樣？」

余三省收好短劍，笑道：「如果是『金蟬步』，區區八劍不中，那就不致留人笑柄了。」

黑衣人道：「不管我用的什麼身法，但你刺我八劍不中，傳入江湖，對你而言，總非好事，想你不致把今宵經過，告訴別人了。」

余三省淡淡一笑，道：「『金蟬步』失傳已久，至少五十年未再在江湖上出現過，血手門也已數十年，未再在江湖上活動，區區一夕間，見到了血手門中高手，又見到了『金蟬步』奇絕輕功，當真是眼福不淺，看起來，江湖上，又要熱鬧一陣了。」

黑衣人冷哼一聲，道：「現在，閣下可以決定自己選擇之路了。」

余三省道：「在下已相信閣下能輕易取我之命，除非我自求速死，否則似是只有不管此事一途可循了。」

黑衣人道：「希望你言出必踐，在下告辭了。」一抱拳，轉身而去。

余三省大聲叫道：「朋友止步。」

那黑衣人已然躍起了一丈，聞聲懸空一個大轉身，重又落回原地，道：「什麼事？」

余三省道：「一個人的生命固然可貴，但朋友義氣，有時重過生死。閣下如是找藍大俠麻煩而來，余某人今夜濺血於此，也不能袖手旁觀。」

黑衣人冷笑一聲，道：「這麼說來，你還是一位很重義氣的人了。」

略一沉吟，道：「我原要你立下重誓，不管血手門和藍家鳳的事，念你能認出我用的『金蟬步』，我已破例優容，免去了立誓一舉，但一個人，不可得寸進尺，罔顧承諾，如是激怒在下，我一樣可以改變初衷，取你之命。」

余三省道：「在下答應閣下不管藍家鳳的事，但卻沒有答應不管藍大俠的事。」

黑衣人想了一想，道：「不錯，但你不要管和藍家鳳有關的事，也就是了。」

余三省心中暗道：「此人武力雖高，但卻毫無江湖經驗，那藍家鳳乃是藍大俠的女兒，父女之間，豈有互不相關之理，屆時，只要牽扯上藍大俠，我就可以出頭，此刻倒也不用和他爭論了。」

心念一轉，緩緩說道：「在下可以再行請教一事麼？」

黑衣人道：「什麼事？」

余三省道：「閣下和血手門中的二公子，是很好的朋友了？」

黑衣人冷笑一聲，道：「不是……」

語聲一頓，接道：「我已無興致再聽你的問話了。」轉身一躍，消失於夜暗大雨之中。

余三省望著那黑衣人消失的去向，只覺重重疑竇，泛上心頭，忖道：「他要我退出血手門和藍家鳳的事，應該是存心促成兩人的好事了，但聽他口氣，又不是那血手門二公子的朋友，這人的用心何在呢？」

問題像一團亂絲，以余三省之才，也無法理出一個頭緒。

溽暑夜雨來得快去得也快，片刻工夫，雨住雲散，星光重現。

余三省看看天色，已經是五更過後時分，立時奔出祠堂，吹起竹哨，招呼周振方和商玉朗。

哪知一連吹了數十聲竹哨，竟不聞周振方和商玉朗有回應之聲。

余三省暗道：「想是兩人看到天色將落大雨時，先行轉回藍府中去了。」

心中雖如此想，但仍然憑著記憶，繞行到兩人停身之處瞧過，才返回藍府。

這時，天色尚未大亮，藍府院門一盞氣死風燈，經歷了半宵風雨，仍未熄去。

余三省望了那風燈一眼，縱身躍起，借圍牆一墊腳，落入了院內。

雙足剛落實地，瞥見人影一閃，老管家藍福一襲長衫，手提一根鑌鐵杖，攔在身前，道：「是余爺麼？」

此時星光隱隱，雙方距離又近，都看得十分清楚。

余三省道：「正是區區，老管家沒有睡麼？」

藍福苦笑一下，道：「余爺出去很久了麼？」

余三省既被發現，自是不便再行隱瞞，點點頭，道：「在下三更左右離開藍府。」

藍福道：「兩個更次，余爺是善謀之人，如果不見什麼風吹草動，決不會夜出藍府了。」

這幾句話表面上是在捧余三省，骨子裏卻是說你夜出藍府，五更始回，總應該有個交代才成。

余三省何許人物，怎會聽不懂弦外之音，淡淡一笑道：「在下去查看血手門中人物的動靜？」

余三省淡淡一笑，道：「遇上了血手門中人。」

藍福急急接道：「他們準備如何？」

藍福道：「余爺看到了什麼？」

余三省道：「老管家，藍大俠花甲大壽，江東地面上有名氣的武林同道，就算不能全都趕來，至少也有個十之六、七，血手門中，就算想鬧事情，也不會叫他們如願以償啊！」

這幾句不著邊際的話，卻給了藍福莫大的安慰，笑道：「余爺說得不錯，聽你這幾句話，老奴就放心多了……」

輕輕咳了一聲，道：「余爺辛苦了半夜，也該回房休息一下了。」橫移兩步，讓開去路。

余三省本想問他是否見到了周振方和商玉朗，但話到口邊，又忍了下去，大步行回房中。

這半宵時光，余三省雖未激烈搏鬥，但他一直不停地用心思索著各種事端，尤以那突然出現的黑衣人，攪亂了一盤剛剛理好的絲線，使得原已明朗的情勢，又罩上一層陰霾。

他覺到血手門及藍家鳳的事情之間，又投下了一片陰影，一個承繼了絕傳五十年「金蟬步」的高手，也捲入了這片漩渦之中。

血手門名聲不好，但那位掌門人的二公子，又不似一個殘酷嗜殺的人，那是污泥孕出的一株白蓮，血手門已數十年未再在江湖為惡，那二公子只不過二十三、四的年紀，至少，他沒有做過一件為害武林的事，但他卻正在可為善、亦可為惡的邊緣徘徊。

這諸般事端紛至遝來，湧上了余三省的心頭，使得余三省有著極度勞心的疲倦。

他緩緩登上木榻，盤膝而坐，想靜坐一陣，以消除疲勞的心神。

但心神卻一直安靜不下來。

突然間響起了一陣叩門之聲，傳入耳際。

余三省長長吁一口氣，道：「什麼人？」

室外傳來一個女子的聲音：「小妹方秀梅。」

余三省一躍下榻，燃起火燭，開門說道：「方姑娘還未休息？」

方秀梅已換去濕衣，緊顰著柳眉先行入房中，道：「小妹發現了幾樁可疑的事，越想越覺不對，特來請教余兄。」

余三省道：「什麼事？」

方秀梅道：「關於那周振方和商玉朗……」

余三省吃了一驚，接道：「兩個人怎樣了？」

方秀梅道：「小妹目睹你們三人離去，但在祠堂之中，卻只見余兄一人，想他們定然是已經先回來了。」

余三省道：「沒錯啊！他們是先回來了。」

方秀梅搖搖頭，道：「小妹忽然想到了一件事，趕去請教周兄，叫門甚久，卻不聞答應之聲，小妹心中動疑，又去叫商兄的門……」

余三省緊張地接道：「怎麼樣？」

方秀梅道：「一樣的聽不到回應之聲，小妹回房去，越想越覺著不對，就轉到余兄這裏，看看余兄是否已經回來？」

余三省勉強按下心中的激動，道：「走！咱們瞧瞧去。」急急行出室外。

這時，天色已經大亮，只見院中花樹枝葉上，雨露如珠。

兩人匆匆趕到周振方宿居室外，余三省立時舉手推門。

但覺木門卻未被推開，顯然門內已經上了木栓。

余三省長長吁一口氣，暗道：「如是室中無人，自然不會上栓了。」

舉手叩動門環，道：「周兄在麼？」

但聞室內有人接道：「什麼人？」

余三省道：「兄弟余三省。」

方秀梅道：「小妹方秀梅。」

室中人緩緩說道：「兄弟在大雨中淋了半宵，身子有些不適，有話等會兒再談。」

余三省微微一笑，道：「走！咱們瞧瞧商兄去。」

大步轉行到商玉朗宿住之室。

舉手叩動門環，道：「商兄在麼？」

室中響起了商玉朗的聲音，道：「哪一位？」

余三省道：「商兄幾時回來的？」

商玉朗道：「兄弟剛剛回來，適才還遇上了老管家，兄弟正在換衣服，余兄先請回去吧，兄弟想休息一陣，再去拜會余兄。」

余三省道：「不用了，商兄淋了半夜大雨，多休息一會兒。」

望了方秀梅一眼，低聲說道：「幸好他們都無恙歸來。」

方秀梅一語不發，轉身向前行去。

余三省緊隨方秀梅身後而行，看她竟然直行向自己臥室，心中暗自好笑，忖道：「她大驚小怪，嚇我一跳，大約自己也有些不好意思了。」

心中念轉，緊隨方秀梅身後，行入了室中。

方秀梅回過身子，掩上房門，面色一片冰冷地說道：「余兄，小妹感覺到情形有些不對。」

余三省道：「什麼事？」

方秀梅道：「小妹也淋了半夜大雨，但卻一點毛病也沒有，周振方、商玉朗難道是紙糊的

人麼，淋出了毛病？」

這句話有如當頭一棒，使得余三省心神一清，怔了一怔，道：「不錯，以周振方和商玉朗的武功，就算泡在水中一日夜，也不致於泡出病來。」

方秀梅道：「所以，小妹覺著有點問題。」

余三省突然間發覺到，這位名聲一向不太好的女人，竟然是一位處處謹慎的人物，心中暗道：「我和她相識十餘年，竟然不知她是一位思慮如此縝密的人物。」

心中念轉，口中卻說道：「方姑娘有何高見？」

方秀梅淡淡一笑，道：「首先，咱們要了然他們爲什麼要裝病呢？依小妹之見，不外三個原因？」

余三省道：「哪三個原因？」

方秀梅接道：「往好處說，他們可能和小妹一樣，和那血手門的二公子見了面，被人戲辱，也許還受了一點傷，不願說出來這等丟人現眼的事，托詞不適，以作掩飾。」

余三省道：「第二個原因呢？」

方秀梅道：「他們受了要脅，甚至攸關生死大計，不得不退出此事，託病以作掩飾的藉口。」

余三省雙目中神光一閃，道：「姑娘高見，請問那第三個原因爲何？」

方秀梅沉吟了一陣，道：「第三個原因，怕是那血手門施用了移花接木之計。」

余三省道：「移花接木？」

方秀梅道：「是的，那真的周振方和商玉朗，都已被血手門中人擄去，卻派了兩個人假冒

他倆之名而來！」

余三省呆了一呆，道：「這是一個很可怕的推斷，但並非是沒有可能。」

方秀梅道：「唉，小妹這次漫遊天下，的確是長了不少見聞，尤以在西南道上，見識了放蠱的事，這些事過去小妹只是耳聞，這番目睹之後，實叫人不寒而慄。」

余三省神情凝重地說道：「姑娘這番話，使在下也警覺很多，也使在下對姑娘心生敬服……」

仰起臉來，長長吁了一口氣，道：「姑娘聽說過『金蟬步』這門武功吧？」

方秀梅道：「聽說過，它是一種絕佳的輕功，配合複雜奇奧的計算方法，構成了一種獨步武林的奇術，據說，善於此道者，如登入上乘之境，能在刀山劍林之中穿梭行走，如入無人之境，只可惜咱們晚生了幾十年，這門武功已在五十年前絕傳江湖，只能聽聽罷了。」

余三省苦笑一下，道：「但兄弟昨天晚上，卻見識了『金蟬步』。」

方秀梅道：「什麼？昨天晚上什麼時間？」

余三省道：「就在姑娘去後不久。」

方秀梅臉色大變，道：「也在那祠堂之中？」

余三省道：「是的，和姑娘同時隱伏在大殿外面的，還有一個人，在姑娘離去之後，現身攔住了我的去路。」

方秀梅接道：「他現露了『金蟬步』？」

余三省苦笑了一下，道：「他誇口叫我刺他八劍，自己不施還擊，我被他言詞激怒，就依言攻他八劍。」

方秀梅眨動了一下眼睛，道：「傷著他沒有？」

余三省道：「哼！傷著人家？連別人的衣角也未碰到。」

方秀梅道：「閃避余兄八劍，不施還擊，也並非太困難的事情，小妹不才，也許就有此能。」

余三省淡淡一笑，道：「姑娘說得不錯，避我八劍，並非難事，但難的卻是身不離方寸之地，只憑那搖轉、擺動的身子，輕輕易易，把我八劍避開。」

方秀梅臉色一變，道：「那是『金蟬步』了。」

余三省道：「前四劍不去說它，後四劍，兄弟攻出的劍勢，都經過一番思量，我既不憂慮還擊，自以全力施爲，只想把他迫退幾步。」

方秀梅道：「成了麼？」

余三省搖搖頭道：「沒有，仍被他輕輕鬆鬆，避了開去，兄弟相信，就算藍大俠，也要被兄弟這四劍逼退到三步以上。」

方秀梅臉上閃掠了一抹驚異之色，緩緩說道：「絕傳江湖的『金蟬步』，和『血手毒掌』連在一起出現，不知是否與我們江東第一美人藍姑娘有關？」

余三省道：「有關，而且是密相關切。」

方秀梅道：「是余兄推想的麼？」

余三省搖搖頭，道：「不是，那人避開我八劍之後，迫勸我明哲自保，不許再管血手門和藍家鳳的事。唉！在下丟的人，不比方姑娘小啊！」

方秀梅道：「那位施展『金蟬步』的人，形貌如何？」

余三省道：「說起來很可笑，兄弟根本沒有法子看清楚他的形貌，因爲他和那藍家鳳一樣，全身都裹在一片黑衣中，連臉上也包了黑紗，除了雙目、兩手之外，什麼也無法看到。」

方秀梅道：「他沒有再難爲你？」

余三省道：「奇怪處也就在此了，他只警告不要再管此事，卻未對我下手，彼此既不相識，他爲何能信任我呢？至少，也該拿點顏色給我瞧瞧，但他卻只警告我幾句就轉身而去，唉！好的說法，是他心地仁善，不願輕易殺人，我已爲他鎭服，想我不敢再插手此事，難聽點說，人家根本就未把我放在眼中，如是不聽他警告的話，殺我不過是舉手之勞罷了。」

方秀梅道：「余兄此刻準備如何呢？聽他的，還是不聽？」

余三省苦笑一下，道：「咱們武林中人，恩怨分明，仁義當先，那藍大俠對在下有過恩德，在下怎能棄置不顧……」

方秀梅道：「如若要講信諾，余兄答應了人家，自然也不能不守信了。」

余三省心中暗道：「這女人果然是聰明、厲害，竟從我語氣中，聽出了弦外之音。」心中念轉，口中卻道：「因此，在下頗感爲難，倒要向姑娘請教了。」

方秀梅道：「你如答應了人家，只有一法可想。」

余三省道：「什麼法子？」

方秀梅道：「把你心中打好的主意，一件一件的告訴我，由我代你執行。」

余三省淡淡一笑，道：「姑娘之意，可是認定在下已經答應他了？」

方秀梅道：「就算你口上未作承諾，內心之中，定也默認了。」

余三省道：「姑娘猜的仍是稍有出入，在下曾告訴他，我受過藍大俠之恩，如若他們沒有

侵害到藍大俠，在下可以袖手不問，但如侵害到藍大俠，在下就非管不可了。」

方秀梅道：「回答的很好，藍家鳳是藍大俠的女兒，血手門和藍家鳳的事，怎麼會牽涉不到藍大俠呢？我奇怪那人怎會受你蒙騙。」

余三省道：「他如是像你方姑娘一般精明，只怕在下早已氣絕屍寒了。」

語聲一頓，接道：「所以，在下覺著那人雖然身負『金蟬步』的絕技，但江湖的閱歷，卻差得很，只要用番心機，對付他並非什麼難事，只是眼下兩件最重要的事，在下還未弄清楚？」

方秀梅道：「什麼事？」

余三省道：「那黑衣人和血手門的二公子，是敵是友？他爲何深夜追至祠堂中，偷聽藍家鳳和那血手門二公子的談話，用心何在？」

方秀梅道：「只要余兄稍微留心一些，定已從那人口氣中聽出點頭緒來。」

余三省道：「他說的話很少，而且每一句話，都是很直接明顯，決無言外之意。」

方秀梅沉吟了一陣，道：「會不會又纏夾在藍家鳳的身上，涉及了男女之情。」

余三省道：「血手門已退出江湖數十年，金蟬步絕傳武林更久，那時，藍大俠也不過是個年輕的孩子，決不會和血手門及金蟬步的傳人結下什麼恩怨。因此。事情八成是和藍家鳳有關了。」

語聲微微一頓，接道：「方姑娘看清楚了藍家鳳麼？」

方秀梅道：「看清楚了，唉！小丫頭確實生得美麗，我雖是婦人之身，也不禁心生愛憐……」

突然間似是想到了什麼重大之事，急急說道：「余兄可否從那『金蟬步』的傳人口音中，測出他的年齡。」

余三省道：「除了特別蒼老和童音之外，想從一個陌生之人的口音中，聽出他的年齡，兄弟還無這份能耐，不過，那聲音已然深印入兄弟腦際，如若兄弟再聽到那聲音，自信可以辨認出來。」

方秀梅道：「事情來得很突然，事先全無跡象可尋，就算比咱們才智高強的人，也無法找出眉目，目下倒要看余兄的態度了，如是不願過問此事，只有一途可循。」

余三省道：「什麼法子？」

方秀梅道：「留下壽禮，不告而別。」

余三省淡淡一笑，道：「姑娘不用激我了，事情既然叫我碰上了，怎能坐視不問，寧叫名在人亡，也不能不告而別。」

方秀梅微微一笑，道：「你如有不畏死亡之心，看來只有和小妹合作一途了，但你余三省一向是智謀百出，領袖群倫，人人都向你請教，這番要和小妹商量行事，只怕是心中不樂吧？」

余三省苦笑道：「人稱你方姑娘為笑語追魂，兄弟只知你出手毒辣，想不到你方姑娘的口舌，實也有追魂之利，兄弟領教了。」

方秀梅道：「聽余兄口氣，似乎是答應和小妹合作了。」

余三省無可奈何地點頭說道：「得饒人處且饒人，方姑娘有何高見，兄弟洗耳恭聽。」

方秀梅略一沉吟，道：「目下情勢，有如一團亂絲，咱們如若找不出一點頭緒，那就無法

著手，欲理這團亂絲，小妹覺著有兩策可用，咱們得齊頭並進……」

目光一掠余三省，看他很用心地在聽，微笑接道：「小妹去見藍姑娘，我是婦人之身，進她閨房，自無不便，而且也更便於談話。不論她藍家鳳是如何慧黠，我相信她瞞不過我這雙閱歷人生數十年的眼睛……」

突然放低聲音接道：「至於余兄，要去察看一下周振方和商玉朗，而且分別晤面，以余兄的才智、機心，只要用心一些，不難看出破綻，不過，有一點卻讓小妹有些放不下心。」

余三省皺皺眉頭，道：「哪一點，方姑娘何不明說出來？」

方秀梅道：「我怕你下不了手。」

余三省道：「對何人下手？」

方秀梅道：「周振方和商玉朗，小妹提供余兄個別拜訪之意，就是要余兄瞧出破綻後，立即下手，點了他們的穴道，先制服他們內應，再禦外侮，小妹猜想今日午後，必有大部武林人物趕往，太湖漁叟黃九洲、金陵劍客張伯松、神行追風萬子常等，就目下江湖而言，都算得一流高手，除他們之外，小妹相信還有不少高手，這些人，都是可持可仗的奧援，如若先作安排，足可和他們一戰。」

余三省點點頭道：「姑娘說得不錯，我不信血手門和『金蟬步』的傳人，真能對付整個江東道上的武林精英。」

方秀梅道：「有備無患，到時間該打該和，操之在我，咱們有成人之美的心，但不能不作最壞的打算，但那說服群豪、聽我們調遣的事，還要仗憑余兄了，小妹名聲不好，沒有這份能耐。」

余三省道：「好！在下盡我心力。」

方秀梅道：「但在群豪未到之前，咱們先得找出一點眉目才成。」

余三省道：「方姑娘如能說服藍家鳳，必可聽得不少內情。」

方秀梅道：「血手門咱們已然有了大略的了解，目下全然不知的，是那位『金蟬步』的傳人，爲何而來？又爲什麼不許你插手此事？」

余三省望望天色，道：「也許可從藍家鳳口中聽出一些線索，天已大亮，咱們也該分頭行事了，在下已答允，今日要爲那藍大俠，提供愚見，咱們至遲必得在午時之前，決定一個可行之策。」

方秀梅道：「小妹這就去拜會藍家鳳，余兄也可以行動了，咱們一個時辰之後，在望江樓上見面。」也不待余三省回答，轉身出室而去。

余三省也出室向周振方的睡房行去。

且說那方秀梅奔入內宅，直行向藍家鳳的閨房。

她不過剛剛行近閨房，一個青衣女婢已及時而出，道：「什麼人？」

方秀梅仔細打量了那女婢一眼，只見她年約十五左右，長得甚是清秀，當下說道：「我叫方秀梅，勞請通知你們姑娘一聲，就說我有要事求見。」

那青衣女婢打量了方秀梅一陣，道：「你等著，我去替你通報一聲，但我家姑娘心情不好，是否肯見你，那要看看你的運氣了。」一轉身，快步行入內室。

片刻之後，那女婢滿臉驚奇之色，行了出來，道：「我家姑娘請你進去。」

了。」

方秀梅道：「有勞姑娘帶路了。」

青衣女婢閃身讓開去路，低聲說道：「左面有一個樓梯，登上樓梯就是我家姑娘的閨房了。」

方秀梅道：「謝謝你啦。」舉步登上樓梯。

只見藍家鳳穿著一身淡藍衣裙，未施脂粉，右手舉著一條素帕，眉宇泛現淡淡的憂鬱，迎於閨房門外。

欠身一禮，道：「晚輩有失遠迎，尚請老前輩恕罪。」

方秀梅道：「不敢當，一清早打擾姑娘，心中不安得很。」

藍家鳳道：「老前輩言重了，請入室內坐吧！」

方秀梅緩步行入室中，流目四顧，只見這座臥室，佈置得十分清雅，白綾幔壁，滿室瑩潔，除了一張梳粧檯、一架衣櫃之外，就是一張棕榻，和一座錦墩，佈設可謂簡單，但奇怪的是，竟有一幅山水畫掛在棕榻對面的壁間。

那山水圖畫並非出自名人手筆，但老松蒼勁，山峰疊翠，流瀑濺珠，幽谷深遠，意境甚高！只是掛在一個少女的閨房之中，有些不倫不類。

藍家鳳伸手一拉錦墩，道：「方老前輩請坐。」

方秀梅微笑落座，道：「姑娘這房中佈置得好生雅潔。」

藍家鳳道：「晚輩生性疏懶，簡單些容易收拾。」

方秀梅笑道：「其實以姑娘之美，實在也用不著綠葉托襯，就是那茅舍竹籬，姑娘也能使它放光生輝。」

藍家鳳垂首說道：「老前輩取笑了。」

方秀梅道：「話倒是出自肺腑，只可惜紅顏多舛運，太美的女孩子，大都是際遇坎坷。」

藍家鳳道：「晚輩並非紅顏，卻也是命運多舛。家母重傷臥床……」

方秀梅接道：「令堂有姑娘這樣一個孝順的女兒，縱然是身受重傷，也不難求得靈藥。」

藍家鳳臉色一變，道：「老前輩此言何意，晚輩無法了解。」

方秀梅淡淡一笑，道：「目下情勢緊急，我沒有太多的時間，旁敲側擊，和姑娘多談。」

藍家鳳道：「老前輩有什麼教言高論，明說最好。」

方秀梅道：「既是如此，我就恭敬不如從命了……」

語聲一頓，道：「藍姑娘認識血手門的二公子麼？」

藍家鳳未想到方秀梅竟是這般單刀直入的問法，不禁一呆，道：「見過一面……」

方秀梅接道：「只怕是不只一面吧！」

藍家鳳道：「老前輩語中含刺，晚輩難解用心。」

方秀梅道：「我們都是令尊、令堂的朋友，一切作爲都是爲了令尊、令堂，也是爲了姑娘，因此，我希望姑娘心中不要多疑。」

原來，她已發現藍家鳳目光中神芒閃動，殺機隱起，恐她惱羞成怒，翻臉動手。

藍家鳳冷冷地說道：「老前輩語氣不善，若有所指，晚輩倒望老前輩明說內情，如是老前輩無暇見教，那就請便，晚輩倒也不便勉強。」

方秀梅心中暗道：「這丫頭外和內剛，若再和她相持下去，只怕難免要鬧到動手一途，倒不如直接說明，看她反應如何？」

心中念轉，口中說道：「藍姑娘昨宵和血手門中二公子在荒祠殿中相見，可有此事？」

藍家鳳臉一陣白、一陣紅，顯然內心之中，正有著劇烈的衝突。

良久之後，藍家鳳道：「老前輩看到了？」

方秀梅道：「如是我沒有看到，怎敢如此胡言亂語。」

藍家鳳突然間變得十分鎮靜，緩緩說道：「老前輩既然看到了，豈不是多此一問麼！」

方秀梅看她瑩晶的雙目中，神芒如電，嬌美的粉臉上，如罩寒霜，心中暗道：「看樣子，如是處理不好，想出此室，還得大費番手腳了。」

當下說道：「昨夜中，目睹姑娘和血手門中二公子會晤的人，並非只我一個……」

藍家鳳一雙圓圓的大眼睛，眨動了一下，道：「還有什麼人？」

方秀梅道：「余三省……」

頓了一頓，又道：「除了余三省和我之外，還有一位是『金蟬步』的傳人。」

藍家鳳受到的驚駭，似是大過鬧得她會晤血手門二公子的震驚，呆愣了良久，道：「那人是何模樣？」

方秀梅道：「我沒有見到他，但據那余三省說，他和姑娘一般，全身裹在一片黑衣之中，無法看清楚他的形貌。」

藍家鳳道：「他……他說些什麼？」

方秀梅看她驚震之情，心中暗道：「難道這丫頭真的也認識金蟬步的傳人麼？」

口中卻繼續說道：「他施展『金蟬步』震住了余三省，不許他插手此事。」

藍家鳳道：「什麼事？」

方秀梅道：「姑娘和血手門的事！」

語聲微微一頓，接道：「佘三省和我，都很同情姑娘的際遇，因此，我和佘三省決定暗中相助姑娘，促成良緣，但也不能傷到了藍大俠的威名，這其間，自然要大費一番心機才成……

「但想不到的是，半途中殺出程咬金，絕傳江湖數十年的『金蟬步』，陡然出現江湖，而且，插手於姑娘和血手門的恩怨之間，這就使我們感覺到事非尋常……

「姑娘如願和我等合作，我和佘三省都願盡力，我們受過令尊的大恩，自當有以奉報，如是姑娘不願我等插手，我們也無法勉強，只有留下壽禮，一走了之，自然，個中之密，我們也不會宣揚於江湖之上，我已言盡於此，如何處置，但憑姑娘的決定了。」說完，站起身子，舉步向外行去。

藍家鳳低聲說道：「方老前輩留步。」

方秀梅停下腳步，緩緩回過頭來，道：「什麼事？」

藍家鳳道：「唉！坐下來咱們談談好麼？」

方秀梅重又行了回來，在原位坐下，歎息一聲道：「就目下情勢而論，姑娘只有和我們合作一途，你不能傷害父母，也不能傷害到情郎，可是你的處境，卻是一劍雙鋒，左傷父母，右傷情郎，你不能一面偏倒，也很難兩面兼顧，這已經夠你苦了，如今，竟然又冒出來一個『金蟬步』的傳人……」

藍家鳳嬌氣盡失，緩緩說道：「老前輩你如此助我，晚輩豈能不知好歹。」

方秀梅道：「那很好，你先告訴我，認不認識那位『金蟬步』的傳人？」

藍家鳳皺起柳眉兒，緩緩說道：「認識。」

方秀梅雖然心中早已想到，但聞得藍家鳳親口證實之後，仍不禁心頭一震。她舉手理一下鬢前的散髮，藉以掩飾驚愕的神色，故作鎮靜地微微一笑，道：「你和他相識已很久麼？」

藍家鳳搖搖頭道：「相識不過三月。」

方秀梅雙目凝注在藍家鳳的臉上，瞧了一陣，道：「這是造化弄人，不能怪你。」

藍家鳳茫然道：「難道他已經告訴了你們經過之情。」

方秀梅知她心中有所誤會，忍不住嗤的一笑，道：「古人說美人禍水，看來是誠不欺我了。」

藍家鳳淒涼一笑，道：「我真的很美麼？」

方秀梅道：「美得出奇，我雖是婦女之身，見了你也不禁心生憐惜，何況男人了。」

藍家鳳似黯然又似滿足的淡淡一笑，道：「那是說，他們喜愛我的，只是我這美麗的容貌了，如是我一旦變得很醜，他們都將離我而去，那也沒有這些麻煩了。」

淒迷的笑意，茫然的神情，襯著那絕世姿容，構成了一幅動人心弦的憂鬱美。

方秀梅長長吁一口氣，道：「鳳姑娘，事已如此，焦慮和傷感，於事何補，你要振起精神，設法應付。」

藍家鳳眨動了一下圓圓的大眼睛，兩顆晶瑩的淚珠兒，順腮而下，道：「晚輩方寸已亂，實是不知該如何才好。」

方秀梅道：「我以女兒身，流浪江湖二十年，經歷了無數的風浪，看盡了人事滄桑，別的沒有學會，只學到了鎮靜二字，處境愈是艱險、危惡，愈是應該鎮靜應付。」

方秀梅沉吟了良久，道：「解鈴還需繫鈴人，我想這檔事，終還要你出面調解，但必得先想出一個妥善的法子才成，姑娘能否把認識那『金蟬步』傳人的經過，告訴我，我也好幫你想想主意。」

藍家鳳歎道：「三個月前，晚輩在金陵郊外，遇上了黔北雙惡，那時，晚輩女扮男裝，爲了救一個村女，和雙惡動上了手，雙惡力戰晚輩不勝，施用暗器三絕針，將晚輩傷在了三絕針下。」

方秀梅吃了一驚，接道：「黔北雙惡刁氏兄弟的三絕針，乃武林中有名的奇毒暗器，中人必死，你中了三絕針，竟然無恙？」

藍家鳳道：「不錯，那暗器確實惡毒，晚輩中針不過片刻，已無再戰之能，半身麻木，無力運劍，原想死於雙惡之手，卻不料他卻及時而至，施展『金蟬步』，空手入白刃，在十招內，奪下了刁氏兄弟手中的兵刃，驚走了刁氏兄弟，也救了我一命。」

方秀梅道：「誰替你療治好三絕針的毒傷呢？」

藍家鳳道：「也是他，那時，我已在半暈迷的狀態，但心中仍然有些明白，他把我帶到附近一座空茅舍中，解開我衣服，查看傷勢，才發覺我是女扮男裝，但他仍然脫下了我的衣服。」

方秀梅一時間不知她言中之意何在，怔了一怔，道：「可是替你療傷麼？」

藍家鳳道：「不錯，但那時我心中仍很明白，他應該告訴我一聲才是啊！可是他一言不發，就脫了我的衣服，而且，而且……」

只見雙頰上飛起了一片紅暈，粉頸下垂。

方秀梅低聲說道：「咱們都是女人，姑娘也不用害羞了，可是他輕薄了你？」

藍家鳳點點頭，道：「我不知他是有意還是無心，但我感覺他在我身上輕薄，所以，他雖然用口吸出我傷口奇毒，救了我的性命，但我仍然有些恨他。」

方秀梅道：「黔北雙惡的三絕針，奇毒強烈，他竟然用口吸取，那當真是捨命相救了……」突然感覺失言，急急住口。

藍家鳳眨動了一下大眼睛，道：「那針上奇毒，不見血，也能致命麼？」

方秀梅道：「這個，我就不太清楚了，不過，就江湖傳說，那三絕針的惡毒，如若一不小心，把奇毒吸入胸中，大概是非死不可了。」

藍家鳳道：「我和他素不相識，他爲什麼甘願冒此凶險，救我命呢？」

方秀梅心中暗道：「這我怎麼知道呢？」口中卻應道：「也許他天生俠骨，見姑娘受了毒傷不忍坐視，至於救你是否別有用心，那就無關緊要了，他對你總算是有過救命之恩。」

藍家鳳道：「我也是這麼想，所以，我心裏很矛盾，又感謝他救命之恩，又恨他無禮輕薄。」

方秀梅道：「那時，你毒傷發作，也許是神智已不太清楚，記憶有誤。」

藍家鳳道：「最可恨的是，他替我吸毒、敷藥之後，我已經完全清醒過來，他竟然敢把我擁入懷中，輕輕的親我左頰。」

方秀梅啊了一聲，道：「有這等事？」

藍家鳳道：「我心中恨極了他，站起身子，回手給他一個耳括子。」

方秀梅大爲緊張地道：「他有沒有還手？」

藍家鳳道：「他臉皮厚的像城牆一樣，我在急忿之下，出手甚重，那一耳光只打得他的臉上手痕宛然，但他竟是毫無羞愧之色，瞪著眼睛，看著我笑，當時我心中之火，恨不得一刀把他宰了，但又想他吸毒救我之命，忍下沒有發作。」

方秀梅道：「以後呢？」

藍家鳳道：「以後麼？我就轉身奔出了茅舍，不再理他。」

方秀梅道：「他沒有追你？」

藍家鳳道：「怎麼沒有？他施用『金蟬步』，不論我轉到哪個方向，都見他攔在我的身前，他身法奇快，打也打他不著，氣得我直落眼淚，他見我氣哭了，才退到一側，放我過去，自此之後，就未再見過他了，想不到，他竟然又追到此地。」

方秀梅低聲說道：「鳳姑娘，他爲你吸毒、敷藥，你總該見過他的真面目吧！」

藍家鳳道：「自然是見過了。」

方秀梅道：「告訴我，他的長像如何？」

藍家鳳沉吟了一陣，道：「我說不出他哪裏醜，但他一張臉呆呆板板，看不到一點表情。」

方秀梅道：「姑娘現在準備如何？」

藍家鳳歎道：「我心中仍然很亂，不知該怎麼樣才好，但我想我該去見見他，問他用心何在？他救了我的命，大不了我再還他一條命，我既打他不過，只有束手就戮，讓他殺死我就是。」

方秀梅搖搖頭道：「鳳姑娘，目下不能意氣用事，你一手造出了很多麻煩，連你的父母，都被捲入這漩渦之中，豈能以一死了之？」

語聲微微一頓，接道：「再說，絕傳武林數十年的『金蟬步』，陡然間有傳人在江湖出現，斂跡消聲，數十年不聞動靜的血手門，也忽然重現於江湖，這些事似都非吉祥之徵，也許平靜的江湖上，因他們出現，可能將掀起了一場風波，只是由姑娘身上，掀開了這場序幕罷了。」

藍家鳳眨動了一下大眼睛，道：「你是說『金蟬步』的傳人，和血手門結有恩怨。」

方秀梅道：「這是數十年前的事了，在我記憶之中似乎是聽人說過，究竟如何，我也記不得了，但這都無關緊要，姑娘去見見他也不算錯，問題是，他在暗處，你又到哪處找他？」

藍家鳳怔了一怔道：「那要怎麼辦呢？」

方秀梅道：「暫時坐以觀變，和我們坦誠合作，目下第一件事，先要療治好令堂的傷勢。」

藍家鳳道：「我已讓她老人家服了藥物。」

方秀梅道：「血手門的解藥？」

藍家鳳點點頭，道：「嗯！他給我的，自然不會錯了。」

方秀梅道：「第二件事，從此刻起，不論發生什麼事，姑娘都不能再爲保密，必須早些通知我們，好在我和你都是女人，也沒有什麼不方便的地方，我答允爲姑娘盡量保密。」

藍家鳳無可奈何地點點頭，道：「好！晚輩答應。」

方秀梅淡淡一笑，道：「還要請教鳳姑娘一件事。」

藍家鳳道：「晚輩洗耳恭聽。」

方秀梅道：「你能不能確定那『金蟬步』的傳人，只是他孤身一個？」

藍家鳳道：「我只見到一個。」

語聲微微一頓，接道：「老前輩突問此言，用意何在？可否告訴晚輩？」

方秀梅道：「目下情況，還未完全明瞭，但願我和余三省推斷有誤才好。」

藍家鳳道：「不論發生什麼事，都和晚輩有關，老前輩如肯告訴晚輩，自是不算洩密了。」

方秀梅沉吟了一陣，道：「周振方、商玉朗，他們可能出了毛病。」

藍家鳳吃了一驚，道：「什麼毛病？」

方秀梅道：「目下還不知道，可能被人施了手腳，也可能被人家生生擄去，再派人來冒名頂替。」

長長吁了口氣，接道：「如是周、商兩位真被人動了手腳，目下咱們只能懷疑到兩個人，一個是『金蟬步』的傳人，一個是血手門二公子了。」

藍家鳳道：「在兩人之中，如是要晚輩提供愚見，決不會是高文超！」

方秀梅接道：「高文超可是那血手門的二公子麼？」

藍家鳳話一出口，已知失言，但已無法改口，只好硬著頭皮道：「不錯，他叫高文超。」

方秀梅略一沉吟，道：「好吧！姑娘別忘了，有什麼變化，快去找我，我要去了。」

藍家鳳道：「老前輩慢走，恕晚輩不送了。」

方秀梅微微一笑，下樓而去。

看看時光，已然快近一個時辰，立時匆匆趕向了望江樓。

只見余三省獨自坐在一處靠窗的位置上，似乎是正自等得焦慮。

方秀梅快行幾步，到了余三省身前，低聲說道：「見過周振方和商玉朗麼？情形如何？」

余三省道：「情形很壞，姑娘和藍家鳳談出一些眉目麼？」

方秀梅道：「不虛此行……」

語聲一頓，道：「周振方和商玉朗怎麼樣了？」

余三省苦笑一下，道：「在下趕到兩人臥房時，叫門不應，只好破窗而入，想不到兩人都是靜靜的躺在床上，雖然都有一絲氣在，目光也可以轉動，但卻不肯開口說話。」

方秀梅道：「那是被人點了啞穴。」

余三省道：「在下已查看過，並非被人點了啞穴。」

方秀梅道：「那他們是故意不肯講了？」

余三省道：「看他們目光遲呆，似乎是受了暗算，但在下卻無法查出，他們哪裏受了暗算？」

方秀梅皺皺眉頭，道：「我去叫門時，他們都還能夠言語，相差不過片刻工夫，我不相信，對方竟然敢入藍府中傷人。」

余三省道：「在下也曾仔細查看過了室中情景，除了我破壞的窗門之外，再無損毀之處，那是說，他們回來之後，決不會再有人進入他們的房中去過。」

方秀梅道：「無人進入他們的房內，怎會受傷呢？」

余三省道：「這就是在下想不通的地方了，特地趕來和姑娘研商、研商。」

方秀梅顰起了柳眉，道：「余兄，事情很可能更複雜了。」

余三省道：「在下也有此感，這似是明暗並進的一場搏鬥，心機和手段，又都是各顯其極，在下也感覺到，這不是一、兩人所能夠完成的事，而且也不似血手門中人下的手。」

方秀梅道：「你可曾仔細看過他們兩人，是否傷在血手掌下？」

余三省道：「在下已經仔細檢查過了，不見一點傷痕。」

方秀梅沉吟了一陣，道：「也許和『金蟬步』的傳人有關！」

余三省道：「和『金蟬步』的傳人有關？」

方秀梅點點頭道：「不錯，我和藍姑娘懇談甚久，藍姑娘也答允和我等坦誠合作，從藍姑娘口中，我知道了『金蟬步』傳人的內情。」

當下把詳談經過，很仔細地說了一遍。

余三省臉上泛現出興奮之色，道：「如若藍姑娘肯和我們合作，這件事倒是省去了不少困難。」

方秀梅道：「小妹覺著咱們應該設法安排一下，讓玉燕子再和『金蟬步』的傳人見上一面。」

余三省道：「可是讓玉燕子勸他袖手離此，不再多問此事麼？」

方秀梅道：「就算不能說服他離開此地，但至少也可從他口中探出一些內情來。」

語聲一頓，接道：「目下咱們已經了然了大部情形，眼下最爲困擾的，就是找出對周振方和商玉朗下手的人。」

余三省道：「就情形而論，似乎不可能是血手門中下的手。」

方秀梅道：「正是如此，所以，我想到了可能是那位『金蟬步』傳人下的手了。」

余三省道：「咱們再去瞧瞧周振方和商玉朗去，也許能夠找出一些蛛絲馬跡。」

方秀梅點點頭，站起身子。

這當兒，只見藍福帶著一個身揹長劍的青衣老人，緩步行了進來。

四　疑雲處處飄

余三省看清楚了老管家藍福帶來的青衣人之後，不禁眼睛一亮，趕忙抱拳一禮，道：「張大俠，久違了。」

原來，來人正是金陵劍客張伯松。

張伯松頷首微笑，道：「余兄和方姑娘早到了！」

方秀梅欠身笑道：「張大俠精神健旺，看來越發年輕了。」

張伯松微微一笑，道：「老了，老了。」

藍福低聲說道：「三位談談吧！老奴還要去接待客人。」

張伯松道：「老管家請便。」

藍福抱拳一禮，轉身而去。

方秀梅微微一笑，道：「張大俠這一年仍未在江湖上走動麼？」

張伯松搖搖頭道：「老夫自從五年前歸隱之後，已然不再問江湖中事，除了一年一度，要給藍大俠拜壽之外，很少離開金陵故居。」

余三省歎息一聲，道：「張大俠，如是有一個人有了麻煩，張大俠是否可以破例一管呢？」

張伯松道：「什麼人？」

余三省道：「藍大俠。」

張伯松道：「如若當真是藍大俠有了麻煩，在下自然是不能坐視了……」輕輕咳了一聲，道：「不過，兩位先要把經過之情，告訴我一下才好。」

余三省道：「此中因果十分複雜，還是請方姑娘說明得好。」

方秀梅略一沉吟，道：「事情起於玉燕子藍家鳳的身上。」

張伯松輕輕歎息一聲，道：「玉燕子得藍大俠的蔭護，這幾年來，鋒芒太露，想不到果然出了事情，不過，她的作爲還未有逾越之處，縱然是有些過份，但看在藍大俠的份上，也不致有人和她爲難啊！」

方秀梅道：「個中情形複雜，不是一般的江湖恩怨。」

張伯松道：「和哪一方的高人結怨？」

方秀梅道：「血手門中人。」

當下把探得內情刪繁從簡，只將大概經過說了一遍。

方秀梅雖然是未盡言所知，但已經使得張伯松聽得大爲訝異了。

余三省接道：「張大俠甚精醫道，不知可否同去看看那周振方和商玉朗，爲何等武功所傷？」

張伯松站起身子，道：「好！咱們瞧瞧去。」

余三省道：「在下帶路。」

當先向前行去，心中暗暗忖道：「此老劍術精絕，如若他肯出手，那就增多了一個強有力

的幫手。」

張伯松、方秀梅緊隨余三省身後而行。

片刻之間，三人已然行到了周振方的臥室門外。

方秀梅伸手一推木門，竟未推動，顯然，裏面仍然上著門栓。

余三省伸手推開木窗，飛身入室，打開了木門。

張伯松緩步行入室中。

抬頭看去，只見周振方仰臥在木榻之上，圓睜著雙目。

余三省輕輕咳了一聲，道：「周兄，你瞧瞧什麼人來了？」

周振方渾如未聞，仍然是兩眼望著屋頂，呆呆出神。

余三省還待呼喊，卻被張伯松搖手攔阻，道：「不要叫他。」

張伯松緩步行到榻前，伸手抓過周振方的左腕，右手三指，按在周振方的脈門之上，閉目沉思了一陣，緩緩說道：「他脈搏較弱，但亦非很弱，縱是受了內傷，也並非很重。」

方秀梅道：「會不會是被什麼藥物所傷？」

張伯松點點頭道：「很有可能，但還得仔細查看一下。」

余三省低聲說道：「方姑娘請退避一下，我們仔細查看他的全身一下。」

方秀梅應了一聲，轉身出室。

藍府中地方廣大，周振方和商玉朗宿住之地，乃是藍府專以招待客人之用，每年藍大俠生日之期，祝壽之人，上百盈千，大都是遠道來的武林同道，其中大部份，都常宿於藍府之中，

是故，藍府中建了很多精緻的房間，以便接待天下英雄之用。

周振方、商玉朗，都是藍府中的貴賓，又來得較早，住的地方，正是藍府中迎接貴賓的房舍，四周修竹叢花，環境十分優美。

方秀梅在室外花叢之中，不停地走動，一面細想經過之情，突然間，目光到處，發覺了花叢中有一雙清晰的腳印。

這花叢之中，甚少有人往來，雖然在大雨之後，地上並無泥濘，但泥土鬆軟，那一雙足痕，看得十分清楚。

一個念頭，閃電般掠過腦際，暗道：「昨宵大雨，直到天色將亮時，才算停住，一個人在大雨滂沱之中，站在這花叢之內，任受風吹雨淋之苦，而且，以昨宵的風雨而言，這足痕也不可能保留下來，定然是風止之後，有人站在這花叢之中，才留下了這一雙清晰的足印。」

這花叢正對商玉朗和周振方的臥室，那人站在此地，除了監視周振方和商玉朗的舉動之外，實是別無作用。

方秀梅人極細心，疑念泛升，立時蹲下身子，取出絹帕，量了那足痕的長度、橫寬，又仔細地看過了那足印上的花紋，一一謹記於心。

這時，突聞余三省的聲音傳了過來，道：「方姑娘，請進來吧！」

方秀梅應了一聲，緩步行入室中。

只見那張伯松坐在榻旁一張木椅之上，望著那周振方出神。

顯然，極精醫理的張伯松，正遇著極大的困擾。

方秀梅道：「張大俠，找出傷痕麼？」

張伯松搖搖頭，道：「沒有，我們已經查遍了他的全身，不見傷痕。」

方秀梅道：「那是傷於藥物之下了？」

張伯松道：「老夫正在推想，什麼藥物，能使人一直保持這等狀況，而又不使毒傷逐漸的轉劇。」

余三省低聲對方秀梅道：「方姑娘還能記得他們回答你問話的情況麼？你聽他們的聲音，是否有著急慮之感？」

方秀梅搖搖頭，道：「他們回答得很清楚。」

余三省道：「這就奇怪了，門窗未動，兩人卻躺在床上，如非有人在室中下手，定然是兩人帶傷回來了。」

張伯松突然站起，道：「走！咱們到商玉朗的臥房中瞧瞧。」

三人轉入商玉朗的室中，只見商玉朗和那周振方一般模樣，靜靜地躺在木榻之上，睜著雙目，神情十分平靜，毫無痛苦之徵。

張伯松望了望商玉朗，道：「兩人傷得一樣。」

回顧了余三省一眼，道：「咱們出去說吧！」

三人退出商玉朗的臥房，轉入了余三省的住室。

余三省隨手掩上木門，道：「張大俠有何高見？」

張伯松精神嚴肅地說道：「老夫無能，查不出他們為何物所傷，但就老夫數十年的閱歷、經驗而論，他們應該是未曾受傷才對。」

余三省怔了一怔，道：「張大俠之意，可是說他們是裝作受傷之狀，故意不答咱們的問

話？」

張伯松道：「老夫確有此意。」

余三省道：「這是不可思議了，以那周振方和藍大俠的交情而言，他也不至如此？」

張伯松道：「也許他們受著一種莫可抗拒的原因，不得不如此了……眼下只有一個方法，或可逼他說話。」

余三省道：「什麼方法？」

張伯松道：「設法點他們的奇經，使他們難當其苦，無法不言，不過，老夫又恐推斷有誤，豈不是要他們白受一番痛苦麼？」

方秀梅突然接道：「小妹看法，和張大俠稍有不同，說出來，希望你張大俠不要見怪。」

張伯松道：「姑娘請說。」

方秀梅道：「不論對方施展的什麼惡毒手段、方法，但那周振方和商玉朗，都是很有骨氣的人，決不致於受其威脅，閉口不理咱們，因此，小妹的看法，他們兩位定然無法言語。」

張伯松道：「老夫已然檢查的很仔細，他們穴道既未受制，也不似爲藥物所毒。」

方秀梅淡淡一笑，道：「他們可能是爲一種世所罕知的奇技所傷，如是說他們受了威脅，不敢和咱們說話，小妹倒斗膽別作一番推斷，兩人可能是別人僞冒而來，他們不敢說話，是生恐在言語中露出了破綻，精妙的易容術，可能以假亂真，但他們決無法在極短的時間內，模仿出周振方和商玉朗的舉動、聲音，尤其對他們的交往內情，知悉不多，所以不敢開口。」

張伯松凝目沉思了片刻，點點頭，道：「方姑娘說得有理！」

語聲微微一頓，接道：「老夫這法子乃一石二鳥之計，如若他們受人威脅，不敢開口，但

在奇經被點的極端痛苦之下，無法不言，如若他們是僞冒而來，老夫相信他們也一樣無法忍受奇經被點之苦！」

方秀梅道：「如若他們是周振方和商玉朗，而又是爲一種奇功所傷，真的無法開口，張大俠這手法豈不是太狠了麼？」

余三省早已對那方秀梅的智計，暗生佩服，此刻又不禁多加了三分敬意，暗道：「江湖傳說她一向心狠手辣，此刻求證，傳言倒是未必可信了。」

張伯松拂髯一歎道：「方姑娘說得是，但咱們既不能撒手不管，除此之外，老夫倒是想不出別的什麼好辦法了，不知姑娘有何高見？」

方秀梅道：「小妹之意，咱們不如將計就計？」

緩緩從懷中取出一方絹帕鋪在木桌上，接道：「在周振方室外花叢之中，小妹發現一個腳痕。」

當下把所見之情，很仔細地說了一遍。

余三省略一沉吟道：「那是說在大雨過後，至少有一人在周振方臥室對面的花叢之中，佇立了甚久，因爲時間過長，無法一直提氣施展輕功，才在那泥地上，留下了足痕。」

方秀梅點點頭道：「他很小心，只留下一雙足痕。」

余三省長長吁一口氣，道：「大雨之後，天色將曙，什麼人能夠毫無顧忌的在那花叢之中，站立那樣久的時間呢？」

方秀梅道：「這個小妹也是感覺到很奇怪，除非他是藍府中人，才能夠這般毫無顧忌的站在花叢之中……」

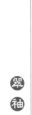

似是突然間想起了一件十分重要的事，神色一整，接道：「也許小妹去叫周振方房門之時，那人還在花叢之中。」

余三省道：「藍府中的防衛，雖然不算森嚴，但老管家藍福，卻可當得武林中第一流的身手，如是在夜暗大雨之中，有人混來至此，還勉強可說，大雨後天色將明之時，被人混入此中，實在是不可思議了。」

方秀梅突然把目光轉到張伯松的臉上，道：「張大俠，你對老管家藍福，知曉多少？」

張伯松道：「你懷疑是藍福麼？」

方秀梅道：「小妹只不過隨便問問罷了。」

張伯松搖搖頭，道：「藍福追隨了藍大俠數十年，名雖主僕，情同兄弟，怎會對藍大俠有不利之舉，這一點老夫可以保證……」

長長吁一口氣，又道：「不如咱們把藍福請來，不難問出可疑之人。」

方秀梅大吃一驚，急急搖頭，道：「這個暫時不用了。」

張伯松奇道：「爲什麼？」

方秀梅道：「藍福如知曉此事，必然大爲震怒，只要責罵了屬下從人，這消息必將很快地洩露出去，這無異打草驚蛇，反使那人有了準備，那就不容易查出內情，小妹將計就計之法，也就無能施展了。」

張伯松道：「想不到方姑娘竟然是這等足智多謀，老夫倒要請教該當如何才是？」

方秀梅道：「小妹愚見，咱們裝作不知，任它發展，不過，這要勞動張大俠了。」

張伯松道：「老夫願受所命。」

方秀梅一欠身，道：「不敢當，小妹之意，有勞張大俠暗中監視著那周振方和裔玉朗的舉動，非屬必要，不用出手干涉，一旦非得出手干涉不可，以張大俠的武功，制服兩人，也非難事。」

張伯松點點頭道：「就依方姑娘高見行事。」

方秀梅道：「明日就是藍大俠壽誕，各方拜壽之人，今日都將趕到，咱們可以增加很多幫手，藝專而後精，專事方不紊，希望張大俠能把全神放在監視周、裔兩位身上。」

張伯松道：「姑娘放心，老夫答應了，自然會全力以赴。」

方秀梅目光轉到余三省的身上，道：「余兄，藍大俠期待回音，余兄也該去見見藍大俠了。」

余三省道：「如何對藍大俠說明？」

方秀梅道：「小妹之意，余兄不妨勸他不要赴約。」

余三省道：「如是藍大俠堅持不允呢？」

方秀梅道：「那就只好讓他去了，我想血手手門中人，決不會留難於他，如若余兄肯隨同前往，那是最好不過了。」

余三省：「在下看看是否能夠說服藍大俠，不讓他趕去赴約。」起身向外行去。

張伯松站起身子，道：「周振方和裔玉朗的事，老夫一力承擔，兩位不用再費心了。」緊隨余三省身後，出室而去。

方秀梅目睹兩人去後，也起身離房，直向望江樓行去。

這時，大約望江樓上，又來了不少佳賓，老管家藍福正匆匆由望江樓奔行而下。

方秀梅加快腳步迎了上去，道：「老管家，又來了些什麼人？」

口中說話，兩道目光卻極快地掃掠了藍福雙足一眼。

藍福道：「方姑娘樓上坐吧，來的人都是我家老主人的好友，神行追風萬子常萬老爺子、一輪明月梁拱北梁大爺，還有一向不喜言笑的茅山閒人君不語君大爺……姑娘請上樓吧！老奴還得到門口招呼，接待別的客人。」閃身讓開去路，匆匆而去。

方秀梅回顧藍福的背影，目光盯注在他一雙黑靴之上。

直待藍福的背影，完全消失之後，方秀梅才緩緩登上望江樓。

只見臨江一方窗口處，一張方桌上，坐著神行追風萬子常、一輪明月梁拱北，兩人正自高談闊論，茅山閒人君不語，卻手執著茶杯，靜靜地坐在一側，聽著兩人談話。

方秀梅緊行幾步，說道：「萬兄、梁兄，久違了！」

萬子常回目一顧方秀梅，笑道：「喝！方姑娘，聽說你遠遊邊陲，此行愉快吧！」

方秀梅伸手拖過一把木椅，緩緩坐下，笑道：「長了不少見聞。」

轉顧著茅山閒人君不語，頷首接道：「君兄好麼？」

君不語舉一舉手中茶杯，點點頭，微微一笑，算是回答了方秀梅的問訊。

在江南武林道上，這位很少講話的茅山閒人，可算是很平凡、卻又極特殊的人物。

他雖然很少說話，但態度謙和，和大部份武林同道，都能融洽相處，他很少開口，自無蜚短流長的是非，除了偶爾在江湖上出現一下之外，大部份時間，都在茅山「伴雲小築」中讀書自娛。

他淡薄名利，極少和武林同道衝突，除了藍大俠救過他一次，幾乎未再聽人說過，他和人有過衝突，但藍大俠幫他之事，也僅止於傳說，藍大俠絕口不提，別人也沒有見過，但自藍大俠留居鎮江之後，每年的壽誕，他大都趕來祝壽，很少缺席，但總是前一天趕到，壽誕一過，第二天就獨自離去。

他相識滿天下，卻絕少和人搭訕，他一向不喜言笑的性格，早已傳揚江湖，他又極少和人衝突，因此，人人都對他有著一份特殊的諒解。

看上去，他是那麼的平凡，但他也是一團謎。無人知曉他的武功如何？也無人知曉他胸羅的才能如何？

善於集人隱密的余三省，對他也不過略知一、二，只知他胸藏甚豐，不過不喜炫耀示人。

但見萬子常一拂胸前花白長髯，笑道：「君兄，咱們相識十幾年了，兄弟卻從未聽過君兄論述江湖事物，今日兄弟要向君兄請教一事。」

君不語緩緩放下手中茶杯，道：「兄弟孤陋寡聞，所知不多，實無高論語人。」

萬子常輕輕咳了一聲，道：「君兄事蹟，江湖上甚少傳聞，兄弟也無從問起，唯一可問的，就是君兄和藍大俠之間的一段情義，如何結成，不知君兄可否見告？」

君不語微一沉吟，笑道：「萬兄見著藍大俠之時，再請問藍大俠吧！兄弟口齒拙笨，不知該如何談起。」

萬子常哈哈一笑，道：「君兄既是堅持不說，兄弟倒也是不便相強了。」

君不語淡淡一笑，也不再答話。

萬子常的性格，剛好和君不語大相逕庭，豪情萬丈，最喜言笑，目光又轉到方秀梅的臉

上，道：「方姑娘幾時到的？」

方秀梅道：「比三位早了一日。」

萬子常道：「聽那老管家說，周總鏢頭最先到此，方姑娘見過麼？」

方秀梅舉手理一下江風吹起的散髮，道：「見過了。」

萬子常突然揚起雙手互擊一掌，道：「樓上哪位當值？」

一個青衣童子，急急由樓外奔入，道：「小的當值。」

萬子常道：「告訴藍福，要他請周振方來，我們先喝兩盅。」

那青衣童子一欠身，道：「小的領命。」

方秀梅急急接道：「不用了，你下去吧。」

那青衣童子茫然應了一聲，悄然退下。

萬子常濃眉聳揚，虎目一瞪，道：「方姑娘，這是何意？」

方秀梅笑道：「據小妹所知，那周總鏢頭病倒了。」

萬子常一怔，道：「什麼病？」

方秀梅道：「周總鏢頭事務繁忙，席不暇暖，匆匆趕來，大概中暑了。」

萬子常道：「嗨！他早來兩、三天，盡可從容趕路，急個什麼勁呢？」

方秀梅道：「周總鏢頭鴻圖大展，又辦了兩家分號，放眼江南，已是首屈一指的大鏢局了，事務之忙，自在意中，人麼！終究是血肉之軀，太過勞累了，豈有不病之理！」

這當兒，老管家藍福，又帶著兩個人，登上了望江樓。

方秀梅微微一笑，道：「小妹一向言出如刀，所以人緣很壞，似乎是所有的人，都很討厭

小妹，但不知君兄對小妹的印象如何？」

君不語道：「兄弟一向不願論長道短……」

方秀梅道：「我知道，小妹是誠心領教。」

君不語沉吟了一陣，道：「姑娘一定要在下評論，區區是恭敬不如從命了，姑娘的爲人並非孤僻自賞，不肯合群，而是有一點恃才傲物，不屑與人爲伍罷了。」

方秀梅眨動了一下圓圓的大眼睛，道：「這評論未免對小妹太過捧場了吧！」

君不語道：「在下是就事而論，說不上捧場，只能說對與不對。」

方秀梅臉色一整，緩緩說道：「小妹對君兄也有幾句評語，不知君兄是否願聽？」

君不語搖搖頭，道：「君某一向是笑罵由人，姑娘說與不說，對君某都是一樣。」

方秀梅低聲說道：「君兄，如果只是江湖上兩個人的恩怨、雞毛蒜皮的小事，小妹也不敢向君兄求助……」

只聽君不語低聲吟道：「大江東去，浪淘盡千古風流人物，故壘西邊，人道是，三國周郎赤壁，亂石崩雲，驚濤裂岸，捲起千堆雪，江山如畫，一時多少豪傑……」

方秀梅輕輕歎息一聲，接道：「閒人並非閒，君兄不用再欺我了。」

君不語陡然回過頭來，望了方秀梅一眼，道：「你爲何定要拖著我呢？」

方秀梅道：「別人恩怨是非，你可以不管，但藍大俠的，你難道也忍心不問？」

君不語淡淡一笑，道：「姑娘看那無盡江流，千百年來，何曾有片刻停息？」

方秀梅道：「我明白，江湖上恩怨，也有若那無盡江流。」

君不語道：「姑娘果是聰明人，但一人是非，只怕再難拔足。」

方秀梅道：「人生數十年，有若浮雲流星，茅山上野鶴幾許，能為人間留聲名？」

君不語淡淡一笑，道：「嗯！你想說服我？」

方秀梅道：「你既未逃塵避世，就不該坐視不問，何況藍大俠又是你救命恩人。」

君不語端起案上茶杯，大大地喝一口，道：「姑娘要在下如何？」

方秀梅道：「我和佘三省已然盡了全力，但仍然霧中看花。」

君不語接道：「你要我全身皆入是非圈麼？」

方秀梅道：「這個小妹倒不敢妄求，但望君兄能從暗中相助。」

君不語臉上神情變化不定，顯然，他內心之中，也正有著劇烈的衝突。

只聽一個銀鈴般的聲音，傳了進來，道：「方姊姊，久違了。」

方秀梅轉眼望去，只見一個身著青衣，肩上搭著披風的女子，笑意盈盈的，站在望江樓大門口處。

來人，正是以暗器馳名江湖的千手仙姬祝小鳳。

方秀梅站起身子，道：「原來是小鳳妹妹，聽說你成了親，新姑爺呢，沒有一起來麼？」

祝小鳳搖搖頭道：「不說也罷，小妹這次是陰溝裏翻船，栽到家了。」

方秀梅怔了一怔，道：「怎麼回事？」

祝小鳳快步行了進來，自行落座，望了君不語一眼，道：「唉！咱們以後再談吧！」

方秀梅心中雖然疑雲重重，但也不好再追問下去。

君不語站起身子，對祝小鳳微一頷首，緩步離開了望江樓。

方秀梅心中大急，叫道：「君兄！」快步追了上去。

君不語回頭一笑，道：「來日方長，咱們以後再談吧！」

不再理會方秀梅，緩步而去。

祝小鳳冷笑一聲，道：「方姊姊，別理他了，這人不知自己有多大能耐，傲氣凌人，我早就看他不順眼了。」

方秀梅道：「君不語為人一向謙和，怎的會開罪了你？」

祝小鳳道：「其人不通情理至極，又沒骨氣，前年小妹路經茅山，特地到『伴雲小築』中去看他，但他那副愛理不理的態度，氣得我差一點暈了過去，恨不得讓他試試我暗器的厲害。」

方秀梅微微一笑，道：「你和他動手了？」

祝小鳳道：「手倒沒有動，但我狠狠的罵他幾句，想不到他竟微笑以對，他不肯還口，小妹倒也不便出手，只好恨恨而去，你說他是不是既不通情理，又沒有骨氣呢？」

方秀梅正待接口，瞥見余三省匆匆行上了望江樓。

方秀梅目睹他匆忙神情，心知必有事故，心中大為震驚，但她仍然保持著勉強的鎮靜，緩緩說道：「有事麼？」

余三省目光一掠祝小鳳，輕輕咳了一聲，道：「沒有事。」

目光轉到祝小鳳的臉上，接道：「祝姑娘幾時到的？」

祝小鳳道：「剛到不久。」

目光左右轉動，望望方秀梅，又望望余三省，道：「你們有事情怕我知道？」

余三省道：「沒有的事，祝姑娘太多心了。」

祝小鳳微微一笑，道：「人人都說我直腸子，一向說話不轉彎，但我並不是很傻啊！」

方秀梅道：「哪個說妹妹傻，你本來很聰明嘛。」

祝小鳳笑道：「姊姊誇獎了，小妹如是真聰明，我就該出去溜溜。」言笑中舉步向外行去。

方秀梅低聲說道：「有什麼變化？」

余三省道：「很出人意外，藍大俠突然決定不去赴約了。」

方秀梅微微一怔，道：「爲什麼？」

余三省道：「我想不透，本來，我要說服他，不讓他赴約，但他忽然間自動不去了，反倒使我有些奇怪的感覺，因此，我反而勸他趕去赴約，借機查看一下那血手門的實力。」

方秀梅道：「藍大俠怎麼說？」

余三省道：「出人意外的是，藍大俠堅持不肯去，他說血手門的實力如何，已成事實，查看亦是無用。」

方秀梅一皺眉頭，道：「乍聽起來，事情很平淡，但如仔細一想，這其間只怕大有文章。」

余三省道：「不錯，在下乍聽之下，也未放在心上，但想了一陣，卻感到情形不對，因此，我很留心地觀察了藍大俠的神情。」

方秀梅道：「他的神情如何？」

余三省道：「一片鎮靜，似乎是有恃無恐一般。」

方秀梅長長吁一口氣，道：「真把我搞昏頭了，難道藍府中又有了變化麼？」

余三省苦笑一下，道：「在下也有些茫然無措，也許是咱們碰上了智略高深的人，處處使咱們無法招架。」

凝目沉思了片刻，接道：「目下唯一的辦法，就只有再勞駕一次方姑娘了。」

方秀梅道：「要我再去看看藍姑娘？」

余三省道：「不錯，也許可從她口中探得一些內情。」

兩人談話之間，只見君不語緩步行上了望江樓。

他臉上仍然掛著慣有的微笑，神情間一片悠閒。

余三省急步迎了上去，道：「君兄，這件事，你不能不管了。」

君不語望著窗外江流，道：「二位一定要把我拖下水麼？」

余三省道：「別人的事，你可以坐視不問，但藍大俠是你心中唯一敬服的人，你如袖手不問，豈不太過寡情麼？」

只見君不語眉頭一聳，道：「藍大俠怎麼樣？」

余三省道：「在下昨日見他之時，見他滿臉愁苦，一片憂鬱。」

君不語道：「你剛才見他時，他卻是憂苦一掃而光？」

余三省點點頭，道：「而且，神態安靜，似乎是已經胸有成竹……」

語聲一頓，接道：「在下這樣說，君兄也許聽不明白，我該從頭說起才是……」

君不語搖搖頭，接道：「不用了，我已經知道了大略的經過。方姑娘剛才說了一部份，我也看到一部份，兩下裏一湊合，大約就差不多了！」

余三省道：「目下那使藍大俠愁苦的原因，並未消失，這轉變豈不費人疑猜？」

君不語目光轉到方秀梅的臉上，道：「方姑娘藏鋒不露，這次一鳴驚人，不知對此事有何高見？」

方秀梅道：「小妹看法不外兩途，一是藍府中內部有變，一是藍大俠有了可靠的外援。」

余三省道：「藍府內部中有了什麼變化，能使得藍大俠愁苦的心情，陡然間開朗起來？」

方秀梅道：「譬如那藍夫人服用了血手門解藥之後，傷勢大好，說明了內情，藍家鳳再從旁苦求父親諒解，已得那藍大俠允准，內情了然，當可使他愁苦情緒開朗不少。」

余三省略一沉吟，道：「這話倒也有理，但那可靠外援，就叫人想不明白了，江東道上，在下想不出有何人的武功，能在藍大俠之上。」

方秀梅道：「別人不說，就在藍大俠那門匾上，留名的十二位中，就有兩個人的武功才智，使咱們莫測高深。」

余三省道：「什麼人？」

方秀梅望了君不語一眼，道：「一位就在眼前……」

君不語微微一笑，也不答話。

余三省道：「另一位呢？」

方秀梅道：「太湖漁叟黃九洲。」

余三省略一沉吟，道：「不錯，黃九洲，他竹笠蓑衣，小舟一葉，飄然於太湖之中，倒是很少聽過什麼事蹟了。」

方秀梅忽然一笑，道：「你這位專門集人陰私生活的高手，也不知那黃九洲別有行跡，大概黃九洲是真的安於那浩瀚煙波之中，垂釣自娛了。」

集人陰私生活這句話說得很重，只聽得余三省面紅過耳，雙頰發燒。

方秀梅似是亦知話說得實太重了一些，淡淡一笑，道：「小妹一向是語無倫次，不知爲此開罪多少人，但江山易改，本性難移，這毛病總是改不了，人家說我笑語追魂，並非是稱讚我武功上有什麼過人之處，而是說我這張嘴，講話難聽之故。」

余三省苦笑一下，道：「不過，你說的也是實情，除了君兄和黃九洲外，江東道上的高手，在下對他們都很清楚。」

君不語目光轉到余三省的臉上，緩緩說道：「余兄這份能耐，兄弟十分佩服，不過，兄弟不相信你對我全無所知。」

余三省微微一笑，道：「君兄不喜多言，又不喜和人往來，如是想收集君兄的資料，那實是太困難了！如是硬要說兄弟了然君兄，那就是兄弟知曉，你可能是目下江東道上，唯一了解血手門的人。」

君不語淡淡一笑道：「很高明，但你怎麼知道呢？」

余三省道：「說穿了，簡單得很，那是數年前，藍大俠五五壽誕之日，君兄無意中說出了血手門三個字，周振方追問君兄時，君兄卻支吾以對，因此兄弟記在心中了。」

君不語笑道：「處處留心皆學問，古人誠不欺我了。」

方秀梅道：「君兄心中之疑已明，但藍府中事，卻正值變化萬端，不知君兄有何高見？」

君不語道：「兩位盛情推重，兄弟倒是不便再不聞不問，不過，有兩個條件，先得談妥，兄弟才能相助兩位。」

方秀梅道：「什麼條件？」

君不語道：「第一，兩位不許把兄弟插手的事傳揚出去，也就是君某人不管江湖是非之名，不能破壞。第二是此事結束之後，要還我閒人之身，兩位日後，不論有什麼為難的事，也不許再找兄弟，這番歸山之後，兄弟就不想再離茅山伴雲小築了。」

余三省、方秀梅相互望了一眼，點點頭，齊聲應道：「好，我們答允君兄。」

君不語輕輕咳了一聲，接道：「血手門重出江湖一事，五年前兄弟已經知道，所以，才有席前失言之事，就兄弟所知，他們養精蓄銳了數十年，不但實力盡復，而且更強過數十年前為害江湖的情況，昔年未練成的幾種絕技，聽說此刻都已練成，不過，這一代主事人，似乎是一個很正直的人，並無掀翻舊帳、重蹈覆轍的用心。」

方秀梅道：「血手門和藍府的恩怨，已有化解之徵，小妹覺著已無藍府之禍，倒是那位『金蟬步』傳人，似乎已和血手門二公子形成情敵，藍家鳳如不能善作處置，可能會鬧出紛爭，但最重要的，還是藍大俠的陡然轉變，和周振方、商玉朗兩人的奇怪傷勢，就目下情勢發展，血手門似是不會再施辣手，那麼，傷害周振方和商玉朗的，只有那位『金蟬步』的傳人了……」

君不語沉吟了一陣，道：「藍大俠陡然地愁懷開展，在下的看法，可能是藍夫人服藥後傷勢大好，說明了內情，他們夫婦情深如海，藍夫人有著足以左右藍大俠的力量，至於周振方和商玉朗決不是傷在血手門中……」

他語聲肯定，若有著目睹其情之氣概。

方秀梅接道：「那是傷在『金蟬步』傳人之手了？」

君不語沉思了良久，道：「兄弟已經去瞧過他們的傷勢，如若我沒有看錯，他們是傷在

『鎖脈手』下，這是極高手法，武林中很少有人能夠解救……」

方秀梅道：「鎖脈手法，小妹也似乎聽人說過，但小妹想不起來，這是哪一門流的武功。」

君不語緩緩說道：「也許少林派中，有著類似那鎖脈手的武功，但就兄弟所知，鎖脈手源起天山雪叟，由他帶入了中原，不過，他來去匆匆，三年後重回天山。在中原三年中，也未曾聽說他收過徒弟，此後十幾年，也未聞『鎖脈手』重現江湖的事，此時，陡然出現於藍府之中，實是有些不可思議。」

方秀梅道：「天山雪叟，那是和金蟬步毫無關連了？」

君不語道：「就武功來龍去脈而言，金蟬步和鎖脈手全不相干，那金蟬步源起河洛老人，據說那河洛老人，一生研究河圖洛書，那金蟬步，就是見蟬躍、蛙跳之後，參以河圖洛書，創出這一套曠絕千古的武功，河洛老人和天山雪叟，雖然同在江湖上出現過，但前後相差數十年，除非是有一種特殊的巧合，才能使一個人兼得這兩種絕技。」

方秀梅道：「君兄博學多聞，但卻深藏不露。」

君不語道：「目下情景，似是十分複雜，除了金蟬步外，天山雪叟的鎖脈手，也突然在此出現，這情景實是有些叫人擔憂。」

余三省長長歎息一聲，道：「在下實在有些想不明白，爲什麼這些人物，都會突然在藍大俠六十大壽中出現呢？」

君不語沉吟一陣，道：「這個也並非全是巧合。一來是藍姑娘，說她美人禍水也好，說她紅顏薄命也好，但她在江湖上美豔之名，確實比她的俠名武功，更爲轟動……」

「二來，是藍大俠名氣太大，咱們送他那一塊『江東第一家』的匾額，固然增添了無限榮耀，但也增加了他不少的麻煩，這些已成習俗，每當藍大俠壽誕之日，江南武林道上，大部份高手，都將雲集於此，雖然是替藍大俠拜壽，但酒酣耳熱之際，大家都不自覺地說出了，年來所見所聞之秘，事實上藍大俠的壽誕，已成目下江南七省中，武林道上最大的一次盛會了，樹大招風，是引起這次風波的原因之二。」

余三省道：「聽君兄之意，似乎是還有第三個原因了？」

君不語忽然以極低微的聲音，說道：「不錯，還有第三個原因，但這只是一個傳說，不但對藍大俠極爲不利，就是兩位麼，也可能招來殺身之禍。區區也不會承認我說過此話。」

方秀梅道：「小妹可擔保不說出去。」

君不語道：「言多必失，兄弟以不語爲號，想不到仍然說漏了嘴。」

余三省微微一笑，道：「君兄既然說了一半，爲什麼不索性說個清楚呢？」

君不語道：「唉！我既是說了，自然要告訴你們內情，據說藍大俠秘密的收存了兩種奇物，不幸的是，消息卻走漏了出去。」

方秀梅道：「收藏什麼？」

君不語道：「天魔令和金頂丹書。」

方秀梅驚道：「天魔令，魔道之尊。」

余三省接道：「金頂丹書，降魔寶典。」

君不語點點頭，道：「一個是魔道中的奇物，一個是武林道上的救星，在下也想不出當今之世，還有什麼比這兩件奇物更珍貴了。」

余三省、方秀梅，顯然都被「天魔令」和「金頂丹書」兩件奇物所震動，四目交注，臉上神情不停地變化。

過了將近一盞熱茶工夫，余三省才搖搖頭道：「不可能吧！如是那藍大俠果然存有此物，『金蟬步』的傳人，和血手門，也不會傷了藍夫人，藍大俠也不會爲此愁眉苦臉了。」

君不語淡淡一笑，道：「天魔令和金頂丹書，並非人人可會，人人能懂，而且展卷取令的人，都有死亡之虞，藍大俠自然是不便冒險，此事又不便和人說起，只好悶在心頭了。」

余三省點點頭道：「天魔令如何？在下不知內情，但金頂丹書在下聽說，確有奇毒封卷，是不能隨便啓閱的。」

方秀梅道：「如是天魔令和金頂丹書確在藍府，而且消息又洩漏出去，這次藍大俠六十大壽，必然要鬧出一個天翻地覆的局面。」

君不語道：「這是個驚人的傳說，大約還未傳揚開去。」

方秀梅道：「這等消息，只怕有人知道了，也不肯輕易傳說出去。」

君不語道：「好！到此爲止，除非看到了證明，咱們不再提天魔令和金頂丹書的事。」

余三省道：「兄弟還想請教君兄，目下情形，咱們應該如何處理？」

君不語道：「藍福自會應付，用不到余兄著急。」

方秀梅內心中一動，道：「老管家藍福？」

君不語道：「不錯，他是個很有心機的人，局勢雖然混亂，但在下相信他有能力處理。」

語聲一頓，道：「咱們談話，到此爲止，十二個時辰之內，兄弟不希望兩位找我談話。」

方秀梅道：「如有突變呢？」

君不語道：「在下自會找兩位，用不到兩位找我。」

余三省一抱拳，道：「多謝指教。」

君不語道：「如是不橫生枝節，兩位智謀，足可應付了。」

余三省道：「關於藍福……」

君不語接道：「這個咱們以後再談吧！」緩步行下望江樓。

方秀梅輕輕歎息一聲，道：「余兄聽出來沒有？」

余三省道：「聽出什麼？」

方秀梅道：「君兄言外之意。」

余三省略一沉吟，道：「在下不太明白。」

方秀梅緩步行到一處靠窗的位置，坐了下去，余三省也緊追著行了過去，兩人在一處靠窗的位置坐了下來。

方秀梅道：「聽那君不語的口氣，似乎是藍府中，藏有很多的隱密，而且那君不語言中之意，對藍大俠似有不滿，對藍福也早已動疑。」

余三省道：「對藍福動疑，在下也曾聽出，但在下卻聽不出來，他話中對藍大俠有所不滿。」

方秀梅道：「自然，對藍大俠的不滿，說得很含蓄，如若是不細聽，是很難聽出個所以然來的。」

余三省輕輕歎息一聲，道：「原本只以爲是藍家鳳一人惹來之禍，如今看來，情勢似是更爲複雜，咱們要如何自處呢？」

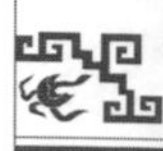

方秀梅正待答話，忽見藍福匆匆登上了望江樓。

余三省站起身子，一拱手，道：「老管家，找人麼？」

藍福急步行了過來，道：「正要找余爺和方姑娘。」

方秀梅道：「找我？」

藍福道：「不錯，敝東主在內廳中，恭候兩位大駕。」

方秀梅略一沉吟，故作輕鬆之狀，舉手理一下鬢邊散髮，說道：「那就有勞老管家帶路了。」

藍福轉過身子，舉步向前行去。

方秀梅回顧了余三省一眼，發覺余三省也正在用目光回望著她，四目交投，兩人的臉上，都泛起一片迷惘之色。

五　隱隱風雷動

藍福帶兩人行入內宅，到大廳門口處停下腳步，欠身一禮，說道：「敝東主在廳中等候，兩位請進入內廳中坐吧！」

余三省、方秀梅魚貫行入廳中，果見藍天義端坐在一張木椅之上，旁側坐著玉燕子藍家鳳。

余三省一抱拳，道：「藍大俠找在下麼？」

藍天義起身說道：「兩位請坐。」

但聞方秀梅嬌細之聲，道：「藍大俠招我等來此，不知有何見教？」

她一向說話難聽，但此刻卻柔音細細，說得十分溫柔。

藍天義淡淡一笑，道：「余兄和方姑娘，爲我們藍家的事，奔走勞碌，區區十分感激。」

余三省道：「我等理當爲藍大俠效勞。」

藍天義歎息一聲，道：「今晨區區和小女談了很久，已然了然大部內情，此中情由，單純爲小女而起，自該由老夫出面爲她解決，兩位一片熱誠，區區心領，以後的事，用不著勞動兩位了。」

余三省道：「藍夫人的病勢，可有些起色麼？」

藍天義道：「已有好轉之勢，多謝兩位關心。」

方秀梅望了藍家鳳一眼，只見她嚴肅中微帶淒傷，端坐在一側，不言不語。

余三省心中暗道：「看來，我們忙這一場，竟然是狗拿耗子，多管閒事了。」

只聽方秀梅道：「藍大俠是否知曉，周振方和商玉朗兩人，都已經受了重傷？」

藍天義揚了揚雙眉，道：「傷在何處？」

余三省接道：「暈迷不醒，但卻又無法看到傷處。」

藍天義長長吁一口氣，道：「咱們瞧瞧去吧！」

方秀梅道：「余兄陪藍大俠去瞧兩位傷勢，小妹留在這裏陪陪藍姑娘。」

藍天義似想出言阻止，但他卻又勉強忍了下去，大步向廳外行去。

余三省回顧方秀梅一眼，追在藍天義的身後行去。

方秀梅目睹藍天義背影消失，才長長吁一口氣，緩步行到藍家鳳的身前，道：「藍姑娘，好像事情有了變化。」

藍家鳳點點頭道：「爹爹一早把我叫入內廳，苦苦追問內情，我受逼不過，只好據實告訴他了。」

方秀梅道：「令尊知曉之後，可曾責備於你？」

藍家鳳道：「沒有，爹爹只說了我兩句，爲什麼不早告訴他？」

方秀梅道：「令尊的度量很大。」

藍家鳳道：「我也覺著奇怪，以爹爹的脾氣而言，他知曉內情之後，就算不打我，也該罵我一頓才是，但他卻一句也未罵我。」

方秀梅眨動了一下眼睛，道：「過去令尊的憂苦，似只是單純的擔心令堂的安危，令堂服藥後，情形如何？」

藍家鳳道：「人已清醒了過來，只是體能還未恢復。」

方秀梅道：「姑娘是否又和那血手門的二公子見過了面？」

藍家鳳道：「沒有見過。」

方秀梅道：「姑娘和他可有什麼約定？」

藍家鳳道：「沒有，對母親我有著一份很深的愧疚，在她大傷初醒時，我要一直留在她的身側，也沒有時間去找他，唉！事實上，也來不及了，明天就是爹爹的壽誕，他會趕來拜壽……」

長長吁一口氣，接道：「我知道他的個性，表面上雖然柔和，其實剛強得很，他似是已經存心要憑仗武功，在壽筵上一顯身手……」

方秀梅只覺腦際中靈光一閃，突然改口問道：「鳳姑娘，你可感覺到令尊精神有些不對？」

藍家鳳道：「沒有，爹爹只不過是減去了一些愁苦，我知道，那是因爲媽媽醒來的緣故，這幾個月來，我第一次見到了爹爹的笑容，在母親的臥榻之前……」

長長吁一口氣，接道：「那是他眼看到媽媽由暈迷中清醒過來。」

方秀梅道：「令堂清醒之後，姑娘就一直沒有離開過她的病榻麼？」

藍家鳳道：「沒有，我一直守在母親身邊，直到爹爹叫我到此。」

方秀梅點點頭，心中暗道：「她一直守著母親，縱然這內宅有什麼變化，她也是不知道

了。」

心中念轉，口中卻仍然追問道：「令尊是否已答允了這門親事？」

藍家鳳道：「爹爹沒有答允，但也沒有反對，似乎是，他等待自然變化，唉，爹爹一世英名，如今落得這等豪氣盡消，事由我惹起，叫我這做女兒的，實是心中難安。」

方秀梅正待再問，瞥見老管家藍福緩步行入了廳中，叫道：「方姑娘。」

方秀梅回顧了藍福一眼，道：「什麼事？」

藍福欠身說道：「敝東主臨去之時，交代老奴說，要小姐早回內宅，探視夫人。」

藍家鳳緩緩站起身子，道：「晚輩失陪了。」緩步行入內宅。

藍福目注藍家鳳的背影，消失於內廳角門之中，才緩緩說道：「方姑娘，請到前廳坐吧，老奴給姑娘帶路。」也不待方秀梅答話，回頭向外行去。

方秀梅急行兩步，和藍福並肩而行，說道：「老管家，可是有些怪賤妾和那余三省多管閒事麼？」

藍福道：「方姑娘言重了，姑娘和余爺，都是敝東主的好友，為敝東主的事奔走，老奴感同身受，豈有見怪之理。」

方秀梅淡淡一笑，道：「老管家可是由衷之言麼？」

藍福道：「老奴字字出自肺腑。」

方秀梅心中暗道：「這藍福舉動謹慎，言詞小心，礙於身分，我又不能用話激他，只怕難從他口中聽得點滴內情了。」

心中念轉，口中卻又問道：「老管家怎知余三省和我為藍大俠的事情奔走？」

藍福道：「姑娘和余爺都住在藍府之中，如是老奴連諸位的行動，都不知道，這管家兩字，豈不是白叫了。」

方秀梅淡淡一笑道：「答得好，老管家的口才、智謀，方秀梅今日才領教到。」

藍福一皺眉頭，道：「姑娘言詞犀利，老奴是早已知曉，但姑娘總也該顧到身分才是，你姑娘是敝東主的朋友，老奴只不過是一個奴僕身分，激諷老奴，不覺著有失氣度麼？」

方秀梅臉色一變，似想發作，但她終是久經大敵的人物，臨敵審勢，都有著人所難及之能，舉手理一下長髮，長長吁一口氣，似是借此吐出了一腔怒火，臉色也隨之轉變得十分平和。

微微一笑，道：「老管家說得不錯，我方秀梅說話難聽，不知開罪過多少人，但我行事為人，卻自信還守得信義二字，比那些外貌忠厚、口蜜腹劍的人，強得多了。」

藍福仰天打個哈哈，道：「方姑娘這話是講給老奴聽的麼？」

方秀梅道：「老管家最好是不要多心。」

藍福道：「唉！方姑娘不用太過多疑，你的良苦用心，不但老奴明白，就是我家老主人也已知曉，我們對余爺和姑娘，都有著很深的感激，只是事情變化得太突然，敝東主不得不挺身而出了，他不願連累到無辜的朋友們，也不便把事情傳揚開去，因此，交代老奴，一切都保持平靜，度過他六十壽誕，再作道理。」

方秀梅沉吟了一陣，道：「原來如此！」

藍福道：「老奴本意原想故示冷淡，使方姑娘和余爺心灰意懶，不再過問我們藍府中事，但想不到卻引起了方姑娘的誤會，形勢迫人，老奴只好據實奉告了。」

方秀梅點點頭，道：「聽老管家的口氣，那藍大俠似是已經早有準備了，但我和余三省，已然蹈入了漩渦之中，再想拔足，恐非易事了。」

藍福搖搖頭，道：「現在事猶未遲，如是兩位想拔足而出，還來得及，我家老主人，不但不想姑娘和余爺捲入漩渦，就是來此與會之人，都不願他們陷入是非之內。」

方秀梅道：「他要獨力承擔麼？」

藍福道：「老主人作何打算，老奴無法預測，但就常理推想，壽誕之上，縱有鬧事的人，其必然有所用心，要他們多延一天，再償心願，或可得其同意，因此，老奴希望，姑娘轉告余爺一聲，要他忍耐一、二，敝東主不願使壽筵席上，鬧出慘局。」

方秀梅略一沉吟，道：「老管家數十年來，一直追隨藍大俠，凡是藍大俠知悉之事，老管家一定知曉了？」

藍福點點頭，道：「雖非全知，但總可知曉個十之八、九。」

方秀梅道：「藍姑娘和血手門的事，老管家是否已經知曉了呢？」

藍福道：「這個，老奴略知一、二。」

方秀梅道：「目下的諸般事蹟，想來都是和藍姑娘有關了？」

藍福道：「這個麼……老奴，老奴……」

方秀梅微微一笑，接道：「老管家不肯明言，想必牽出的事很多了？」

藍福道：「嗯！很多事趕集在一起，才使事情複雜起來。」

方秀梅道：「那是和丹書、魔令有關了？」

藍福臉色一變，道：「姑娘說什麼，老奴不懂。」舉步向前行去。

顯然，方秀梅提出了金頂丹書和天魔令一事，使得藍福大為震駭，也使得他大為驚怒。

直待行出四、五步遠，藍福又突然停了下來，回頭說道：「方姑娘，你是老奴主人的朋友，老奴不能對你無禮，但我要奉勸姑娘幾句話。」

方秀梅道：「我洗耳恭聽。」

藍福道：「明日敝東主壽筵之上，潛伏的殺機甚重，姑娘口舌犀利，出語傷人，希望你明天能夠檢點一些，少說幾句。」

方秀梅嫣然一笑，道：「老管家，有一句俗話說：『江山易改，稟性難移』，我方秀梅一輩子吃虧就吃在這張嘴巴上，這毛病我早就知道，就是改不了。」

藍福緩緩說道：「不怕一萬，但怕萬一，姑娘有一千次運氣，只要一次不走運，就會送掉性命，而且一個人，只能死一次。」

方秀梅格格一笑，道：「老管家說得不錯，賤妾十分感激，但希望再走一次運。」

藍福冷冷說道：「姑娘不信老奴之言，那就不妨試試吧，看能不能再走一次運。」

方秀梅道：「聽老管家的口氣，似是我這一次死定了？」

藍福不理會方秀梅，大步向前行去。

方秀梅轉過身子，急步行向周振方的臥室。

只見周振方的室中，站滿了人，藍天義、余三省、張伯松、萬子常、羅清風、祝小鳳等全在那裏。

所有的人，團團圍住木榻，君不語卻站在最後之處。

方秀梅望了君不語一眼，君不語卻疾快地閃向一側，道：「姑娘請。」

口中說話，人卻轉向一個角落之中。

那舉動十分明顯，似是不願和方秀梅多作搭訕。

方秀梅無可奈何，抬頭向木榻望去。

只見周振方口齒啓動，似想說話，但卻聽不到一點聲音。

突然間，藍天義踏前一步，輕輕一掌，擊在周振方前胸之上。

藍天義的武功，在江東武林道上，一向爲人推崇，看他一掌拍去，不是解穴手法，群豪心中雖然覺著奇怪，但因知他武功博雜，想他拍出這一掌，定然是大有學問，個個聚精會神，以觀變化。

只見倒臥在木榻上的周振方，雙臂揚動了一下，重又躺了下去。

藍天義臉色微微一變，雙目中神光如電，盯住周振方的臉上。

群豪之中，大都以爲那周振方揚動了一下雙臂之後，定然會清醒過來，哪知周振方揚動了一下雙臂之後，竟然重又靜臥不動。

只見藍天義長長歎一口氣，臉上陡然間泛現出一片紫光。

方秀梅暗暗一皺眉頭，低聲對余三省道：「這是什麼武功？」

余三省搖搖頭，道：「不知道，耐心的看下去吧！」

但見藍天義緩緩揚起手掌，整個的右掌，和臉色一般，泛現出一片紫光，緩緩按在周振方的小腹之上。

足足過了一盞熱茶工夫，藍天義才迅快地收起了右掌。

室中群豪，所有的目光，都集中在周振方的身上，等著看周振方的反應。

哪知，這一次周振方竟是連手腳也未動一下。

金陵劍客張伯松低聲說道：「他可能傷在藥物之下。」

藍天義搖搖頭，道：「兄弟不通醫道，不知他是否中毒？但他身上卻被一種很深奧、奇異的手法，點了穴道。」

張伯松道：「藍兄能否看出是什麼功夫所傷麼？」

藍天義道：「屬於透骨打脈一類的手法，不過，它的手法很奇特怪異，兄弟已盡了心力，但仍然無法解開。」

目光轉動，環顧了室中的群豪一眼，藍天義緩緩說道：「諸位之中，有誰精於此道的，不妨出手一試。」

室中一片默然，聽不到相應之聲。

張伯松低聲說道：「藍兄都無法解開他的穴道，何況他人了。」

藍天義四顧了一眼，輕輕歎息一聲，道：「就我所知，倒有一人，能夠解得。」

他雖是對張伯松說，而且說的聲音也不大，但室中群豪卻個個肅然靜聽。

張伯松道：「什麼人？」

藍天義道：「黃九洲，可惜他還未趕到。」

張如松道：「那就好了，兄弟的想法，今夜之中，黃兄就可以趕到，至遲明日午時之前，那是非到不可了。」

藍天義道：「但願如此。」

突然抱拳對室中群豪一個羅圈揖，道：「諸位千里迢迢，趕來蝸居，爲我藍某祝壽，這份情意，兄弟是感激不盡……」

長長吁一口氣，接道：「唉！事至如今，在下也不用欺瞞諸位了，兄弟府上，近日中，出了一點事故，致使兄弟未能善盡地主之誼，接待諸位。」

周振方、商玉朗的大變擺在目前，群豪雖然大都不知內情，但也不便出言多問。

藍天義輕輕咳了一聲，接道：「兄弟雖未解開周兄被制經脈，但就兄弟查看所得，周兄再度過一、兩天，傷勢還不致惡化，如若那黃九洲今夜還未趕到，明日兄弟再行設法。」

突然間朗朗一笑，道：「兄弟府中一點小事，現在已成過去，諸位遠道而來，盛情可感，兄弟已吩咐他們準備酒菜，明日，兄弟要好好的敬諸位，聊表謝意。」

張伯松道：「藍大俠不用客氣，如若有需要我等效勞之處，只管吩咐。」

藍天義略一沉吟，道：「兄弟正要和諸位談談此事。」

萬子常道：「藍大俠吩咐吧，水裏水中去，火裏火中行。」

藍天義微微一笑，道：「兄弟說過，寒舍中一點小變，兄弟已應付了過去，明日兄弟的壽筵之上，也可能會發生一點事故，諸位都是我藍某人的多年好友，兄弟不願把諸位拖下渾水，再說，諸位的好意幫忙，恐怕對兄弟也無幫助。」

方秀梅忍不住接道：「藍大俠之意呢？」

藍天義道：「方姑娘快語，問得很好，兄弟之意，是想勸請諸位，在壽筵之上，多多忍耐一些，不論遇上了什麼事，都由我藍某人應付，諸位不用多管。」

張伯松一皺眉頭，道：「武林之中，道義爲先，如是我們不管藍大俠的事，那豈不是變成

了不仁不義的小人麼？」

藍天義微笑道：「這個有些不同，這是兄弟求諸位的，目下在場之人，個個都是我藍某人的義氣朋友，還望對藍某有所承諾。」

室中群豪，個個沉思不言。

良久之後，張伯松才緩緩說道：「既是如此，我們就答允藍大俠吧！」

有他這登高一呼，群豪齊聲應和，道：「藍大俠這般吩咐，我們到時間忍耐一些就是。」

其中只有君不語、余三省、方秀梅沒有說話。

藍天義道：「好，有諸位這一承諾，兄弟就放心多了，諸位請回房休息去吧！周兄和商兄，自有在下派人再照顧。」

群豪都覺著事情有些奇怪，但卻是無法思透個中內情，只好悶聲不響，退出周振方的臥室。

室中群豪，都是久走江湖的人物，目睹周振方暈迷不醒的傷勢，已知道事非尋常，其中有一部份人心中明白，自己未必能強得過那周振方，藍天義勸他們不要多管閒事，自是正中下懷。

余三省回到自己臥室，方秀梅卻隨其後追了進來：「余兄，事情看起來，更爲離奇了。」

余三省回過頭去，瞥見君不語也自舉步行入室中，顧不得回答方秀梅的問話，便急急說道：「君兄……」

方秀梅急步行了過來，低聲道：「君兄找我等，必有要事了？」

君不語輕輕歎息一聲，道：「兄弟心中早有一念，今日，得到了證明而已。」

這幾句話，突如其來，只聽得方秀梅和余三省瞠目結舌，不知所云。

君不語微微一笑，道：「兄弟說得太急了，兩位也許無法聽得明白。兄弟近來常想著，除了那些特殊才能之士以外，人的智慧，大都在伯仲之間，我們能夠意想的，別人也能夠想到，因此，這就是咱們常常感覺到事情變化，出我們意料之外的原因了。」

方秀梅急道：「君兄之意，可是說，咱們遇上了智慧相若的強勁敵手？」

君不語沉吟了一陣道：「兄弟原想以事外之身，暗中協助兩位，但目睹情勢演變，兄弟已面臨到一次抉擇。」

余三省道：「君兄之抉擇為何呢？」

君不語道：「一個是從此退出是非，明日吃過壽酒之後，立刻回轉君山，蟄伏伴雲小築，十年內不再離山一步。」

沉吟一下，才道：「第二個抉擇麼，兄弟就明目張膽，不再避他人耳目，合同兩位，和他們一較才智。」

方秀梅笑道：「小妹極希望能和君兄聯手，與來人一較長短。」

君不語道：「這正是兄弟來此，和兩位相見的目的了……」

余三省道：「君兄如肯留此相助，兄弟和方姑娘，都將增強不少信心。」

君不語神色極其嚴肅地說道：「如若不是事情變化得出我意料之外，老實說，那也引不起兄弟的興趣……」

語聲微微一頓，接道：「現在，咱們應該先對敵情、變化，作一推斷，也好等明日的行

動。」

方秀梅道：「情勢變化，常出我等意料之外，小妹信心已失，實在不敢再妄作推斷了。」

君不語笑道：「事情變化得確然有些奇怪，令人難測高深，不過，任何變化都並非全無軌跡可尋，只要咱們用心一些推敲，不難找出一些內情。」

君不語起身行到門口，四顧了一眼，重又在原位落座，說道：「藍大俠不失仁義，勸告我等不可出手，其實，群豪看了周振方和商玉朗的傷勢，早已心中了然，決非來人之敵，但不管如何，這些人均是江東道上，較有名氣的人物，如是藍大俠全無奧援，縱然他明知這些人決非來人之敵，也只好借重這些人了。」

方秀梅道：「這麼說來，藍大俠已是早知內情了。」

君不語道：「就在下的看法，藍府變化的複雜，決非是一件事引起，而是數事一併暴發，那血手門中人，可能是爲玉燕子藍家鳳，餘音繞樑，又牽出一『金蟬步』的傳人。」

方秀梅道：「君兄，可是說，還有第三者了？」

君不語道：「如是兄弟的推斷不錯，也許還有第四、第五兩批人手，牽入了這樁是非之中。」

余三省呆了一呆，道：「這麼說來，當真是一樁大大的麻煩事了。」

君不語道：「這是在下的看法，大致上不會有錯，也因此，造成藍府中的紛亂，藍大俠、藍姑娘、老管家藍福，各懷隱密，使藍府中步調無法一致，咱們身爲外人，如不深究也就還罷了，如是深一層想，仔細去觀察，那就覺著眼花撩亂，無所適從了。」

方秀梅點點頭，道：「君兄高見，小妹極是敬佩！小妹也曾數度推敲，但總是無法把這散

珠串連在一起，但經君兄一提，小妹也霍然想通了。」

余三省道：「兄弟想不明白，君兄從何推斷出藍大俠有了奧援，並非是肯定有了幫手。」

仰起臉來，長吁一口氣，道：「但在下所指的奧援，並非是肯定有了幫手。」

君不語道：「兩位別忘了，那藍大俠手中現握有丹書、魔令，如是他從書中求得一、二奇技，仗作奧援，自可說得通了。」

方秀梅呆了一呆，道：「不錯，不錯。」

余三省道：「君兄言詞之間，似是肯定那丹書、魔令，握在藍大俠的手中了？」

君不語道：「兩位只要能留心一下，數十年來藍大俠的成名經過，就不難知曉兄弟之言，並非是空穴來風……」

掃掠了方秀梅和余三省一眼，接道：「藍大俠在這數十年之中，每遇強敵，很少在第一次就勝過對方，必是過了一夜，或是數日之後，再和對方動手，必能用出克制對方的武功，而且手法極有分寸，決不讓對方死亡或重傷，一個人不論武功如何博廣，也無法通曉天下各種克制數十個不同敵手的武功。」

方秀梅道：「不錯啊！除了金頂丹書之外，天下再無第二件事物有此奇妙的能力了。」

君不語淡淡一笑，道：「只此一樁，已足證明，兄弟也不用再多舉例了。」

余三省歎道：「君兄觀察入微，比兄弟高明多了。」

君不語道：「如是兄弟推斷不錯，明晨，周振方和商玉朗，都將由暈迷中清醒過來。」

余三省道：「藍大俠如確有金頂丹書，不難由書中找出解救兩人的手法。」

方秀梅道：「君兄這一解說，此事似是用不著再作論爭，倒是明日壽筵之上，我等該如何

自處。」

君不語道：「如是金頂丹書就在藍大俠的手中，我等也無法幫他、教他。」

余三省道：「君兄之意，可是說那藍大俠，在一夜工夫之中，能夠從金頂丹書中，找出應付明日大局的武功麼？」

君不語道：「這些年來，藍大俠每因需要，由丹書上查出一種制服對方的武功，數十年來，遇上了很多高手，自然也學會了很多的武功，他胸中實已熟記丹書上數十種武功之多，應付明日大局，雖無制勝把握，但總也可勉強應付了！」

余三省道：「兄弟還有一點想不明白。」

君不語道：「什麼事？」

余三省道：「那藍天義既然有丹書、魔令，爲什麼不學得上面全部武功，一身兼正邪之長，豈不是可以縱橫江湖、天下無敵了麼？」

君不語歎道：「藍天義所以被人稱爲大俠，江東武林道上對他尊仰萬分，如若他學會了丹書上的武功，和人動手之時，難免要施用出手，那時，他不但無法獲得大俠之名，而且江湖正邪兩道中的高人，只怕有不少要生偷覷之心，凶殺慘禍，就要接踵而至了。」

方秀梅道：「但他仍然是無法保得隱密，終於洩漏了出來。」

君不語道：「此乃必然結果，除非他完全不用金頂丹書上的武功，不過，那也不會有現在的藍大俠了。」

余三省道：「爲什麼？君兄可否說得更爲清楚一些呢？」

君不語道：「兄弟就事而論，如是言語中有什麼不妥之處，還望兩位不要責怪……」

語聲一頓，也不待余三省等答話，接道：「兄弟略通相人之術，藍大俠並非是才氣縱橫的人物，而且就他一般武功成就而論，也無法和他身懷絕技配合。」

方秀梅道：「這麼說來，君兄早對藍大俠懷疑了？」

君不語歎息一聲，道：「我只覺著他武功上的成就很奇怪，其中必有原因，但對藍大俠的爲人，卻是一向佩服，如是我力所能及，自然應該助他。」

方秀梅道：「不管如何，還望君兄能夠全力以赴，助那藍大俠一臂之力。」

君不語道：「唉！血手門和那位『金蟬步』的傳人，也許容易對付，困難的是，那些第三者或是第四者的入侵，他們不肯暗中下手，選擇了這樣一個日子，那是他們有了很完滿的佈置……」

余三省接道：「照君兄的推斷，那血手門和金蟬步的傳人，都非此中之主，還有一批人物，有所圖謀而來，那這三者、四者，又爲何竟都會很巧的選擇了這一天。」

君不語略一沉吟，道：「問得好，因爲只有在藍大俠的壽誕之日，閒雜人等，才能夠乘機混水摸魚的混入藍府……」

話聲一頓，接道：「有一件事，也許兩位還不知道，除了藍大俠壽誕日子中，前後一個月，藍府左近的暗樁，全都撤除之外，平常之日，只要是武林中人，接近藍府十里之內，就立刻有飛鴿傳訊，把來人形貌，投入藍府。」

方秀梅歎息一聲，道：「此時此情，咱們應該如何呢？」

君不語道：「照在下的看法，此刻，藍大俠似已完全了然自己處境，準備利用血手門，及金蟬步的傳人，和目下尚未露面的武林高手，使他們互相搏鬥，自保實力，於最後再行出

手。」

余三省道：「我和方姑娘，都遇到了那血手門和金蟬步的傳人，爲什麼未受傷害，但周兄和商兄，卻受傷甚重，這又如何解釋？」

君不語道：「這也許是巧合，剛剛被他們碰上了，唉！其實，他們都在這附近存身，只有這樣大的地方，遇上的機會也是必然的了。」

君不語一皺眉頭，道：「還有什麼事？」

方秀梅道：「君兄，小妹也想請教兩句！」

方秀梅道：「太湖漁叟黃九洲爲人如何？」

君不語道：「也是一個莫測高深的人物。」

方秀梅道：「聽那藍大俠的口氣，似是對那黃九洲十分推崇。」

君不語道：「是的，黃九洲名滿江東，但就諸位所知，他是否從未和人動過手呢？」

他不提此事，也還罷了，君不語這麼一提，果然，方秀梅和余三省，竟是想不起黃九洲和什麼人有過衝突。

余三省一抱拳，道：「多謝君兄指教。」

君不語一欠身，道：「不敢當。」當下舉步而去。

方秀梅苦笑一下，低聲對余三省道：「咱們白白忙了兩天，可算得一事無成。」

余三省道：「姑娘請回去好好休息，咱們既然已無能爲力，真也用不著再費心機了，不如明日仔細看看壽筵上的變化。」

方秀梅道：「余兄保重，小妹去了！」

余三省送走方秀梅，掩上房門，和衣而臥。

一宵易過，第二天就是藍天義六十大壽之日。

余三省這半日一夜時間，一直坐在房中休息，未曾出室。第二天步出室門一瞧，藍府中的景物，已然有了很大的改變，只見到處張燈結綵，氣象一新，心中暗道：「藍福果然能幹，一夜之間，佈置了如此一個廣大的宅院，如非早有設計，豈能如此。」

只見一個身著天藍短衫、白色長褲的童子，突然由一叢花木後走了出來，欠身一禮：「大爺貴姓大名？」

余三省看那童子衣服十分鮮豔，而且面目陌生，從未見過，年紀大約十五、六歲左右，心中大是奇怪，暗道：「往年藍大俠的生日，那些招待賓客之人，都是以藍福爲主的藍府僕從，從未見過這些盛裝豔服的童子，這些人此刻卻突然出現，不知從何而來？」

心中念轉，口中卻說道：「在下余三省，你可是藍府中人？」

那藍衣童子笑道：「原來是余大爺，請入壽堂中坐吧！小的給余爺帶路。」轉身向前行去。

余三省心中忖道：「好啊！他只問我，卻不肯回答我的問話，看這孩子年紀雖輕，但口齒卻是伶俐得很。」

一面舉步隨在那童子身後而行，一面問道：「小兄弟你是不是藍府中人？」

那童子依然舉步而行，頭未回顧地應道：「小的如不是藍府中人，如何會接待余爺？」

余三省道：「在下每年必來藍府一次，似沒有見過你小兄弟。」

藍衣童子應道：「小的昨夜才到，你自然不認識了。」

余三省奇道：「昨夜才到！從何處來此？」

那藍衣童子突然停下腳步，回目望著余三省道：「如是余爺心中對小的身分懷疑，儘管去問老管家藍福，小的奉命接待客人，余爺要菸、要茶，或是要小的帶路，只管吩咐一聲就是，問長問短，恕不回答。」

也不待余三省答話，重又轉身向前行去。

余三省碰了一個釘子，心中有著一股說不出的難過，但見對方年齡不大，又不了解對方的虛實，只好忍下不言。

那藍衣童子帶著余三省，一直行入了大廳之中。

只見這大廳中，擺滿了桌椅，而且坐了不少的人。

余三省目光轉顧，只見廳中甚多藍衫、白褲的童子，穿梭來往，不住地奉菸上茶。

但最使余三省驚奇的，還是周振方和商玉朗，竟也赫然在座。

君不語、方秀梅，都已早到廳中，和周振方、商玉朗同據一席。

那帶路的藍衫童子，領著余三省直到君不語席位之上，回身說道：「余爺的座位在此，小的去給余爺拿茶。」

余三省移動身軀，和君不語並肩而坐，低聲說道：「君兄早來了麼？」

君不語微微一笑，道：「兄弟在後院中闖蕩，被他們引來此地，入席已經半個時辰了。」

余三省目光轉到方秀梅的身上，道：「方姑娘呢？」

方秀梅道：「小妹比君兄麼？還早到了一步。」

余三省低聲說道：「這是形同綁架了。」

談話之間，那替余三省帶路的童子，已然奉上香茗，又悄然而退。

方秀梅低聲說道：「小妹很奇怪，藍福從哪裏找來這麼多年齡相若、個個清秀的童子？」

余三省道：「而且這些年輕孩子，一個個氣勢凌人。」

君不語微微一笑，道：「看來藍大俠早有準備，我只想到他早有奧援，就是想不出他從何處請到幫手，單是黃九洲一人，也是獨木難支大廈，藍大俠也不致於那樣大的口氣，不要我們助手，原來他早已暗中訓練了一批小童，而且剛剛趕上今日之用。」

余三省道：「這些童子，就是藍大俠仗以對付來犯之人的援手麼？」

君不語道：「兄弟已仔細觀察過了，這些童子身手如何，在下雖未看到，但他們的內功修爲，卻都已有了相當的成就，如是兄弟的推斷不錯，他們每人都有了七年以上的禪坐功力，抵得常人十年以上修爲。」

方秀梅呆了一呆，道：「這些童子，都不過十五、六歲的年紀，照君兄的說法，他們在六、七歲時就開始習武了？」

君不語道：「也許更小一些就已經開始了。」

余三省道：「那是說，藍大俠深謀遠慮，數年前已經想到今日之事了？」

君不語道：「藍大俠安居下來之後，就足不出戶，大概就是爲了這些孩子們了。」

方秀梅望了廳中穿行走動的童子一眼，低聲說道：「君兄數過沒有，這些童子共有幾

人？」

君不語略一沉吟，道：「除了廳中招待客人之外，他們在廳外花叢之中，想必還有埋伏的人，看起來不會太少。」

方秀梅道：「我數過廳中人數，不算替佘兄帶路的，共有一十二個。」

君不語雙眉不停地聳動，似是十分用心地在推算著，良久之後，才緩緩說道：「大概有二十四個之多。」

佘三省用極低微的聲音說道：「如是這些童子，個個都如君兄所言，具有十年以上功力，再學得金頂丹書上的武功，確是一股可仗可憑的力量了。」

談話之間，又有兩個青衣童子，分別帶著金陵劍客張伯松、神行追風萬子常、踏雪無痕羅清風、千手仙姬祝小鳳、一輪明月梁拱北、嶺南神鷲鍾大光等，魚貫行入廳中。

那些藍衫童子似是胸中早有成竹，把幾人一直帶到君不語等座位之上。

廳中筵席，八人一桌，祝小鳳急行兩步，和方秀梅坐在一起，羅清風和梁拱北搶快一步坐了空位，加上早到的君不語、佘三省、周振方、商玉朗以及方秀梅等五人，坐滿了一桌，張伯松、萬子常、鍾大光，只在緊鄰幾人一桌坐了下來。

祝小鳳望了周振方和商玉朗一眼，眉宇間滿是驚奇之色，低聲笑道：「兩位復元了？」

周振方、商玉朗似是都不願講話，淡淡一笑，道：「多謝姑娘關心。」

方秀梅冷眼觀察，只見那藍衫童子帶入群豪之後，立時匆匆退了出去，緊接著，那位帶佘三省進入廳中的小童，也跟在兩人後面出去，大廳中，保持著十二之數。

群豪心中明白，這次壽筵，不比往常，席筵之間，必然有著驚天動地的事情發生，而且

藍天義早有聲明，只要他們旁觀，不可插手，是故，群豪心中，既是沉重，又是好奇，兩種心情，交織成一種沉默的嚴肅。

這時，十二位匾上提名的人，已到了十一個，只缺一個太湖漁叟黃九洲。

余三省目光流動，暗數大廳席位中的賓客，約有六、七十人左右，心中暗暗奇怪，忖道：「往年祝壽賓客，各方豪傑當日趕到的，總不下兩百餘人，此刻正是拜壽人潮湧現的時間，怎的竟不見客人趕到？」

忖思之間，瞥見老管家藍福，帶著一個身著青衫的英俊少年，緩步行入廳中。

那少年手持摺扇，兩道俊目中冷芒如電，迅速地環掃大廳一眼，緩步向正中一張席位上行去。

余三省低聲說道：「君兄，這一位就是那血手門的二公子了。」

但見藍福抱拳羅圈揖，道：「諸位高賓貴客，老奴斗膽打擾諸位一刻時光，替諸位引見一位江湖上難得一見的人物……」

廳中群豪，雖然都覺得那青衫少年有些冷傲自負，但卻大部不知他是何許人物，聽得藍福如此鄭重推介，自是大感好奇。

剎那間，所有人的目光，都投注在那青衫少年身上。

但聽藍福緩緩說道：「這一位，乃是退出江湖數十年的血手門，當代掌門人的二少爺，高文超高二公子。」

除了君不語等一桌人外，所有的人都不禁發出了驚訝，顯然對血手門中人，陡然在此出現一事，大感意外。

高文超站起身子，微一欠身，又坐了下去，搖動著摺扇，不再望廳中群豪一眼。

血手門數十年前，在江湖造成的一番血劫，仍然留有餘威，群豪聽得消聲斂跡數十年的血手門，陡然在江湖上出現，年紀大的仍然能憶起當年往事，心中餘悸仍在，年輕的亦大都聽過門中長輩談過，心中既是有些害怕，又是有些好奇，都不覺地把目光投注在那高文超的身上。

一時間，高文超成了大廳中群豪目光集注之點。

余三省低聲說道：「君兄，藍大俠六十壽誕，怎的賀壽之人，反而不及往年多了？」

君不語略一沉吟，道：「大概都被藍福擋駕了。」

只見藍福去而復來，又帶著一個身著黑色勁裝、外罩玄色斗篷的少年，急步行了進來。

那黑衣少年行到廳門口處，停下腳步，緩緩解開斗篷。

藍福一欠身，道：「閣下隨便坐。」

那黑衣少年望了高文超一眼，舉步行了過去，緊傍高文超身側的一桌首位上坐了下來。

廳中群豪，大都坐在靠邊的席位上，多者八人一桌，少者亦有四、五個人一席，中間空出有六、七桌，沒有人坐，但那高文超和黑衣少年，兩個年輕人卻各據一席，又在大廳中間，看上去特別顯眼。

群豪原想藍福會介紹那黑衣少年的姓名、來歷，哪知藍福帶那黑衣少年行入廳中之後，就轉身而去。

高文超似是也對那黑衣少年十分注意，目光不時地在黑衣少年身上打轉。

有時，四目相觸，彼此注視良久，但雙方還都能克制著自己，沒有引起糾紛。

日升中天，已然快近午時。

十二個藍衫小童，已開始捧上酒菜。

奇怪的是，祝壽人未再增加，廳中幾桌，仍然空著，高文超和那黑衣少年，也仍是各據一席，那些藍衣童子也照樣捧上酒菜。

余三省低聲說道：「君兄，別人不來，也還罷了，那太湖漁叟黃九洲竟然也未趕來，實叫人有些不解。」

君不語道：「那黃九洲可能早到了。」

談話之間，瞥見藍天義帶著藍家鳳緩步而入。

緊隨在藍天義身後一人，白髯如銀，飄垂胸前，赤足草履，正是太湖漁叟黃九洲。

敢情他早已到了藍府。

藍天義步入大廳，抱拳當胸，高聲說道：「兄弟何德何能，勞諸位這般遠道來此，隆情高誼，兄弟是銘感五中，這裏先行謝過了。」

四周群豪，齊齊站起，抱拳還禮。

高文超也隨著群豪站起身子，附眾隨俗，也跟著抱拳一禮。

但那黑衣人，卻是冷傲異常，大馬金刀地端坐原位，抬頭望著屋頂，似乎是根本沒有看到藍天義。

藍天義回顧了黃九洲一眼，微微一笑，舉步行向正東一張桌位上，黃九洲、藍家鳳分隨左右，分別在藍大俠兩側坐下。

藍天義一直保持著一代名家的風度，嘴角間始終掛著微笑，端起一杯酒，道：「拙荊本該和區區同謝諸位一杯，但她染病未癒，只好叫小女代她母親，奉敬各位一杯了。」

藍家鳳端起了酒杯，緩緩說道：「諸位伯伯、叔叔們，我代家母敬諸位一杯水酒，晚輩這裏先乾爲敬了。」舉杯就唇，一飲而盡。

玉燕子藍家鳳，秀美之名早已遍傳江東，但她一向行蹤飄忽，廳中群豪，大部份只聞其名，未見其人，今日一見，都不禁有著大飽眼福之感。

原來，那玉燕子藍家鳳的確是長得秀美絕倫，廳中群豪，大都看得如癡如醉，端著酒杯出神。

茅山閒人君不語暗暗忖道：「果然是一代尤物，只怕要給武林帶來一次風波了。」

突然間，一個尖聲尖氣的聲音說道：「秀色可餐，古人誠不欺我也！」

藍家鳳粉頰上，陡然升飛起兩片紅暈，緩緩垂下頭去。絕世玉容，再加上三分嬌羞，更顯得風情撩人。

余三省轉目望去，只見那說話之人，身著藍衫，頭戴方巾，打扮倒似一個讀書秀才，只是太過瘦小，身不滿五尺，除了那一身衣帽外，只剩下皮包骨頭。

瘦小子頗有著洋洋自得其樂之趣，仍然不停地搖頭晃腦。

藍天義皺皺眉頭，突然縱聲而笑，道：「小女年幼，說話詞不達意，如有開罪諸位之處，區區這裏謝罪了。」

幾句話，說得十分婉轉，但骨子裏，卻是在責問瘦小書生的太過輕浮。

這幾句話，也使得很多舉杯站著的大漢神志一清，急急落座。

廳中的情勢，似是大出了高文超意料之外，只見他四顧了一眼，突然站起身子，直對藍天義行了過去。

行到席前，停下腳步，一抱拳，道：「晚輩高文超，久聞老前輩的英名，如雷貫耳，今日得能有幸一會。」

藍天義起身笑道：「不敢當，英雄出少年，藍某老邁了。」

高文超端過一個酒杯，道：「晚輩借花獻佛，敬老前輩一杯。」

藍天義拿起酒杯，兩人對飲了一個乾杯。

高文超四顧了一眼，道：「老前輩，江東道上，只有這幾個人麼？晚輩本有幾個朋友同來，但想到老前輩席位擁擠，就不敢要他們隨來，早知如此，晚輩應該帶他們同來，撐撐場面了。」

藍天義笑道：「大部份武林同道，都被在下遣人在十里之外給擋回去了……」

高文超接道：「這是爲何？」

藍天義道：「因爲，敝府中可能有幾位佳賓不速造訪，區區不願因藍某的事，驚動了太多的朋友，故而遣人在四周設下驛站，勸請部分朋友，留下名帖，心到就算，不用到寒舍中來了。」

高文超道：「原來如此……」語聲微微一頓，接道：「晚輩原想領教一下，江東武林道上高手的武功，如今此想恐成爲泡影了，不過，老前輩如需晚輩效勞之處，但請吩咐一聲。」

藍天義哈哈一笑，道：「好！高世兄這份盛情，區區這裏先行謝過。」

高文超目光一掠藍家鳳，藍家鳳一撇嘴，淡淡一笑，高文超卻對藍天義一抱拳，道：「但得老前輩一語吩咐，晚輩將全力以赴。」緩緩退回原位落座。

余三省心中暗道：「英雄難過美人關，果然不錯，這藍家鳳啓齒一笑，竟使高文超情甘效死。」

這時，那獨居一桌的黑衣少年，突然冷笑兩聲道：「好大的口氣！」

高文超霍然起身，道：「閣下講的什麼人？」

那黑衣少年冷然一笑，道：「大廳中這樣多人，別人都不接言，閣下卻挺身而起，如不是自覺口氣狂妄，那是誠心找在下的麻煩了。」

高文超道：「閣下指桑罵槐，想必是有所仗持了，高某不才，想領教幾手高招。」

一面說話，一面舉步向那黑衣少年行去。

那黑衣少年兩道冷電一般的目光，凝注在高文超的臉上，人卻仍然端坐木椅之上未動。

高文超行到黑衣少年三尺左右處，停了下來，緩緩說道：「口舌之利，不是大丈夫行徑，閣下既敢出言傷人，想必是也敢出手打人了？」

他冷傲自負，始終不肯問那黑衣少年的姓名。

那黑衣少年緩緩放下手中的斗篷，慢慢地站起身子，道：「久聞血手掌的惡毒，但不知是否徒具虛名？」

高文超道：「閣下試試便知了。」突然一揚手臂，一掌劈去。

這一招快如閃電，快得廳中群豪大都未看清楚這一掌如何劈出。

但黑衣少年閃避的身法更快，只見他雙肩一搖，陡然向左移開，幾乎同時隨著高文超收回的掌勢，人又回歸了原位。

兩人攻守一招間，已使廳中群豪大爲震動，杯筷俱停，鴉雀無聲。

突然間，又響起了那尖聲尖氣的聲音，道：「血手掌，金蟬步，兩人武林奇技，相遇一處，這場開鑼戲，倒也有熱鬧好瞧。」

高文超一看黑衣少年讓避自己掌勢，心知遇上絕頂高手，心頭微微一凜，不再急於出招。正好這當兒，那瘦得皮包骨頭的怪書生，又開口賣弄，自言自語，但卻是若有所指。

高文超和那黑衣少年似乎是被那瘦書生言語點醒，四道目光，不約而同地投向那怪書生。目光一觸那怪書生，又不約而同地轉向藍家鳳，但也是一掠而過，迅快地四道目光又接觸在一起。

藍天義輕咳了一聲，大步行向高文超和那黑衣少年身前，笑道：「兩位素無怨仇，何苦為一、兩句意氣之言，就動手相搏呢？」

高文超略一沉吟，道：「老前輩說得是。」突然轉身行回原位。

那黑衣少年目光一掠藍天義，也緩緩在原位上坐了下去。

藍天義一抱拳，道：「多謝兩位賞臉。」

舉步直向那又矮又瘦的怪書生行了過去。

那瘦子突然提起酒壺，自言自語地叫道：「好酒一壺。」

仰起臉來，咕咕嘟嘟，片刻之間，竟把滿滿一壺酒喝個點滴不剩。

藍天義行到那瘦子身側，但那瘦子卻似渾如不覺，放下酒壺，道：「酒不醉人人自醉。」竟伏在桌上睡去。

藍天義輕輕咳了一聲，抱拳說道：「藍某眼拙，不識俠駕，兄台可否見告姓名？」

以那藍天義在江東道上的威望，這般的降尊紆貴，客氣招呼，實叫人有著受寵若驚之感，但那矮瘦的怪書生，卻是一味地裝瘋賣傻，竟然伏在桌上打起呼來。

但聞藍天義哈哈一笑，道：「朋友既然露了相，不知爲何不肯說個明白，難道是別有苦衷麼？」

那矮瘦書生，渾如未曾聽到藍天義的話聲，仍然鼾聲不停。

藍天義輕咳了一聲，道：「兄台如此不肯賞臉，藍某就深感爲難了。」

這兩句話，說得雖然婉轉，但卻是軟中帶硬，言下之意，無疑是警告那矮瘦的怪書生，再要裝聾作啞，那是逼他出手了。

那矮瘦書生，心中大約已明白再也無法裝作，只好抬起頭來望了望藍天義，笑道：「藍大俠可是和兄弟說話麼？」

藍天義道：「不敢當，區區向兄台請教。」

矮瘦書生笑道：「言重了，言重了。」

藍天義道：「兄台可否請到區區桌位上一敘？」

那矮瘦書生晃晃腦袋，道：「乖乖，兄弟這副尊容，和令嬡同席，那可是愈顯其醜了。兄弟做事，向有自知之明，玉燕子豔光照人，兄弟如若坐過去，那是自暴其醜，你如想和我談談，坐這裏談話也是一樣。」

藍天義輕輕咳了一聲，道：「小女多承誇獎，我這做父親的也與有榮焉，兄台玩世不恭，語中隱含禪機，藍某確有很多討教之處。」

一面說話，一面真的在那矮瘦書生身側坐了下去，一拱手，道：「兄台姓名，可否先行見告？」

矮瘦書生道：「人說藍大俠為人謙和，今日一見，果然是名不虛傳……」

語聲一頓，接道：「至於兄弟的姓名麼！藍大俠如能不問，那是最好別問了。」

藍天義微微一笑，道：「同舟共渡，也要三百年的修行，咱們同桌飲宴，豈有不知姓名之理？」

那矮瘦書生笑道：「兄弟姓吳，草字半風。」

藍天義歎道：「藍某早該想起，大名鼎鼎的奇書生。」

吳半風笑道：「奇書生，藍大俠太捧場了，武林同道都叫我吳瘋子……」

提起了奇書生，廳中人倒有大半知道，立時一個個肅然起敬，不敢再存輕藐之心。

藍天義起身說道：「吳兄之名，兄弟傾慕已久，今日有幸一晤，足慰生平慕念了。」

吳半風突然收斂了嘻笑之態，四顧了一眼，冷冷說道：「看來，藍大俠是早已有備了？」

藍天義道：「兄弟不想生事，但對方欺上門來，兄弟如不願束手就縛，只有抵抗一途了。」

吳半風道：「藍大俠這準備工作，至少有五年以上時間了。」

藍天義道：「此事原本在兄弟意料之中，未雨綢繆，自是應該。」

吳半風略一沉吟，道：「藍大俠準備如何應付？」

藍天義道：「兵來將擋，水來土掩，看他們怎麼來，區區就怎麼對付。」

突然放低了聲音，接道：「吳兄既然到此，而且語含禪機，指點兄弟，何不索性說個明白。」

吳半風微微一笑道：「我瘋子聽到了這件事，原想你藍大俠不會有請，所以特地趕來，想

瞧瞧江東武林道上高手，聯合拒敵的熱鬧，想不到……」

哈哈一笑，接道：「想不到藍大俠竟然早在數年之前，已然能想到今日之事，做了準備，只怕他們也未想到啊！」

兩人你一言我一語，但廳中群豪，卻是大部份聽得莫名所以。

藍天義低聲說道：「吳兄可否見告，來的都是些什麼人物？」

吳半風略一沉思，道：「兄弟只能奉告，來人正邪兩道中人物都有！」

藍天義道：「在下有些想不明白，他們怎會聯合在一起呢？」

吳半風道：「就兄弟所知，他們並不是故意的聯合，但也非完全的碰巧。明白些說，兩方之間，並無正式的連繫，但雙方都知曉，對方要在今日來此，所以說並非有意聯合，也不是完全的巧合。」

藍天義道：「兄弟明白了，但藍某覺著奇怪的是，所謂白道人物，似乎是用不著這等勞師動眾，挑選精銳，犯我故居，他們心中如有什麼疑竇，盡可堂堂正正，來找我藍某問個明白才是。」

藍天義沉吟了良久，道：「難道說，他們還有著彼此相防的用心麼？」

吳半風淡淡一笑，道：「這中間有著一種微妙的平衡……」

臉色突然一整，接道：「承你藍大俠看得起我，不恥下問，兄弟已然奉陳所知，別無可言了。」

藍天義緩緩站起身子，低聲說道：「藍某很感激，但還想請教最後一事。」

吳半風道：「藍大俠請說吧！」

藍天義道：「吳兄此番駕蒞寒舍，不知是否也有用心？」

吳半風笑道：「如是說全無一點用心，難道兄弟吃飽撐著了？而且你藍大俠也不會相信。」

藍天義笑道：「咱們一見如故，兄弟幾乎是言無隱密……」略一沉思，起身行回到原位坐下。

藍家鳳低聲問道：「爹，你認識那人麼？」

藍天義點點頭道：「慕名很久，沒有見過。」

藍家鳳道：「剛才，你們談了很多事，究竟爹和他談些什麼？」

原來，那吳半風和藍天義談到重要之事，聲音十分低微，就是坐在旁側的人，也很難聽到。

藍天義道：「唉！我們談了很多事。」

突然把目光轉到黃九洲的身上，道：「黃兄，剛才和吳瘋子談了很多，兄弟才覺得事態嚴重，萬一今日兄弟有了什麼不測，你這侄女兒，我就拜託你了。」

黃九洲望望藍天義，雙眉聳揚，欲言又止。

藍家鳳急急說道：「爹，你……」

藍天義微微搖頭，阻止藍家鳳再說下去，接道：「孩子，此時此情，你要鎮靜一些，不要使天下英雄看咱們父女的笑話。」

藍家鳳舉起衣袖，拭去臉上的淚痕，低聲說道：「都是女兒不好，爲爹娘惹出了這場麻煩。」

藍天義淡淡一笑，道：「不能怪你，這是爹爹數十年前種下的因，今日之果，原也在爹爹的意料之中，只不過，趕巧的使很多事湊在一起爆發罷了。」

藍家鳳道：「爹爹，究竟是什麼事，可否說給女兒聽聽？」

藍天義道：「爲父的原本不想告訴你們，但現在情勢有變，爲父的不得不告訴你了。」苦笑一下，端起一杯酒，一飲而盡，道：「你的爹爹，並不是你想像中的好人，不過，爲父的也不逃避。」

藍家鳳聽出情形不對，眨動了一下圓圓的大眼睛，道：「爹爹，什麼事嘛，哥哥不幸，習武岔氣，已成殘廢，我雖是女兒之身，但承父母愛護，授我武功，女兒自信可補哥哥的不足。」

藍天義道：「我知道，你聰慧，膽氣不輸鬚眉，爲父對你寄望很大，唉！至於你哥哥身落殘廢，爲父的需負大部份責任，他本是庸俗之質，爲父的卻想要人定勝天，鑄下大錯，害得他身成殘廢，其實受害的，又何止你哥哥一人呢？」

藍家鳳道：「還有什麼人受害了？」

藍天義道：「我！但爲父的是咎由自取，怨不到別人的頭上。」長長吁一口氣，接道：「孩子，你只要記著一件事，如是爲父的今日遭遇了不測之禍，你不用妄想替爲父的報仇，跟著你黃伯父去吧！」

他忽然間說出了這等不吉利的話，使得藍家鳳心中驚愕不已，瞪大了一雙眼睛，呆呆地望著藍天義出神。

藍天義生恐藍家鳳失聲驚叫，急急接道：「孩子，聽爲父的話，不要多問，該走的時刻，你黃伯父會招呼你，此後，一切都聽你黃伯父的吩咐。」

藍家鳳望望黃九洲，又望望藍天義，正待接口，突然聽藍天義施展傳音之術，道：「孩子，在咱們花園後面，十丈之外，有一株千年老榆，你知道麼？」

藍家鳳點點頭，正待答話，卻聽那藍天義又用傳音之術接道：「由那老榆下算起，西行一百步，爲父的藏有奇物，個中附有說明，但你不能輕舉妄動，如是爲父不幸死去，你要三年後才可以去取，事情是越隱密越好，不許帶人手相助，牢牢記著爲父的話。」

藍家鳳點點頭，道：「爹……」

藍天義神情肅然地接道：「記著爲父之言，不論今日發生何等變故，你都不許出手。」

藍家鳳自記事以來，從沒有見過父親那等冷肅的神情，不禁心頭一震，不敢再接口多言。

六　驚人的變化

這當兒，突見藍福雙手捧著一個大紅帖子，急急奔了進來，行到藍天義身側，雙手遞上。

藍天義接過大紅帖子，瞧了一陣，道：「請他們進來。」

藍福應了一聲，轉身而去，片刻之後，帶著兩個人行了進來。

藍家鳳秀目微轉，發覺那大紅帖子之上，寫著：藍大俠花甲誌慶，中間是萬壽無疆四個大字，下面署名是乾坤二怪頓首。

轉眼望去，只見那藍福身後，魚貫相隨著兩個人。

當先一人，身著黃袍，顎下白髯飄動，長眉方臉，雙耳垂肩，龍行虎步，一副帝王相貌，但眉宇之間，卻隱隱泛起一片紫氣。

後面一人白面無鬚，身著白色長袍，初看之下，只覺他肌膚如雪，長得十分英俊，但如仔細一看，才發覺他肌膚面色，有如千年積冰，白得透亮，白得不見一點血色。

藍福帶兩人入廳之後，立時轉身退出。

那黃袍老者，進入廳門，停下腳步，目光轉動，四顧了一眼，微微一笑，舉步行入一桌席位上，自行落座。

白衣人緊隨黃袍老者身後，步入席位，在那黃袍老者對面坐下。

藍天義一抱拳，道：「承兩位賞光。」

黃衣老者笑道：「好說，好說，區區久慕藍大俠的英名，今日有幸拜會。」

藍天義道：「江湖上朋友們的抬愛，使藍某博得虛名，兩位如是聽聞傳言而來，只怕要叫兩位失望了。」

那白衣人突然冷冷地接道：「藍大俠初出江湖時，確也非身懷絕技人物，但近二十年來，卻是藝業大進，成就驚人，最使人不解的是，藍大俠每遇勁敵，第一度交手不能取勝，第二陣必能克制對方，似是藍大俠能在一夜間，思索出制敵奇學，千百年來，武林中從未有這等奇才異能人物，藍大俠可算得千古來，唯一具此才慧的人物了。」

這幾句話，驟聽起來，平淡無奇，但卻具畫龍點睛之妙，使得廳中群豪，大部份都聽得如夢初醒，回想往事，確是如此。

藍天義淡淡一笑，道：「朋友誇獎了。」

他既不爲廳中眾豪引見來人，也不說明兩人的身分，但廳中群豪，卻有大部份人知曉那黃袍老人和白衣人的身分，是以，大都裝聾作啞，不敢插言。

只見那黃袍老者揚了揚長眉，慈和地笑道：「藍大俠想必早已知曉我們兄弟的來意了？」

藍天義神情鎮靜，拂髯一笑，道：「兄弟麼？沒有這份才能，實無法猜出兩位來意爲何？」

黃袍老者點點頭，道：「藍大俠這份修養工夫，確叫兄弟佩服……」

語聲一頓，笑道：「我們兄弟一來拜壽，二來麼……」

但見藍福匆匆奔入，道：「啓報老主人，少林寺中監院無缺大師，和武當派中名宿玄真道長，連袂到訪。」

廳中突然起了一片低語，大部群豪交頭接耳，競相談論。

但聞藍天義哈哈一笑，道：「難得啊！難得啊！快些請他們進來。」

藍福應了一聲，轉身而去。

這時，廳中群豪，都已覺出了今日情形有些不對，息隱數十年的乾坤二怪，突然找上了藍府拜壽，已是驚天動地的大事，再加上名震大江南北，無缺大師和玄真道長，又連袂來訪，可算得武林道上第一盛事了。

廳中的低語聲，突然間靜止下來，所有的目光，都投注大廳門口，只見藍福帶著一僧一道，緩步而入。

那僧人灰衣芒鞋，年約五旬，濃眉虎目，滿臉紅光，身上斜揹著一個黃布袋子，那道人身著青色道袍，五綹黑髯，飄垂胸前，木簪綰髮，身佩長劍，看上去一派仙風。

藍天義緩步離位，迎了上去，抱拳說道：「藍天義恭迎大師、道長。」

無缺大師雙手合掌，道：「阿彌陀佛！藍施主壽比南山。」

玄真道長單掌立胸，微微一笑，道：「藍施主福如東海。」

藍天義道：「多謝大師、道長，兩位請入席吧！」

欠身把兩人讓入一席空著的席位上。

無缺大師道：「有勞藍施主了。」大步入席。

玄真道長緊隨無缺大師身後，步入席位。

藍天義待兩人落座後，也緩步回到原位，端起酒杯，道：「大師、道長，近數年已很少在江湖上走動，此次竟然駕臨寒舍，使得蓬篳生輝，藍某借這杯水酒，聊表敬意。」

無缺大師欠身道：「老衲修的全行，酒不沾唇，還望藍施主多多鑒諒。」

藍天義道：「在下乾杯爲敬。」舉杯一飲而盡。

玄真道長卻拿起酒杯，道：「貧道奉陪一杯。」

這當兒，乾坤二怪中那白衣人，卻突然冷笑一聲，道：「藍大俠厚此薄彼，分明是未把我們兄弟放在眼中了……」

藍天義哈哈一笑，接道：「藍某失禮，補敬兩位一杯如何？」

白衣人冷冷說道：「那倒不用了，兄弟借花獻佛，還望藍大俠賞臉。」

右手一抬，手中滿滿一杯酒，懸空旋轉，緩緩向藍天義飛了過去。

飛杯擲酒，並非難事，但這等緩緩地旋飛，滿杯酒不見外溢的手法，武林中卻是極爲罕見。

只見那酒杯越過兩個桌面，半月形飛到了藍天義的面前，藍天義陡然揚起右手，推出一掌。

掌勢距酒杯還有尺許左右時，那旋飛的酒杯，突然在空中停了下來。

廳中群豪都知道，這是藍天義發出的一種奇異內功，和那白衣人投杯用出的力道，相互撞擊，在空中保持了一種平衡作用，使那旋飛的酒杯，在空中暫時停了下來。

停持片刻，突聞藍天義沉聲喝道：「來而不往非禮也，這杯酒，在下原璧奉還。」

只見那停在空中的酒杯，突然轉向那白衣人飛了回去。

不過，藍天義酒杯的回去之勢，和那白衣人擲來之勢，大不相同，去勢勁急，有如閃電一

般，直對那白衣人飛了過去。

原來，那杯酒在空中停了一下之後，酒杯上旋飛的勁道，已為藍天義的內力卸去。只見那白衣人冷笑一聲，右手一伸，輕而易舉地接住了那飛近身前的酒杯。

兩人飛杯往還，一來一往之間，滿滿一杯，點滴未溢。

那黃袍老人緩緩望了藍天義一眼，笑道：「藍大俠果然是名不虛傳。」

藍天義微微一笑，道：「好說，好說，閣下過獎了。」

黃袍老人淡淡一笑，道：「藍大俠，在下想和你藍大俠談談。」

藍天義道：「閣下有何教言，藍某洗耳恭聽。」

那黃袍老人目光一掠無缺大師和玄真道長，冷冷說道：「藍大俠似乎要在兩者之間，作一選擇了。」

廳中群豪都聽不懂黃袍老者的話中含意，但藍天義卻是心中明白，淡淡一笑，說道：「閣下對此事有何高見呢？」

黃袍老者冷笑一聲，道：「在下只願把事情說明，如何抉擇，那是你藍大俠的事了。」

藍天義道：「藍天義洗耳恭聽。」

黃袍老者道：「一年前，我們已想到今天，因此，我們有著很充裕的時間，準備今天的事……」

藍天義事已臨頭，反而變得無比沉著、鎮靜，淡淡一笑，接道：「除了兩位之外，還有很多高手佈置在寒舍之外？」

黃袍老者哈哈一笑道：「不錯，江湖上傳說你藍大俠氣度宏大，舉止光明，但區區今日一見，才知傳言和真實有著很大的距離，藍大俠心機之深，連區區也要甘拜下風，當真是大智若愚的高人。」

藍天義道：「閣下誇獎了。」

藍家鳳雖然很用心地聽幾人對答之言，但任她冰雪聰明，也是聽不出個所以然來，瞪著一對水汪汪的大眼睛，望著父親發愣。

但聞那黃袍老人哈哈一笑，接道：「傳言誤人，使區區錯估了藍大俠，所幸的是，此刻還來得及修正。」

藍天義道：「如何一個修正之法？」

黃袍老人道：「藍大俠如願和我等合作，出贈存物之一，藍大俠可保有另外之物，也同時得我等的助力，今日之局，必將隨著大變，智謀如藍大俠者，想必已了解區區的用心了。」

藍天義道：「閣下金玉良言，頗使藍某動心，不過，要容藍某有一刻考慮時間。」

黃袍老者點頭一笑，道：「那是當然，不過，時機迫促，藍大俠得盡早決定才成，兄弟洗耳以待教言。」

這時，袖裏日月余三省，突然低聲對茅山閒人君不語道：「君兄，今日局勢，殺機彌漫之中，卻有著一個微妙的平衡，不知藍大俠如何運用？」

君不語施展傳音之術答道：「此刻，正是他們互鬥智謀、各逞心機之時，那黃袍老者說得不錯，藍天義確是一位心機深沉、大智若愚的人物，但那乾坤二怪、無缺大師和玄真道長，也都是老謀深算、閱歷豐博的人物，這一陣互較智計，定當使咱們長上不少見聞，余兄拭目以待吧！」

但聞藍天義咳了兩聲，道：「兄弟最遲在頓飯工夫中回答閣下。」目光轉到那無缺大師和玄真道長的身上，接道：「大師、道長雖是藍某景仰之人，但藍某自知和兩位談不上什麼交情，今日突然間光臨寒舍，想必有所教我了？」

無缺大師笑道：「咱們聽得一種傳言，不知是真是假，特來向藍大俠求證一下。」

藍天義道：「什麼傳言？」

玄真道長四顧了一眼，道：「這等場合，談話方便麼？」

藍天義笑道：「藍某覺著，事無不可對人言，何況兩位是聽得江湖傳言而來，既然兩位能夠聽得，武林之中，自然是有很多人可以聽得了，眾人皆知的事，自無隱密可言了。」

玄真道長微微一笑，道：「藍大俠光明磊落，好生叫貧道佩服。」

藍天義哈哈一笑，道：「道長過獎了。」

玄真道長神情嚴肅地說道：「貧道等聽得傳說，失傳的金頂丹書，落入了藍大俠手中，不知是真是假？」

廳中群豪，大部份聽得失聲而叫：「金頂丹書……」

藍天義以手拂髯，微笑說道：「區區未回答之前，想先請教道長一事。」

玄真道長道：「貧道洗耳恭聽。」

藍天義道：「如若那金頂丹書，在我藍某人的手中，諸位準備如何，不在藍某手中，諸位又準備如何？」

玄真道長道：「那要看你藍大俠了。」

無缺大師道：「事情很簡單，如是藍大俠願意交出金頂丹書，老衲等都感激不盡，而且

……」望了乾坤二怪一眼，住口不言。

藍天義哈哈一笑，道：「此時何時，大師不用吞吞吐吐了。」

無缺大師一揚雙眉，道：「藍大俠，我等對你十分敬重，故而才由老衲和玄真道兄，以祝壽爲名，拜訪貴府……」

藍天義冷冷接道：「弦外之音是，除了兩位外，還有很多高手，也到了此地是麼？」

玄真道長道：「茲事體大，我們不得不謹慎從事。」

藍天義道：「這就叫藍某人好生爲難了。」

玄真道長道：「此話含義何在？」

藍天義道：「如若藍某人說未收藏金頂丹書，兩位定然不信了？」

無缺大師道：「老衲希望藍大俠不要錯估情勢，如是我們全無憑據，也不敢找上藍府來。」

藍天義道：「這個，我明白……」

目光轉到乾坤二怪的身上，接道：「兩位來此用心，也不妨明說了吧！」

那白衣人冷冷說道：「藍大俠既然如此吩咐，咱們就恭敬不如從命了，我們來此用心，在討取天魔令。」

黃袍老者接道：「那天魔令乃黑道之物，以你藍大俠爲人，決不會珍惜它了。」

藍天義淡淡一笑，道：「這麼說來，金頂丹書和天魔令，都在我藍某人這裏了。」

黃袍老者道：「我們並非空口白話的臆測之詞，希望藍大俠不用再推諉了。」

藍天義仰起臉來，打個哈哈道：「如是區區交出魔令呢？」

黃袍老者道：「閣下將保有金頂丹書。」

藍天義道：「可惜少林高僧和武當名宿，兩位高人來此討書，區區不敢不還。」

白衣人道：「那藍大俠看著辦吧！你如交出天魔令，我們將助你保有金頂丹書。」

藍天義目光轉注無缺大師身上，道：「兩位可肯給藍某人什麼條件？」

玄真道長一皺眉頭，道：「這個，容貧道和無缺大師研商一下，再行奉告施主如何？」

藍天義道：「好！不過，有人在等待區區答覆，希望兩位能夠早作決定。」

玄真道長道：「貧道在一盞熱茶工夫之內，回答閣下，不算太晚吧？」

藍天義道：「好！在下恭候道長佳音。」

玄真道長不再理會那藍天義，但也未回頭和無缺大師商量，卻自行斟了一杯酒，舉起一飲而盡。

無缺大師也無比的沉著，端坐當地，動也不動一下。

廳中群豪的目光，大都投注在無缺大師和玄真道長的臉上，看他們如何決定此事，奇怪的是，兩人渾如不覺一般，端坐不動。

余三省低聲說道：「君兄，他們互不交談，如何能夠商量出一個名堂來呢？」

君不語道：「他們不用商量，只要用心去想就是，兩人想通了，到時間，就可一言而決了。」

但見玄真道長站起身子，緩緩說道：「我們商量過了。」

全廳中人，都看到兩人未曾交談一語，但玄真道長突然說兩人交談過了，自然使群豪都有些不敢相信。

藍天義一皺眉頭，緩緩說道：「兩位如何決定？」

玄真道長道：「藍大俠如肯交出金頂丹書，貧道願以個人身分，助你保有天魔令。」

藍天義淡淡一笑，道：「那是說道兄同意，無缺大師不同意了？」

玄真道長道：「無缺大師之意，是說我們無法代表武林中各大門派，決定此事，只能以私人助閣下一臂之力了。」

藍天義目光轉注到乾坤二怪身上，緩緩說道：「兩位如何向在下保證？」

那黃袍老者冷笑一聲，道：「九大門派，各自爲政，自然是不敢答允閣下之求了，咱們異道中人，一向是義氣當先，我們既然是受託而來，那就是能代表他們說話，在下將集異道中人之力，保護你藍大俠保有金頂丹書。」

藍天義突然端起面前酒杯，道：「區區先敬兩位一杯。」

乾坤二怪也端起酒杯，齊聲說道：「好！我們兄弟和藍大俠乾一杯。」

藍天義微微一笑，舉杯一飲而盡，道：「在下心中有一件隱密，很難啓齒……」

那白衣人冷冷接道：「藍大俠儘管請說，乾坤二怪自信能承受各種好壞隱密的修養，壞者不懼，好者也未必欣喜。」

藍天義道：「喜怒的反應，是諸位的事了，和我藍某人無干！」

目光轉注到玄真道長和無缺大師身上，緩緩說道：「好叫兩位知曉，那金頂丹書，在下確實是看到過……」

無缺大師雖然修養十分深厚，但聞金頂丹書之後，也不禁難以自制，急急接道：「那金頂丹書現在何處？」

藍天義道：「在下只是說，看到過那金頂丹書……」

玄真道長接道：「看過那金頂丹書時，就把它棄丟不顧了，是麼？」

藍天義道：「那倒不是，在下把金頂丹書帶回藍府了。」

玄真道長冷笑道：「以後呢？你又把金頂丹書丟棄了，是麼？」

藍天義道：「金頂丹書，乃降魔之寶，在下如何肯把它丟了呢？」

玄真道長道：「那麼丹書呢？可是仍在貴府之中麼？」

藍天義道：「被人偷去了。」

無缺大師一怔，道：「什麼人偷去了？」

藍天義道：「如是區區知曉那金頂丹書，爲何人所偷，豈不是早就找他去了？」

那黃袍老者道：「那是說，目下藍府之中，只有天魔令一種存物了。」

藍天義微微一笑道：「區區對兩位也是一樣的抱歉，因爲那偷取金頂丹書之人，順手牽羊，竟把天魔令也偷走了。」

白衣人突然仰天打了個哈哈，道：「閣下可是覺得這等謊言，說得十分高明麼？」

藍天義道：「在下說的，是句句真實之言。」

白衣人道：「可惜我們不信，而且在下斷言，別人一樣不信。」

藍天義道：「兩位不肯相信，那也是沒有法子的事了。」

白衣人道：「在下倒有一個法子。」

藍天義道：「請教高明？」

白衣人道：「閣下不是鐵打銅澆的人，我相信有法子使你講出實話。」

藍天義道：「哼哼！閣下的意思是，想從我藍某人的口中，問出內情麼？」

白衣人道：「不錯。」

藍天義搖搖頭，道：「我看此事不容易。」

白衣人道：「那就不妨試試。」突然舉步，直對藍天義行了過去。

藍家鳳一閃身，道：「你要幹什麼？」嬌軀一閃，擋住了藍天義的身前。

藍天義冷冷說道：「家鳳退回去。」

這當兒，瞥見人影連閃，高文超和那金蟬步的傳人，一齊離位，飛落在那白衣人的身側。

藍家鳳聽得父親喝叫之言，只好又緩緩退回原位。

高文超和那金蟬步的傳人，相互望了一眼，又緩緩退了回去。

藍天義一拱手，道：「閣下可是想動手麼？」

白衣人道：「如是別無良策，說不得只好一試了。」

藍天義笑道：「朋友不用慌，你們既然來了，早晚總要叫你們如願以償……」

白衣人接道：「還要等什麼？」

藍天義道：「等一道款待諸位的好菜，區區無以爲名，就叫它武林第一家菜。」

那白衣人目光轉動，四顧了一眼，只見無缺大師、玄真道長兩道冷電般的目光，投注在自己身上，心中暗暗忖道：「藍天義一派甜言，同時拒絕了無缺大師、玄真道長，但如我和他動手之後，無缺大師和玄真道長又可從中相助，幫助藍天義，藍天義若敗了，也許會交出金頂丹書，豈不是逼他們聯手拒敵麼？」

心念一轉，自找台階，緩緩說道：「這麼說來，藍大俠那武林第一菜，不是美味絕倫，就是驚險萬分了。」

藍天義雖然和正邪兩派絕頂高手為敵，但神態之間，卻是沉著無比，淡淡一笑道：「閣下如有耐心，片刻之後，就可以親眼見到了。」

白衣人道：「在下自信見過稀奇古怪之物很多，但你藍大俠這麼一說，倒使區區動了好奇之心，很想見識一下了。」轉身退回原位，坐了下去。

藍天義目光掃視了大廳一眼，回顧門口的藍福一眼，說道：「上菜！」

藍福一欠身轉身而去。

片刻之後，只見十餘個佩劍的小童，各自捧著一個巨大的瓷盤，魚貫行入廳中。

這些小童和廳中原有招待客人的小童，年齡相若，而且穿著一樣，一般的天藍短衫、白長褲，唯一不同的是，他們身上佩了一柄寶劍。

那寶劍也似專門為那些小童鑄造之物，比起平常用的寶劍，大約要短上八寸左右。

君不語暗中一數，進入廳中的佩劍童子，不多不少也是一十二個，和留在廳中招待群豪的童子一十二個，合計二十四個。

大約是乾坤二怪和無缺大師、玄真道長，都已瞧出來這些藍衫、白褲童子，有些不對，幾道目光不停地在那些藍衣童子身上打轉。

十二個童子，捧著十二個大瓷盤，盤子上面，扣著一個巨大的白瓷碗。那白碗和巨盤，似都是特製之物，接扣得十分嚴密。

十二童子把手中瓷盤，分置各席之上一盤，然後，退到廳口處，排列兩側。

那巨盤上面扣的瓷碗，使這道武林第一菜，更多蒙上一層神秘。

藍天義目光轉動，四顧了大廳一眼，只見所有席位，無一人揭開瓷碗瞧看，顯然，群豪都對這一道瓷碗扣住的巨盤，有著幾分畏懼。

藍天義朗朗一笑，高聲說道：「諸位，這瓷碗之中，是一道味道奇絕的菜，但也有著很大的危險，如若是自知無能食用者，那就不用揭去盤上的瓷碗，過一陣子自會有上菜童子，收回巨盤……」

語聲稍一停頓，不見有人插口，又接著說道：「如是諸位揭開那巨盤上的瓷碗，那就只有設法食用碗中的美味了。」

只聽乾坤二怪中，那黃袍老者哈哈一笑，道：「藍大俠，強賓不壓主，藍大俠如若能夠食用這盤中之物，在下等定可奉陪了。」

藍天義道：「在下身為主人，自然先行吃給諸位瞧看。」伸手去揭巨盤上的瓷碗。

但聽那黃袍老者喝道：「慢著！」

藍天義停下手，道：「閣下還有什麼吩咐？」

黃袍老者冷冷說道：「藍大俠如肯請到我們的席位之上，共食一盤中的食物，在下等才能放心。」

藍天義略一沉吟，笑道：「兩位可是怕區區席位上的美味，和兩位席位上的不同？」

黃袍老者道：「咱們不得不有此慮。」

藍天義道：「好吧！藍某恭敬不如從命了，不過，所有的盤中食物，皆都一般，決無不同，在下只想說明內情，信不信，那是諸位的事了。」

口中說話，人卻已大步行到了乾坤二怪的席位上，伸手去揭瓷碗。

但聞白衣人冷冷說道：「慢著！」

藍天義右手按在瓷碗上，答道：「在下早該想到，你朋友還有高見，應該先向你請教一下才成。」

白衣人道：「藍大俠不用狂，早晚咱們總會有一個死活之分。」

藍天義神色冷肅地說道：「朋友不用出口傷人，先行食用過這盤中之物，咱們才有動手的機會。」

那黃袍老者望了無缺大師和玄真道長一眼，笑道：「藍大俠似乎對那少林高僧和武當名宿，有著一份偏愛，是麼？」

藍天義道：「此話怎講？」

黃袍老者哈哈一笑，道：「如是藍大俠這天下第一美味中，內有奇毒，咱們乾坤二怪食用之後，中毒而死，無缺大師和玄真道長，卻是完好無恙，除非你藍大俠誠心的交出金頂丹書之外，似乎是不致於如此安排吧？」

藍天義微微一笑，道：「閣下說得是……」

回顧了玄真道長和無缺大師一眼，道：「不平則鳴，區區幾乎把兩位忽略了。」

玄真道道長冷冷說道：「如是三位可以食用的東西，貧道自信可以奉陪。」

藍天義道：「爲求公允，大師和道長，何不也請來此席，同桌進餐。」

玄真道長、無缺大師相互望了一眼，同時起身，行到乾坤二怪的席位之上，並肩而坐。

藍天義目光轉動，分顧了乾坤二怪一眼，緩緩說道：「朋友你稱心如願了吧？」伸手去揭盤上的瓷蓋。

那黃袍老者輕輕咳了一聲，道：「慢著，在下還有一件事，請教藍大俠。」

藍天義道：「你們乾坤二怪的主意，當真是多得很啊！」

黃袍老者冷然一笑，道：「事先把話說明，一旦事情臨頭，才能死而無怨。」

藍天義道：「好！區區恭聆高論。」

黃袍老者道：「聽藍大俠的口氣，這瓷碗之下，定然是一種很惡毒的東西，藍大俠早已有備，死亡的機會，自然是要減少很多，但我們兄弟，和這位大師、道長，在你藍大俠的安排之下，毫無選擇，全要憑仗真本領、硬功夫，以求保命。」

藍天義道：「如是兩位心中害怕了，此刻還來得及退席。」

黃袍老者道：「咱們既然來了，豈能空手而歸，何況……」

目光一掠那些藍衫、白褲的童子，接道：「你藍大俠又已有了安排……」

藍天義哈哈一笑，接道：「朋友，說了半天，兄弟還是聽不懂你的用意何在。」

黃袍老者道：「很簡單，咱們這場豪賭，藍大俠出的什麼賭注？」

藍天義道：「不論諸位來此的真實用心如何，但名義上，諸位都是來此為我藍某祝壽而來，區區以天下絕佳美味，招待諸位一餐，不過是稍盡地主之誼，難道，這也要講什麼條件不成？」

黃袍老者冷冷說道：「藍大俠如是太過份，可知道後果如何麼？」

藍天義道：「兄弟想不出。」

黃袍老者道：「逼我們黑白兩道聯手。」

藍天義微微一笑，答非所問地道：「諸位嘗嘗兄弟這道佳餚如何？」

陡然一抬手，揭開了盤上瓷碗。

揭開瓷碗之後，圍桌而坐的高手，都不禁為之一呆。

只見那大瓷盤中，哪裏是什麼佳餚美味，竟是十條其色赤紅的怪蛇，每一條都不足七寸，蛇頭上生有一個紅冠，群集盤中，蠕蠕而動。

以乾坤二怪和無缺大師那等高人，也看得微微一怔。

原來四人雖然早已想到，這大碗扣蓋的瓷盤之中，可能是一種毒物，但卻未想到竟然是活生生的紅色小蛇。

更使幾人驚愕的是，盤中紅色小蛇，極是罕見，以乾坤二怪和無缺大師、玄真道長的見識之廣，竟然是無法認出是屬於何類的毒蛇。

無缺大師微微一皺眉頭，低聲對玄真道長道：「道兄，這是屬於什麼類的毒蛇？」

玄真道長搖搖頭，道：「貧道見過的毒蛇很多，但卻從未見過這等形狀的毒蛇。」

無缺大師道：「這毒蛇的確是十分奇怪，老衲亦未見過。」

藍天義緩緩說道：「這是一種罕見的毒蛇，也是天下毒蛇中最為奇毒之蛇。」

只聽那黃袍老者叫道：「赤練蛇。」

藍天義微微一笑，道：「不錯，是赤練蛇，不過，牠們服用了一種很特殊的藥物，雖然經過了一段很長的時間，但牠們卻永遠的長不大了。」

無缺大師長長吁一口氣，道：「原來如此。」

藍天義接道：「正因為牠們體形無法長大，所以牠們全身無處不毒，且牠們身上之毒，隨年月增加，這盤中毒蛇，都已在十年之上了，如以正常而言，牠們都應該有八尺到一丈的

長度，但盤中之蛇，卻無一條超過七寸，但牠們身上之毒，卻和八尺、一丈長度之蛇一般模樣。」

玄真道長道：「咱們只知道藍大俠譽滿江湖，武功高強，卻不知藍大俠竟然也是一個養蛇的能手。」

藍天義道：「這都是天魔令上記載的辦法，兄弟是照方實驗，想不到竟然是如此的靈驗，這等應該長大的毒蛇，竟然都成了七寸左右……」

語聲微微一頓，接道：「目下，咱們每人先吃一條。」伸手抓住一條毒蛇送入口中。

黃袍老者道：「且慢。」

藍天義毒蛇已經送入口邊，聞聲停下，道：「什麼事？」

黃袍老者道：「吃下一條十年赤練蛇，不論何等高深的內功，也是無法承受得住。」

藍天義道：「兩位現在想走，還來得及。」

黃袍老者道：「天魔令現在何處？」

藍天義道：「我說過，和金頂丹書一齊被人偷走了。」

黃袍老者道：「這就叫在下想不出，我們冒萬死吃下這條毒蛇的用意何在？」

藍天義道：「如若在下能以金頂丹書和天魔令爲餌相誘，只怕有很多人早已自動吃了這奇毒之蛇了。」

玄真道長道：「除非是養之有素，習有毒功，或是預先服下解毒之藥，吃下這條毒蛇的人，生機十分渺茫，縱然能夠取得金頂丹書和天魔令，又有何用處呢？」

藍天義微微一笑，道：「但世間，卻盡有許多人，願以義氣爲先，寧肯自己食用奇毒而

死，換得奇物，留給他人，以博俠義之名……」

哈哈一笑，接道：「話越說越遠了，區區身先試毒，吃一條活生生的奇毒赤練蛇，給諸位先行見識一番。」

無缺大師道：「老衲相信藍施主，確有食毒不死之能，但老衲卻不願討這個便宜，故而不得不先行把話說明。」

藍天義微微一笑，道：「大師之意呢？」

無缺大師道：「老衲等此來，一無爭名之心，二無較技之意，用心在取得那金頂丹書。」

藍天義道：「大師可以取在下之命，但卻無法取得金頂丹書。」

玄真道長道：「這麼說來，藍大俠是非要迫我們不擇手段了？」

藍天義淡淡一笑，道：「在下已經說得很明白了，金頂丹書，早已不在藍某手中，大師和道長不肯相信，那也是沒有法子的事了。」

目光轉注到玄真道長的臉上，接道：「道長適才曾經說過，在下能食之物，道長一定奉陪，言猶在耳，道長難道已經忘懷了麼？」

玄真道長略一沉吟，道：「貧道的話自然算數，但貧道言中包括了三個人，只要乾坤二兄弟肯陪你藍大俠食用，貧道一定奉陪。」

藍天義道：「在道長沒有食過這毒蛇之前，似乎是不便再向藍某挑戰。」

目光轉到黃袍老者身上，道：「閣下似是也說過奉陪在下的話，不知是否還記得？」

黃袍老者怔了一怔，道：「藍大俠的意思，可是非得吃下一條赤練蛇不可了？」

藍天義道：「不吃赤練蛇也可以，還有一個辦法。」

黃袍老者道：「請教高見。」

藍天義道：「離開這裏。」

黃袍老者冷笑一聲，道：「不行。我們此番前來，意在取回天魔令，如是我冒險食下毒蛇，你藍大俠可以交出天魔令，縱然有死亡之險，我也認了，但如換不得天魔令，咱們只好各憑真才實學，一較實力了。」

白衣人冷冷接道：「我們此番前來，並無和閣下爭名之心，行起事來，似是也不用顧什麼江湖道義了。」

藍天義仰天打個哈哈，接道：「話是你說的，藍某人如若也施展出什麼惡毒手段，還望閣下不要見怪才好。」目光轉到那黃袍老者身上，道：「如是藍某人能指一條明路給你們，可否食用盤中毒蛇呢？」

黃袍老者道：「什麼明路？」

藍天義道：「告訴你們那天魔令現在何處？不過，藍某還想提出一個條件。」

白衣人冷笑道：「你還有什麼條件？」

藍天義道：「兩位要各吃下一條毒蛇，在下才肯奉告那天魔令的存放之處。」目光轉到玄真道長的臉上，道：「道長是否想知曉那金頂丹書的下落？在下同樣也可以指明道長一條去路。」

玄真道長道：「但要貧道先食下這條毒蛇？」

藍天義搖搖頭笑道：「道長想得太輕鬆了，你已經答應了吃下這條毒蛇，那是不吃也不成了，在下之意是，要這位大師也食下這一條毒蛇，在下才會告訴你們金頂丹書的存放之地。」

無缺大師一皺眉頭，道：「老衲不食葷腥，不沾菸酒，要我生食一條蛇，對老衲而言，那真是比死亡還要痛苦了。」

藍天義哈哈一笑，道：「為了金頂丹書，在下希望老禪師能夠勉為其難。」

玄真道長道：「貧道有一樁事，覺著應該事先說明。」

藍天義道：「在下洗耳恭聆。」

玄真道長道：「貧道奉命來取金頂丹書，並非要據為己有。」

藍天義道：「只是想瞧瞧而已？」

玄真道長搖搖頭道：「貧道一字不瞧，當著你藍大俠之面，把它一火焚去。」

藍天義一怔，道：「為什麼？那金頂丹書，乃是降魔寶典，道長捨得把它毀去麼？」

玄真道長道：「水能載舟，亦能覆舟，為此，本門中掌門和少林掌門，及其他幾大門派中長者，研商再三，覺著留它在世終是禍害，丹書乃幾大門派中上一輩高手合錄之物，也無法交給哪一門派保管，因此，決定把它毀去。」

藍天義點點頭，道：「原來如此。」

無缺大師道：「我們來意已然說明，藍大俠該當如何？也可作一決定了……」

語聲一頓，接道：「就老衲之見，毀去金頂丹書，對你藍大俠有百利而無一害。」

藍天義道：「為什麼？」

無缺大師道：「事情很簡單，目下武林之中，知曉丹書記載的，只有你藍大俠一人，如是毀去了金頂丹書，書中所有記載，都在你藍大俠一人手中了。」

藍天義微微一笑，道：「話是說得不錯，不過，道長和大師來此的時機，有些不妥。」

無缺大師道：「願聞其詳。」

藍天義輕輕歎息一聲，道：「此時此情，在下不願大放馬後炮，談論過去的事。」

無缺大師歎道：「這麼說來，藍大俠是決心拒絕我們了？」

藍天義不再理會無缺大師和玄真道長，提高了聲音，說道：「在下話已說完，而且是決不更改，諸位如若能夠遵照兄弟之意，吃下毒蛇，則咱們再談，如無食用毒蛇之能，兄弟也不想再和諸位浪費唇舌了。」

突然回身行向原位，坐了下去，舉手喝了一杯酒，道：「好酒啊！好酒！」

余三省低聲說道：「君兄，雙方這等僵持之局，將是如何一個結果呢？」

君不語低聲應道：「很難說，藍天義似是已經有了佈置，二十四童，已然全集大廳，今日這廳中之人想離此一步，只怕不是易事了。」

微微一歎，接道：「玄真道長和無缺大師，大約心中也明白，今日想平安離此，非是易事，所以，他們都在極力的隱忍，不願意發作出來。」

余三省搖搖頭，道：「兄弟想不明白，那藍天義把黑、白兩道四大高手，留此廳中，用心何在？」

君不語道：「我想那藍天義還有法子沒用出來，大約夠他們四個人受了。」

余三省道：「廳中人手不少，藍大俠何以只以四人為目標？」

君不語道：「如若是四大高人受制，還有何人敢出面為敵呢？」

余三省道：「血手門的高公子，和金蟬步的傳人呢？」

君不語道：「我想那金頂丹書之上，也許早記有了破解金蟬步和血手毒掌的法子，只是藍天義未說出來罷了。」

余三省道：「可是因爲兩人極可能爲藍大俠收用麼？」

君不語道：「正是如此。」

余三省道：「咱們呢？是否也要受池魚之殃，留在此地？」

君不語道：「耐心些吧！這是武林中難得一見的盛會。如若兄弟的看法不錯，那兩個小童，都是習練有魔道武功。」

余三省道：「君兄何以瞧得出來呢？」

君不語道：「兩個童子，都在稚氣未脫之年，但他們卻有著成人一般的持重和冷漠，如非魔道武功，怎會把一個天真未脫的童子，練到如此境地？」

余三省點點頭，道：「君兄說得是，兄弟竟然未曾留心到這一點。」

但聞那白衣人怒喝道：「孺子找死。」

右手一揚，呼的一掌，劈了過去。

但那黃袍老者及時而至，伸出手去，接下了那白衣人的掌勢，道：「二弟，不用和這些下人一般見識。」

兩個佩劍小童舉動也是快速無比，那白衣人掌勢一動，兩人已同時拔出了佩劍，交叉遮出，封住了門戶。

單是這兩個童子拔劍的手法，已使大廳中人，看得個個心中驚奇不已。

那黃袍老者及時地接住了那白衣人的掌勢，使這場已要引起的搏鬥，突然又停止了下來。

七　金劍現江湖

兩位佩劍小童還劍入鞘，向後退了一步，但仍然攔在乾坤二怪的身前。

黃袍老者望了藍天義一眼，冷冷說道：「藍大俠準備把我們兄弟留在這裏麼？」

藍天義道：「不敢，但兩位來此的心願未償，怎能就此告別呢？」

目光又轉到那白衣人的身上，接道：「羊兄的大名，在下是聞慕已久，羊白子三個字，江湖上誰不敬仰，以你羊二爺的身分，如若和幾個童子動手，勝之不武，萬一不幸敗了，豈不是要貽笑江湖麼？」

羊白子原本慘白的臉上，此刻更顯得灰敗，如罩上一層冰霜，冷冷地說道：「這麼說來，藍大俠準備和兄弟較量一下了？」

藍天義淡淡一笑，道：「可以，不過羊兄要先打敗兄弟這些守門、送茶的小童！」

黃袍老人冷厲的眼神，掃掠了兩個佩劍童子一眼，冷然一笑，道：「想不到名滿天下的藍大俠，竟然利用這些心智尚未成熟的童子，做爲護院之人，豈不教天下英雄齒冷！」

藍天義道：「兄弟已開出了條件，諸位如不肯食用下赤練蛇，不但無法得知金頂丹書和天魔令的下落，只怕連離開此地，也不是一件容易的事了。」

無缺大師突然高宣一聲佛號，道：「藍大俠可知曉我們也帶有很多人手同來麼？」

藍天義道：「不錯，區區知道，所謂正大門派中人，以大師和玄真道長爲首，同行來此者，二十餘位，乘巨帆一艘，停泊江中。」

無缺大師點點頭，道：「藍大俠似是早已知曉消息了。」

藍天義道：「大師如何推想都好，藍某不願再多解說，可以奉告大師的是，大師等如是想憑仗那些高手趕援，只怕已是望梅止渴，難作指望了。」

無缺大師呆了一呆道：「那些人呢？」

藍天義道：「他們都很好，大師盡可放心。」

無缺大師道：「來人大都是各大門派中精銳，如若你藍天義敢傷他們一人，就算和當今各大門派結下了不解之仇。」

藍天義微微一笑，道：「在下在寒舍中靜坐，武林中黑、白兩道的高手，竟然都找上我藍某而來，那和我藍某人殺了很多人有何不同？」

無缺大師道：「老衲只希望藍大俠，要苦海回頭，交出金頂丹書，老衲可以保證，九大門派中人對你沒有惡意。」

藍天義道：「大師保證得太晚了，如是大師單獨來此，說明內情，在下或可奉上丹書，但大師卻不圖此策，率領了各大門派高手，趕來意圖威迫藍某，是麼？」

突然站起身子，舉步向外行去。

玄真道長正想移動身子阻攔，一個赤手空拳的童子，卻搶先一步攔在了玄真道長的身前，冷冷說道：「道長請回原位！」

那個小童，赤手空拳，站在玄真道長的身前，還不到玄真道長肩頭，不論何人，一眼望過，都有著勢不均、力不敵的感覺。

玄真道長一拂長髯，道：「小施主是想阻攔貧道麼？如是貧道不回原位呢？」

藍衫小童道：「那是道長誠心和小的過不去了。」

這面兩人對答，那面余三省卻低聲對君不語道：「君兄，這小童赤手空拳，不知習的什麼武功？」

君不語道：「照兄弟的看法，這些赤手空拳的童子，比那些佩劍小童更為可怕。」

余三省啊了一聲，未再多言。

藍天義似是想出去，但他目睹那藍衫童子和玄真道長引起了爭執之後，就停下腳步，未再移動。

玄真道長氣得長髯無風自動，冷冷說道：「小娃兒，你年紀輕輕，敢對我如此無禮麼？就算你一出娘胎就練習武功，也非貧道之敵手。」

藍衫童子道：「那倒不一定了，我如打你不過，至多丟了一條小命，如是你被我打上一掌，你就終身見不得人了。」

玄真道長輕輕咳了一聲，道：「你能打貧道一掌？」

藍衫童子道：「你可是有些不信麼？」

玄真道長回顧了無缺大師一眼，苦笑了一下，道：「大師，情勢迫人，貧道真想見識一下，這位小兄弟拳腳上的成就。」

無缺大師低宣了一聲佛號，未置可否。

玄真道長重重咳了一聲，道：「貧道開始行動了。」舉步向前行去。

那藍衫童子右手一抬，一掌擊向那玄真道長的小腹，那小童出手甚快，快的如電閃石火一般。

玄真道長似是也未料到，那童子出手如此之快，不禁心頭一震，疾快地向後退了一步。

那童子得理不讓人，向前欺進了一步，左手緊隨著右手，遞出了一掌。

這一掌出手更快，遠遠望去，欺身上步，雙掌並發一般。

玄真道長並無真的和那童子動手之心，正如那童子所言，如是自己勝了，勝得不武，如是自己被他擊中一掌，可是大爲羞愧的事，因此，只是施展身法，避開他的掌勢，讓他知難而退。

哪知那青衣童子出掌的快速，大大地出了他的意外，形勢迫人，玄真道長不得不出手接架，右腕一沉，五指抓向那藍衫童子的左腕。

這玄真道長，乃武當派中名宿，望重江湖，武功之強，早已名動武林，出手自是快似電閃。

但那藍衫童子，動作亦是快速無比，左手一收，避開掌勢，身子突然躍飛而起，一掌當頭壓下，擊向玄真道長的頂門。

這一擊，大出了廳中人的意料之外，也引起了全廳中人的注意，所有的目光，全都投注過來。

玄真道長一皺眉頭，右手一抬，迎著那藍衫童子拍出一掌。

但聞啪的一聲，雙掌接實。

只見藍衫童子，接著玄真推出的掌力，突然又向上升起五尺，懸空打了一個跟頭，呼的一

聲，從玄真頭上掠過。

就在那掠過玄真道長頭頂的當兒，突然一伸雙臂，平衡了一下身軀，雙足卻連環向後蹬出，分擊玄真道長的雙肩。

這一擊靈活神妙，只看得廳中人暗暗讚佩不已。

道長身子突然一個翻身，飄飄大袖，橫裏擊出。

原來，那藍衫童子打得太過刁滑，激怒了玄真道長，抽袖橫擊，發出了內力。

只聽那大袖拂擊出手，帶起了一股呼呼風聲，力逾千鈞。

只要那藍衫童子的雙腿，吃玄真道長衣袖擊中，非得筋斷骨折不可。

但見那藍衫童子伸直的雙臂，突然向後一揚，雙腿懸空又一個倒翻，雙掌卻快速絕倫地拍向玄真道長的雙肩。

玄真道長沉聲喝道：「天禽掌！」

喝聲中，雙手齊出，迎向那藍衫童子拍出的雙掌。

廳中人，聽得玄真道長，喝叫出「天禽掌」三個字，全都不禁爲之一呆。

原來那天禽掌法，乃是武林中一位奇人的獨門絕技，但那位奇人死去之後，這天禽掌法，也隨著失傳了，今天陡然在此出現，自是引人注意。

但見那藍衫小童懸空飛躍，有如巧燕穿簾，忽腳忽掌，攻向玄真道長。

玄真道長卻是雙足著地如樁，兩手不停地揮動，拒擋那藍衫童子的攻勢。

奇怪的是，那藍衫童子有如肋生雙翼一般，一連在空中飛舞不停，攻出四十餘招。

這時廳中之人，大都驚駭不已，暗道：「撇開這童子的掌法不談，單是這份輕功，就足以

驚世駭俗了。」

原來，那天禽掌法，奇異之處，就在換氣的地方，每當掌力和人相觸時，就借機換氣。一般人，不知個中的妙境，還以為他能有什麼特異的內功，不用換氣，永保身子的輕靈不墜。

且說玄真道長和藍衫童子，互拚了數十招，仍是個不勝不敗之局，這時，廳中群豪大都看得驚愕萬分，想不到一個十幾歲的小童，竟然能和武林中大大有名的玄真道長，搏鬥了數十招不見落敗。大廳中現有二十四個小童，無疑是二十四位絕世高手，如若每人都跟那童子武功一般高強，就算乾坤二怪和無缺大師等聯手拒敵，也無法抵擋這二十四個小童的合攻之勢。

突然聽得藍天義沉聲喝道：「住手！」

那搏鬥中的童子，突然懸空翻了兩個跟頭，輕飄飄地落在大廳門口的原位上。

聽他發出輕微的喘息之聲，顯然這一仗亦打得十分吃力。

玄真道長神情一片嚴肅，望了藍天義一眼，冷冷說道：「貧道等都錯估了藍大俠。」

藍天義道：「諸位錯估了我藍某人，還勞師動眾而來，如是估計正確，那將應該如何？」

玄真道長道：「我們把藍大俠看得太君子了，所以，才有這等君子之風。」

藍天義冷笑一聲，伸手抓起一條赤練蛇，目光一掠乾坤二怪和玄真道長，道：「在下再給諸位最後一個機會，如是諸位堅持不食此物，區區從此刻起，再不奉勸諸位了。」

乾坤二怪相互望了一眼，默然不語。

藍天義突然舉步向室外行去。

玄真道長距離廳門最近，只要橫跨兩步，就可以攔住了那藍天義的去路，但他心中明白，

只要自己一有舉動，立時將引起那守護在大廳門口的童子施襲，一個還可對付，如是他們群起而攻，那就很難應付了。

他心中這一猶豫，藍天義已然快速無比地行出了大廳。

無缺大師目光轉動，掃掠了廳中群豪一眼，肅容道：「諸位之中，哪些是專為拜壽而來？」

廳中群豪，大部份站起身子，齊聲應道：「我等專為拜壽而來。」

羊白子冷冷說道：「大師要幹什麼？」

無缺大師淡淡一笑，道：「今日之局，似是非有一場惡戰不可，這些祝壽之人，似是用不著捲入這場漩渦之中。」

羊白子冷冷說道：「大師很仁慈啊？」

無缺大師高聲說道：「諸位如是專為拜壽而來，我想那藍天義心中必然清楚，儘管放心的離開這座大廳了。」

廳中群豪，大部份舉步向外行去。

余三省低聲說道：「君兄，咱們是否也該離此？」

君不語微微一笑，道：「難得一見的熱鬧，兄弟不想失去一飽眼福的機會。」

余三省心中暗道：「君不語不肯離開大廳，大約是不致於有何危險了……」也就坐著未動。

這一來，方秀梅、張伯松、萬子常等也都坐著未動。

那些守護在大廳門口的童子，似是早已得到吩咐一般，任群豪魚貫出廳，沒有出手攔阻。

片刻之後，廳中群豪離開了大半，兄剩下十二位金匾提名之人，吳半風和乾坤二怪、無缺大師、玄真道長、高文超，及那位金蟬步的傳人。

藍家鳳突然站起身子，隨在群豪身後，舉步向廳外行去。

羊白子無聲無息地突然伸出手去，一把扣住了藍家鳳的右腕，冷笑一聲，道：「藍姑娘留這裏陪陪我們。」

藍家鳳怒道：「你說話放尊重一些。」

羊白子哈哈一笑，道：「令尊去了，姑娘該是廳中主人，豈能客人未散，主人全溜的道理？」

藍家鳳道：「放開我！」

羊白子冷冷說道：「在下不是憐香惜玉的人，姑娘最好識相一些。」

他口中雖然在對藍家鳳說話，兩道銳利的目光，卻盯注在廳門口處，那些藍衫白褲的童子身上。

只見那些藍衣童子，個個肅容而立，不見一點笑容。藍家鳳被人扣住脈穴，他們也是無動於衷，似是只對藍天義奉命唯謹，其他人全都未放在心上。羊白子擔心的就是那些藍衣童子出手，看他們肅立不動，心中頓時一寬。

這當兒，突聞身後傳出一聲冷喝道：「放開她！」

羊白子霍然回頭望去，只見一個英俊少年，站在身後，當下一皺眉頭，道：「閣下什麼人？」

那少年道：「在下高文超。」

羊白子道：「嗯！如是在下不放呢？」

高文超道：「閣下那就先和在下分個生死出來。」

突然向前踏進一步，道：「乾、坤二怪在武林之中，確有一點小名氣，在下有幸，能夠領教一、二？」

口中說話，右手一抬，疾快地拍出一掌。

羊白子右手一帶，藍家鳳身不由主地被他拖得橫行了兩步，正好擋住了高文超拍來的掌勢。

高文超右腕一擋，收回了掌勢，身子一側，斜上半步，右手疾快點出，攻向了羊白子的右肋。

羊白子疾快地向後退了半步，避開掌勢，舉拳按住藍家鳳的背心之上，道：「閣下如再攻我一招，我就震斷這丫頭的心脈。」

高文超呆了一呆，果然不敢再出手攻襲，口中卻道：「你如傷害她一根毫髮，我就斬你一條手臂下來。」

藍家鳳脈穴被扣，反擊無力，大聲說道：「高兄不用管我，放手攻他。」

高文超搖搖頭，道：「他真的會傷害你，那時，縱然取他之命於事何補？」

羊白子一皺眉頭，道：「你好像很有信心能殺了老夫。」

高文超冷冷應道：「我如殺不了你，就是你把我殺死。」

只聽那金蟬步的傳人冷笑一聲，道：「羊白子，高文超如是殺你不死，還有區區在下。」

羊白子回頭一顧，道：「喝！你又是何許人物？」

那少年冷漠一笑，道：「在下江曉峰，名不見經傳，你如不信，不妨試試。」一面說，一面舉步行了過來。

羊白子回顧了那黃袍老者一眼，轉望江曉峰道：「你是藍天義請來的幫手？」

江曉峰搖搖頭，道：「藍大俠交遊廣闊，怎會請在下這無名小卒助拳。」

藍家鳳兩道盈盈秋水，移注在江曉峰的身上，欲言又止。

羊白子突然哈哈一笑，道：「是了，你是爲藍姑娘來的？」

江曉峰道：「是又怎樣？」

羊白子望望藍家鳳，道：「玉燕子藍家鳳的確是美，無怪乎你們這些毛頭小伙子，個個都情甘效死，不過……玉人如花，笑靨傾城，但必須要她好好的活著。」

江曉峰道：「我不相信你有殺她的機會。」

羊白子臉色一變，道：「你可是想激我殺給你們瞧瞧？」

高文超突然踏前一步，舉起右掌，只見他右掌一片血光，鮮豔奪目。

羊白子道：「血手奇功。」

高文超神情肅穆，陰森地說道：「不錯。」

江曉峰右手緩緩從懷中摸出一把金色的短劍，道：「羊白子，放開藍姑娘。」

羊白子望了那金劍一眼，臉色突然一變，道：「奪命金劍。」

江曉峰道：「閣下果然是見多識廣的人物。」

廳中所有之人的目光，都投注在江曉峰手中的金劍之上，肅靜的大廳中，這時突然響起了一陣低語之聲。

原來，那奪命金劍，乃武林中極爲有名的惡毒兵刃之一，短劍用黃金合以精鋼製成，內藏機簧，搏鬥之間，只要一按劍柄機簧，金劍中暗藏的毒針，立時將激射而出，機簧力道奇強，射出的毒針，可達五丈開外，不論何等精深的內功，都難抗拒。

昔年這把金劍，在江湖之上，造成了一場震驚人心的大風波，因爲它太過惡毒，被稱爲奪命金劍，金劍一出，必有喪命之人。

武林中正道人物，都以此物太過惡毒，特以聯名傳柬，警告武林同道，誰要使用奪命金劍，就算是武林道上的公敵，人人得而誅之，而且不擇手段。

此信傳入江湖，金劍果然消聲斂跡，未再出現江湖之上，想不到，此時突然出現在藍府大廳之中。

目睹奪命金劍，不獨是羊白子心頭震駭，就是那玄真道長和無缺大師，也爲之心頭震動不已。

江曉峰揚揚金劍，道：「羊白子，我要你放開藍姑娘，聽到沒有？」

羊白子突然一帶藍家鳳的嬌軀，擋在自己身前，冷冷說道：「那奪命金劍中的毒針並未長眼，固然可以射中羊某，但也可以射中藍姑娘，閣下如是不想要藍姑娘再活下去，只管施放劍中毒針。」

江曉峰道：「這奪命金劍中暗藏毒針，見血封喉，我不信你中針之後，還有殺死藍姑娘的機會。」

羊白子冷笑一聲，道：「你未免太低估了乾、坤二怪，縱然劍中毒針，是天下第一等奇毒之物，但羊某相信，也可以支撐一個時辰，就算你毒針能夠控發自如，不中藍姑娘，但羊某只要一眨眼的時間，就可以震斷了她的心脈。」

江曉峰一揚劍眉，默默不語，顯然，羊白子幾句話，已然把江曉峰給唬住。

藍家鳳突然冷笑一聲，道：「哼！沒有骨氣。」

江曉峰道：「姑娘是罵在下下不了手？」

藍家鳳道：「你拿出奪命金劍，卻不敢施用，自然是沒有骨氣了。」

江曉峰道：「你生死控制於別人手中，我怎能和人動手？我怕他們傷了你的性命。」

藍家鳳道：「咱們一不沾親，二不帶故，我的死活，關你什麼事呢？」

江曉峰怔了一怔，道：「這個，這個……」

只見羊白子低聲對黃袍老者說道：「大哥，情勢有些不對，咱們早些離開這座大廳，這位藍姑娘的死亡威脅，既可制服住高文超和江曉峰，想來一樣可以威嚇住那些藍衣童子，人質在我們手中，不走更待何時？」

黃袍老者微一頷首，道：「賢弟開道。」

羊白子暗中一加手勁，藍姑娘頓有著骨疼如裂之感，但她生性倔強，強忍住未叫出聲。奇怪的是，那些藍衣童子，眼看小姐受人折磨，竟是一個個視若無睹，似乎那藍家鳳和他們是全然無關的陌生人。

藍家鳳緊咬牙關，不願使自己承受的痛苦形諸於外，而且神色還盡量保持著平靜，舉步向前行去。

只見兩個藍衣小童，突然向前兩步，攔住藍家鳳的去路，冷肅地說道：「站住！」

羊白子道：「你們認識她麼？」

兩個仗劍小童齊齊搖頭，道：「認不認識，都無關緊要，我們只聽主人令諭，如是未得主人吩咐，誰也不能離開這大廳一步。」

羊白子看兩個仗劍童子蓄勢待發，大有立刻動手之概，心中甚是驚愕，暗道：「看起來，藍天義已把這些小童訓練到除他之外，不再理會別人的境界了，這倒是一樁很麻煩的事了。」

心中念頭一轉，手上卻暗加力道，突把藍家鳳向前一推。

但見兩個攔路童子，齊齊一探右手，長劍電閃而出。但他們並未攻向藍家鳳，閃閃寒芒，卻指向藍姑娘身後的羊白子。

羊白子疾退一步，厲聲道：「你們如再妄攻一劍，我就先斃了藍家鳳……」

語聲未落，突見人影一閃，江曉峰已快若閃電而至，手中金劍，斬向羊白子的左腕。

羊白子左腕一沉，希望帶轉藍家鳳的嬌身以阻金劍。

只見兩絲冷風，迎面而至，襲向兩面太陽穴。羊白子的右手已被江曉峰的劍勢逼開，江曉峰手中金劍，仍掠襲左腕，兩個青衣童子的劍勢由下面向上施襲，羊白子雖有藍家鳳用做護身，但一時間也無法應付這三面攻來的劍勢。情勢迫急，只好一把放開了藍姑娘，疾快地向後退避三步。

江曉峰雙肩一晃，整個的身軀，陡然間橫移三尺，擋在羊白子的身前，冷冷說道：「羊白子，你現在沒有人質了，但不知還要如何威脅區區？」

羊白子右手在腰間一探，暗中鬆開扣把，抖出一條三尺二寸的白骨鞭。這是一種很奇怪的外門兵刃，不在十八件兵器之內。

名雖叫白骨鞭，其實和骨無關，是用精鋼合以白銀打成的四寸長短鋼筋，四面有棱，形如

骨節，中間以銀線合以髮絲把它連起。除了一個把柄之外，尚有七節鋼骨，連在一起，鞭尾處還加了一段鋒利尾梢，合共三尺二寸。

羊白子兵刃在手，膽氣一壯，道：「閣下既是想逼在下出手，看來今日，要閣下稱心如願了。」

江曉峰冷冷一笑，道：「在下也久聞乾坤二怪，雖已暫時息隱，但武功定然還在，待區區領教幾招，也好長長見識。」

一揚手中金劍，道：「閣下可以出手了。」

羊白子道：「慢著。這大廳中，人數眾多，地方狹小，要打，咱們就到大廳之外，好好的打它一個勝負出來。」

江曉峰淡淡一笑道：「主意很好啊！那就請閣下帶路吧。」

羊白子本想討巧，想他年輕人血氣方剛，被自己一激，定然去轉身開道，哪知江曉峰卻不吃這套，反咬了一口，使得羊白子怔了半晌，才道：「閣下一轉身，就是廳門，為何要在下帶路？」

江曉峰冷冷說道：「給你留臉，你既然不要，在下只好拆穿你的陰謀了。」

語聲微微一頓，接道：「在下開道，這些守門的童子定然不放，在下如不能忍下這口氣，是非和他們動手不可了，閣下可以隔岸觀火，坐收漁人之利了？」

羊白子咳了一聲，道：「閣下年紀不大，心機卻是很深啊！」

江曉峰冷笑道：「你遲遲不敢出手，大約是害怕在下施放奪命金劍中的毒針，取你之命。」

仰天打個哈哈，接道：「但你可以放心，我要憑真實武功勝你，要你輸得口服心服，不過，條件是，你要和在下單打獨鬥，如是有人相助，那在下就要施放毒針傷人了。」

羊白子一生縱橫江湖，幾時受過這等羞辱，暴喝一聲，道：「不要賣狂，先接我一鞭。」七節白骨鞭，挾著一陣銳嘯，兜頭劈下。

江曉峰一晃雙肩，巧快無比地閃在羊白子的身後。

羊白子一鞭落空，心頭一震，一提氣，陡然向前衝進五尺，右腕一帶，白骨鞭「神龍擺尾」，疾向身後掃去。

江曉峰身法的奇奧，羊白子應變的快速，同使廳中人爲之敬佩不已。

羊白子白骨鞭回掃出手的同時，人也同時轉過了身子。

但見江曉峰金劍疾起，噹的一聲，震開了羊白子的白骨鞭，人卻隨著出手的金劍，一個快速轉身，欺到羊白子的身前，右手一抬，金劍直刺胸前。

如若江曉峰此刻按動機簧，射出毒針，羊白子武功再高十倍，也難逃得此劫。

羊白子的白骨鞭已被江曉峰封到外面，已然無法用做封架對方的兵刃之用，只好一提真氣，橫跨兩步。

但見江曉峰身子一轉，金劍仍然指在羊白子前胸之上。

羊白子身子連閃，左躍右進，希望讓開那江曉峰指在前胸之上的金劍。

哪知江曉峰有如附身之影，但見他雙肩晃動，身子動作奇快，不論羊白子如何閃避，都無法逃過那指向前胸的金劍。

片刻工夫，羊白子蒼白的臉上，汗水滾滾而下。

只見那黃袍老者右手一抬，一道寒光，由袖中疾飛而出，疾向江曉峰射了過去，口中卻大聲喝道：「住手。」

口中喝著，飛出寒芒已然指向江曉峰的背心。

藍家鳳尖聲叫道：「小心暗算！」

江曉峰陡然一個急轉身，讓過襲向背心的寒芒，人卻從藍家鳳身側急閃而過，低聲說道：「多謝姑娘。」

藍家鳳只覺那江曉峰口中的熱氣，直撲在粉頰上，心中忽然一跳，不禁轉臉望去，只見江曉峰停身在五尺以外，臉上泛現出微微笑意，似乎是藍家鳳那一句小心暗算，給了他無比的安慰。

那黃袍老人右腕一挫，把射出的寒芒，重又收回袖中。

他收發的速度太過迅快，廳中大部份人，瞪著一雙大眼睛，都未看清楚他用的什麼兵刃。

那黃袍老人，似乎是生怕江曉峰先行質問，搶先說道：「朋友適才用的身法，可是絕傳江湖的金蟬步麼？」

江曉峰淡淡一笑，道：「不錯，閣下有何見教？」

黃袍老人道：「金蟬步乃武林中最為奇奧的輕功，區區今日，算是開了一次眼界。」目光轉到無缺大師的臉上，接道：「大師，區區有幾句話，想和大師談談，不知大師是否願聽？」

無缺大師道：「老衲願聞。」

黃袍老者道：「藍天義把咱們困於這座大廳之中，既不下令圍攻，卻又不讓咱們離開，大

師可知他用心何在麼？」

無缺大師四顧了一眼，道：「這座大廳並非是銅牆鐵壁，這就叫老衲想不明藍天義用心何在了。」

黃袍老者接道：「眼下廳中之人，除了大師、玄真道長及我們兄弟外，不是藍天義的屬下，就是他的朋友，敵我形勢，一目了然，咱們如欲求生，只有一途可循。」

無缺大師道：「願聞高見。」

黃袍老者道：「捐棄門戶之見，攜手合作，合則生機大增，分則兩敗俱傷，區區言出衷誠，不知大師和道長意下如何？」

無缺大師沉吟了一陣，道：「如何一個合作之法？」

黃袍老者道：「不管那藍天義打算如何，咱們先合力破圍而出，脫此圍困之後，爲敵爲友，悉憑尊便。」

無缺大師滿臉爲難之色，良久答不出一句話來。

原來，無缺大師和玄真道長，都是望重武林的人物，如是和乾坤二怪合作禦敵，日後傳出江湖，不但兩人的名望大受影響，就是少林和武當兩派，也將因而蒙羞，但目下形勢，卻又是凶險萬分，四人合作，也未必能夠穩操勝算，如再相互爲敵牽制，自是必敗無疑。

回目望去，只見玄真道長雙眉緊皺，顯然，也在用心思索此事。

良久之後，才聽無缺大師長長吁一口氣，道：「合作倒不必了，但兩位如要衝出大廳時，老衲等願相配合，咱們一齊動手，但卻各行其是，我們遇險，不用兩位相助，如是兩位遇險，我們也不幫忙。」

黃袍老者哈哈一笑，道：「好！我們準備立時破圍而出，不知大師和道長意下如何？」

無缺大師道：「老衲等也不想在此多留了。」

這一句話，無疑答應了乾坤雙怪，和他們配合出手。

黃袍老者雙目神光一閃，高聲說道：「藍天義，我們要衝出去了。」舉步向廳門行去。

無缺大師、玄真道長，也同時舉步而行。

但聞一陣沙沙之聲，守在大廳門口的藍衣童子，由八個抽出長劍，分成兩批，四個圍向乾坤雙怪，四個圍向無缺大師和玄真道長，另外四個佩劍童子，卻一排擋在大廳門口之處。

十二個徒手童子，卻疾快地散佈在大廳四面，顯然，是準備防止乾坤二怪和無缺大師等破壁而出。

玄真道長右手一探，抽出長劍，無缺大師雙手探入懷中，取出一對銅鈸，但卻同時停下了腳步。

乾坤二怪並肩而立，兩人相距三尺左右，擺成了迎敵的陣勢。

但那八個執劍童子，也未再向前欺進，似是用意只在攔阻幾人，不讓他們出此大廳，雙方形成了一個對峙的局面。

玄真道長高聲說道：「藍大俠！」

但聞一聲冷笑，人影閃動，藍天義陡然在大廳門口出現，冷冷接道：「道長有何見教？」

玄真道長道：「你用心何在？既不和我等動手，又不放我等出此大廳？」

藍天義淡淡一笑，道：「道長稍安勿躁，日落時分，在下就撤出廳中防守，恭送諸位離此，如是諸位想在日落之前出廳，只有憑藉武功，闖出藍宅了。」

語聲微微一頓，接道：「不過，兵刃無眼，各位都是成名江湖的人物，萬一有了什麼樣閃失，不但一世英名盡付流水，說不定還將丟掉性命。」

玄真道長道：「爲什麼要日落時分，才放我等離開呢？」

藍天義道：「在下不願回答此事。」

無缺大師道：「藍施主，目下局勢，還未到不可挽回之境，只要你肯交出金頂丹書，老衲願爲你在天下英雄面前開脫，此事關係重大，你要多思多想，一旦造成難以挽回之局，恐將連累到你妻子兒女。」

那黃袍老者望了玄真道長和無缺大師一眼，輕輕咳了一聲，道：「藍天義，天下正大門戶，已無法容你存身，此後，九大門派，和那些自命俠義道上的人物，都將和你爲敵，無缺大師說得不錯，你必得有一選擇才成，咱們黑道中人，講究的是朋友義氣，一諾千金，在下也要奉勸藍兄一句，你要多思多想啊。」

藍天義道：「諸位的盛情，藍某人十分感激，不過，在下已經想得很清楚了……」

一拂長髯接道：「兄弟也想奉勸幾位，你們和我十二劍童硬拚，諸位的勝算不大，何況還有十二位飛龍童子助戰。」

玄真道長道：「你認爲你訓練的這十二個劍童，和十二個飛龍童子，就可以橫行天下，沒有敵手了麼？」

藍天義道：「如若藍某人，早有雄霸天下之圖，豈會有今日這等局面？」

玄真道長道：「那你訓練這十二劍童，和十二位飛龍童子的用心又何在呢？」

藍天義道：「一則在下想求自保，二則在下想求證一下，前輩高人留下的武功……」

重重咳了一聲，道：「在下說話已經夠多了，對諸位，我已算仁盡義至，從此刻起，在下不願和諸位再談此事了。」

言罷，突然轉身而去。

余三省低聲對君不語道：「君兄，藍大俠強迫玄真道長、乾坤雙怪等留在此地，用心何在呢？」

君不語神情嚴肅地說道：「他要在日落之前辦一樁大事。」

余三省道：「什麼事？」

君不語道：「在沒有確證之前，在下不敢妄言。」

余三省皺皺眉頭，低聲說道：「在下還有一事，想請教君兄？就是那周兄、商兄，兩人究竟是何人所傷？看起來不像是乾坤雙怪，也不像是血手門中人所為。」

君不語道：「可能是藍天義。」

余三省先是一怔，繼而點點頭，道：「不錯，不錯。」

兩人接耳輕語，說話的聲音很低，雖是同桌之人，也沒有幾人聽到。

只聽君不語長長吁一口氣，道：「日落之前，定有大變，看情形，咱們捲入這場漩渦中了。」

余三省道：「君兄之意，可是說那藍天義也會對我們下手麼？」

君不語道：「很難說！目下這大廳中人，表面上看起來，似乎是無意中集會於此，其實呢？這都是藍天義有計劃的安排，凡是他不想利用的人，都未請入此廳，進入此廳的人，都是他計畫中的人物了。」

余三省道：「他準備把我們如何安排呢？」

君不語道：「如何安排，兄弟無法預知，但有一點，兄弟可以斷言，他不會殺我們。」

余三省抬頭望了玄真道長等一眼，道：「君兄看無缺大師等四人，是否能夠破圍而出呢？」

君不語搖搖頭，道：「不可能，無缺大師、乾坤二怪，很可能忍下胸中之氣，等到日落之時，再作決定，就算他們動手，也不是十二劍童之敵，亦將知難而退。」

只聽玄真道長說道：「大師，咱們索性多等一陣如何？」

無缺大師望望院中天色，道：「還要兩、三個時辰之久。」

玄真道長道：「貧道想不出，藍天義爲何要咱們多等上幾個時辰？」

只聽吳半風縱聲而笑，聲震全廳。

羊白子望了吳半風一眼，冷冷說道：「有什麼好笑的，閣下有本領，何不試試看能否衝出大廳。」

吳半風停下了大笑之聲，道：「朋友何必火大呢？咱們眼看就要共事一主了。」

淡淡兩句話，使場中人個個震動。

一時間，所有的目光，都投注在那吳半風的身上。

無缺大師道：「施主可否再說清楚一些？」

吳半風道：「我已經說得很明白了，如是咱們不想死，都得聽那藍天義之命。」

笑語追魂方秀梅突然站起身子，大步向外行去。

余三省眼看她站起身子，直向外面行去，不禁心頭大駭，急急叫道：「方姑娘意欲何往？」

方秀梅淡淡一笑，道：「賤妾頗有自知之明，以無缺大師、玄真道長等高手，都不肯涉險破困，衝出大廳，賤妾如何能夠有此妄念？」

余三省輕輕歎息一聲，道：「那姑娘意欲何往呢？」

方秀梅道：「賤妾感覺到情勢有些不對，想和藍姑娘談談。」不再理會余三省，轉身逕向藍家鳳行了過去，說道：「藍姑娘。」

藍家鳳望了方秀梅一眼，道：「老前輩有何見教？」

方秀梅淡然一笑，道：「我雖和令尊相識，但咱們還是各交各的朋友，老前輩這三個字叫我愧不敢當了！」

語聲一頓，接道：「大姊姊心中有件事不明白，想和藍姑娘談談如何？」

藍家鳳略一沉吟，道：「好吧！晚輩洗耳恭聽。」

方秀梅四顧一眼，只見左首五尺左右處，有一桌空了的酒席，低聲說道：「咱們到那面空桌上坐坐如何？」

藍家鳳點點頭，緩步行了過去。

這時，大廳中人的目光，都投注在兩人的身上。

方秀梅我行我素地緊隨藍家鳳身側落座，低聲問道：「姑娘，這是怎麼回事？」

藍家鳳搖搖頭，道：「晚輩也是一片茫然。」

方秀梅道：「咱們這番談話，全屬私誼，姑娘如是知曉內情，還望見告一、二。」

藍家鳳輕輕歎息一聲，道：「我也覺著有些奇怪，爹爹遣人，分出四面，接受了壽禮，卻

令送禮之人中途折回。」

方秀梅四顧了一眼，道：「但這廳中之人，為何又能夠進入藍府中來呢？」

藍家鳳道：「這就是晚輩不解的地方了。」

方秀梅道：「是不是令尊有意讓這些人進入貴府，參與今日之會？」

藍家鳳道：「唉！也許因為這些人，都是家父的知友，也許因廳中這些人，都是武功高強之士，家父遣出的人手，不敢攔阻，所以……」

方秀梅神情凝重地說道：「姑娘，照大姊姊我的看法，令尊似是有意的讓這些人都進入藍府中來，而且，所有進入藍府中的人，似是都在他名單之內。」

藍家鳳長長吁一口氣，道：「這個麼？晚輩也不太明白。」

方秀梅低聲說道：「那令尊訓練這十二個劍童的事，姑娘是否早已知曉呢？」

藍家鳳搖搖頭，道：「不知道。」

方秀梅道：「這麼說來，令尊很多隱密，從未對姑娘說過了？」

藍家鳳道：「那有什麼不對，爹爹就算真有很多隱密，那也不一定要告訴我這做女兒的啊！」

方秀梅道：「姑娘說得不錯，但像此等大事，情勢就不同了，這不但關係著令尊的一世俠名，而且也關係著你們藍家的身家性命，我們十二人提名送匾，對令尊敬慕之重，可算得無與倫比……」

輕輕歎息一聲，接道：「其實，又何止我們十二人呢？整個武林道上，提起令尊之名，又有誰不欽敬？」

藍家鳳道：「現在呢？」

方秀梅道：「現在，我們對令尊的敬重，開始動搖，需知，一個人在武林中立足，為人推崇，武功只是原因之一，最重要的，還是那種崇尚仁俠的精神。」

藍家鳳淡淡一笑，道：「爹爹的事，我知曉有限，咱們再談也談不出什麼名堂了。」站起身子，舉步行去。

方秀梅沉聲道：「藍姑娘……」

只見藍天義快步行入大廳，接道：「方姑娘有何見教，只管對區區說吧？鳳兒年紀輕，不懂事，自然無法回答姑娘了。」

方秀梅淡淡一笑，道：「這十幾年來，賤妾對藍大俠一直是敬重無比，常語武林同道，放眼當今之世，藍兄才當得第一俠人。」

藍天義道：「好說，好說，姑娘太推重我藍某人了。」

方秀梅接道：「但今日藍兄所為之事，卻使賤妾不解。藍兄把這多英雄、俠士，困於這大廳之中，既不加害，也不放行，不知用心何在？」

只見藍天義淡淡一笑，道：「方姑娘問得好，不過，在下也要反問姑娘一句話，如若姑娘是我藍某人，你又應該如何？」

方秀梅怔了一怔，道：「這個麼？賤妾覺著應該講說清楚，然後，再尋找一個解決的辦法。」

藍天義道：「正邪兩派高手，都找上藍府中來，一要金頂丹書，一要天魔令，在下如若不肯交出，誓必不肯干休，這不是逼我藍某人反擊？」

方秀梅道：「藍大俠準備如何對付這些人呢？」

藍天義道：「我藍天義確實保有金頂丹書和天魔令，但我藍某人並非是巧取豪奪得來，也沒仗那金頂丹書和天魔令爲害江湖，想不到，黑、白兩道上人，竟然同時不能容得我藍某人，那是逼我採取先發制人的辦法了。」

方秀梅道：「看起來，藍大俠似是已胸有成竹了？」

藍天義道：「也可以這麼說吧！數年之前，在下也曾想到此事，因此，訓練了十二劍童，和十二個飛龍童子，這才是我藍某人最可靠的本錢。」

方秀梅道：「那是說，你藍大俠過去交往的朋友，都不可靠了？」

藍天義冷冷說道：「譬如你方姑娘吧，現在已有不服我藍某人的用心了。」

方秀梅道：「就事論事，你藍大俠目下這等作爲，實在有些叫人難服。」

藍天義道：「在下早已計此，所以，我也沒有借重諸位之意。」

方秀梅道：「那麼，可以放我們走了。」

藍天義沉吟了一陣，道：「這個麼？容在下想想再答覆姑娘如何？」

語聲微頓，突然變得神色十分嚴肅，接道：「方姑娘，在下已經回答很多了，從此刻起，不論姑娘再問什麼，請恕在下不再回答了。」

目光轉動四顧了大廳群豪一眼，緩緩接道：「老夫原想讓幾位多等上幾個時辰，但想不到黑、白兩道上的高手，竟然是不堪一擊……」

無缺大師和那黃袍老者，同時失聲驚叫，道：「什麼？」

藍天義淡淡一笑，接道：「四位帶來的高手，已爲老夫擊潰了，除了死傷之外，大都已爲老夫屬下生擒。」

玄真道長道：「藍天義，你真要和天下英雄作對麼？」

藍天義道：「情勢逼人，那也是無可奈何之事。」

目光投注無缺大師的臉上，接道：「大師在少林寺中，雖然位極清高，但總不如那掌門人的身分顯耀，如是大師肯和藍某人合作，藍某人願支持大師，接掌少林掌門之位。」

無缺大師冷哼一聲，道：「你胡說些什麼？」

藍天義也不生氣，目光轉到玄真道長的臉上，道：「道長也是一樣，如肯和藍某人合作，藍某一樣願支持道長，接掌武當門戶。」

玄真道長道：「本門中自有清規，豈是任何人可以接掌門戶，貧道性若野鶴閑雲，藍大俠別妄想以掌門之位，誘動貧道之心。」

藍天義冷笑一聲，道：「兩位是敬酒不吃吃罰酒了？」

八　奇毒困群豪

但聞白衣人一掌拍在桌子上，道：「老大，咱們坐在這裏不是辦法，他既是不肯交出天魔令，咱們可以走了。」站起身子，大步向外行去。

藍天義回顧了那白衣人一眼，靜坐在原位上不動。

白衣人剛剛向前行了兩步，突見人影一閃，兩個佩劍童子，橫身攔住了去路。

白衣人怒道：「乳臭未乾、捧茶送菸的小童，也敢攔阻羊二爺的去路麼？」

兩個佩劍童子臉色一片嚴肅，道：「沒有主人之諭，你最好別妄動一步，免得小的們開罪佳賓。」

君不語輕輕歎息一聲，道：「可怕啊！可怕！」

余三省道：「什麼事？」

君不語道：「藍天義已把這些小童訓練得冷靜如斯，必是魔道劍功。」

無缺大師突然高宣一聲佛號，道：「藍施主有些什麼手段，儘管施展出來，如想以厚祿重利，引誘我等，都是做白日夢。」

藍天義道：「既是如此，藍某人也不客氣了。」舉起雙手，互擊三掌。

這三掌顯然是一種暗號，群豪心中都認爲，是指示那十二劍童和十二個飛龍童子，出手圍

襲，但那些童子竟然是各立原地，動也不動一下。
玄真、無缺和乾坤二怪，個個凝神戒備，蓄勢待敵。
大廳中一片靜寂，靜得聽不到一點聲息。
突然間，藍天義縱聲大笑起來，聲如龍吟，敞廳回鳴，盡都是一片大笑之聲。
無缺大師一皺眉頭道：「你笑什麼？」
藍天義陡然停下了大笑之聲，回頭望著室外，道：「藍福，時刻到了麼？」
只見藍福大步行了過來，道：「到了。」
藍天義點點頭，目注群豪，緩緩說道：「諸位都是武林中的菁英，藍某人豈忍殺害。」
羊白子冷冷接道：「你就算能夠殺了我們，這十二劍童也要大半傷亡。」
藍天義道：「在下此刻要殺諸位，實是不費吹灰之力，不信的話，各位不妨運氣試驗一下，看看有什麼不同的感受。」
這句話大出了群豪意料之外，不自覺地各自運氣相試。
這一試，頓使廳中群豪失色。
原來，每人都覺著內腑之中，中了奇毒，一運氣，內腑奇疼不止。
無缺大師臉色一變，道：「藍天義，你什麼手段都能夠用得出來！」
藍天義道：「在下如不用毒，今日勢必要有一場慘烈絕倫的搏殺了。」
突然舉步向羊白子行了過去。
羊白子右手一抬，白骨鞭突然疾掃出手，橫向藍天義拍了過去。
藍天義突伸左手，抓住了白骨鞭，飛起一腳，把羊白子踢了一個跟頭。

那黃袍老者右手一揮，哪知掌勢擊出時，突覺內腑一疼，劈落的掌勢，完全失去勁道，吃藍天義一指點中穴道，仰面摔倒。

藍天義收拾了乾坤二怪之後，緩步行到無缺大師和玄真道長身前，笑道：「兩位在江湖上，身分十分崇高，最好不要當場出醜。」

玄真道長已知內腑中毒，無能還擊，仰天一歎，道：「罷了，罷了。」舉劍向頸上抹去。

藍天義出手如電，一把搶過玄真道長手中寶劍，順手一指，點中了玄真的穴道。

無缺大師右手一抬，銅鈸脫手，直對藍天義飛去。

但他真氣無法提聚，右手銅鈸飛出，毫無力道。

藍天義微微一笑，抬手接住飛鈸，道：「大師不聽在下良言忠告，那就休怪在下無禮了。」右手揮出，點中了無缺大師的穴道。

黑白兩道中四大高手，在藍天義舉手投足間，全被制服，大廳中人，都不禁爲之臉色一變。

奇書生吳半風突然微微一笑道：「藍大俠，區區有一事想不明白，不知可否請教一下？」

藍天義道：「吳兄有何見教，藍某洗耳恭聽。」

吳半風道：「藍大俠幾時下的毒，兄弟怎麼一點也未瞧出來。」

藍天義道：「奇毒就在那赤練蛇身上，諸位不覺之間……」

吳半風道：「我明白了，每當那毒蛇蠕動，毒粉就飄飛而出，借那毒蛇本身的腥臭，作了掩護。」

藍天義道：「不錯，還有諸位在動手之時，同樣能震飛起盤內的毒粉。」

吳半風目光四顧了一眼，道：「如今無缺大師、玄真道長和乾坤二怪，都已爲藍大俠所制服，此廳之中，大約是再無人出面和你藍大俠抗拒了，藍大俠的用心，也可以說明了。」

藍天義點點頭，道：「好，就是吳兄不問，兄弟也要給諸位說明。」

藍天義輕輕咳了一聲，道：「這數十年來，兄弟的爲人如何？諸位心中都很明白，但兄弟今日的處境，是被人逼迫到這等境界，我爲了自保，不得不作此準備。」

吳半風道：「經過之情，我們都已了然，我們希望聽聽藍大俠的用心何在？」

藍天義道：「目下江湖上的黑、白兩道，都已不容我藍某人了，藍某人爲了求自保，只有借重幾位了。」

余三省突然接口說道：「如何一個借重之法呢？」

藍天義淡淡一笑，道：「很簡單，諸位從此之後，聽我藍某人之命。」

余三省道：「藍大俠之意，可是說要我等從此做爲藍大俠的從人麼？」

藍天義道：「給兄弟幫幫忙。」

余三省道：「如是我等不願留此，是否可以告別呢？」

藍天義搖搖頭，道：「諸位可以不來，既然來了，再出去，只怕有些不妥！」

方秀梅接道：「藍兄之意，可是我等被囚於此了？」

藍天義道：「你們都是我的朋友，藍某不能藏私，我要先行把話說明，你們所中藥毒，如不服用解藥，十二個時辰，即將毒發身死。」

方秀梅道：「如何一個解除之法？」

藍天義道：「我給各位解藥服用，但卻要留下各位的武功。各位既不甘心爲我所用，至少也不應該和我作對，是麼？」

方秀梅輕輕歎息一聲，道：「好惡毒的手段。」

藍天義冷笑一聲，提高聲音，道：「任何人不願留此，儘管離開大廳。」

方秀梅回顧了余三省一眼，道：「余兄，小妹試試看。」舉步向外行去。

藍天義道：「姑娘要解藥麼？」

方秀梅道：「不要，我要它毒發身死，也不願留下武功。」

藍天義冷冷地瞧了方秀梅一眼，道：「方姑娘。」

方秀梅人已經走到了大廳門口，聞言停下腳步，回過頭來，緩緩說道：「藍大俠可是改變了主意麼？」

藍天義道：「藍某被迫，起而自衛，姑娘這數十年來，對我藍某一直不錯……」

方秀梅接道：「藍大俠錯了，過去我是敬重你的爲人，覺著你俠義爲懷，的確值得我的尊敬，但你藍大俠留在我心目中的完美印象，今日已然完全的毀去，賤妾不敢責備你藍大俠心機陰沉，只怪我們認人不明……」

藍天義仰天打個哈哈，接道：「方姑娘，如若我藍某當真是心地惡毒的人，就憑你這幾句話，藍某人立時要取你性命。」

方秀梅格格一笑，道：「毒發身死也是死，死在你劍下也是死，賤妾對生死之事早已置之度外了，藍大俠不用威脅賤妾。」

藍家鳳突然開口說道：「爹爹，方老前輩既不願留此，不如讓她去吧！」

藍天義點點頭，一揮手，道：「方姑娘不聽我藍某之言，儘管請便吧！」

方秀梅不再多言，舉步向廳外行去。

那守在大廳門口的劍童，似是已知主人心意，任那方秀梅步出大廳，並未出手攔阻。

方秀梅人稱笑語追魂，在武林之中的聲譽，本不太好，但這一次，卻是膽驚群豪，廳中之人，無不對她敬佩萬分。

所有人的目光，都投注在方秀梅的背影之上，目睹她緩步而去。

方秀梅舉步行出大門，回頭望了那「江東第一家」的金字橫匾，長歎一聲，轉身而去。

她信步而行，心頭充滿著激忿，臉上是一片茫然，不知過去了多少時間，突聞身後有人叫道：「前面是方姑娘麼？」

方秀梅回頭望去，只見江曉峰快步行了過來，不禁一皺眉頭，道：「藍家鳳替你講了情，藍天義放你出來了，是麼？」

江曉峰搖搖頭，道：「在下憑仗著金蟬步，和手中一把劍，闖了出來。」

方秀梅精神一振，道：「藍天義沒有下令追你？」

江曉峰道：「在下傷了他們四個劍童，打了藍福一掌，破圍而出。」

方秀梅抬頭望了來路一眼，不見有人追蹤，心中稍稍一寬，道：「那很好，咱們得快些走。」

江曉峰輕輕歎息一聲，道：「咱們只能活十二個時辰，藍天義不會再派人來追咱們了。」

方秀梅道：「也許藍天義故意嚇唬咱們的。」

江曉峰接道：「在下已然運氣試過，那奇毒確已侵入了內腑，而且在下身上還帶有解毒靈

丹，已然試行服過……」

方秀梅接道：「效用如何？」

江曉峰道：「全然無效……」語聲一頓，接道：「咱們必須要在十二個時辰之內，找到療治奇毒的高人，才能活命，不過，這希望太渺茫了。」

方秀梅輕輕歎息一聲，道：「我倒是知曉有一個善療奇毒的高人，只是那地方太過遙遠，十二個時辰，無論如何也來不及。」

江曉峰道：「你說的是什麼人？」

方秀梅道：「九華山青溪谷公冶黃醫道絕世，只要人不斷氣，大概他都能療治。」

江曉峰道：「九華山太遠了，就算咱們十二個時辰一刻不停，也無法如限跑到。」

方秀梅道：「江相公準備如何呢？」

江曉峰苦笑一下，道：「只有十二個時辰，看來咱們很難求得療治之法，不過，在下要找一個隱密之地去死……」

方秀梅道：「唉！你那奪命金劍，如若再落到藍天義的手中，那就如虎添翼了。」

江曉峰道：「所以，在下必須找一個隱密的所在去死，最好那地方靠近江邊，在下在毒發之前，也好把奪命金劍投入江中。」

方秀梅道：「方圓數十里內，遍佈著藍天義的耳目，咱們到哪裏，都很難逃出他的監視。」沉吟了一陣，接道：「就賤妾所知，只有一個地方，可能沒有藍天義的耳目。」

江曉峰道：「什麼地方？」

方秀梅道：「是一座農舍，距此約十里左右。」

江曉峰道：「好吧！咱們趕去瞧瞧，如是不成，再另找一處。」

方秀梅道：「賤妾帶路。」放腿向前奔去。

江曉峰緊追在方秀梅身後而行。

方秀梅地勢甚熟，穿林越野，盡都是走的捷徑。

大約有頓飯工夫，到了一座茅舍前面。這座茅舍，孤處於荒野一片菜園之中，四周再無人家。

江曉峰抬頭看去，只見竹籬環繞，柴扉緊閉，四下不見人蹤。

方秀梅四顧了一眼，低聲說道：「咱們越籬而入。」

一提氣，身軀陡然離地而起，躍飛起一丈多高，越過竹籬。

江曉峰舉步一跨，緊隨方秀梅的身後，越過了竹籬之內，是一片五丈方圓的院落，地上青草如茵，四周種了很多花樹。

看院中形勢，這菜園主人，似是一位隱居於此的雅人。

只見方秀梅踏草而行，直到廳門前面，舉手扣動門上銅環。

但聞木門呀然而開，一個白髮老嫗，緩步而出。

那老嫗雖然白髮如霜，但臉色紅潤，穿一件藍布對襟大褂，打量了方秀梅和江曉峰一眼，道：「兩位找什麼人？」

方秀梅道：「有一位潘世奇潘老前輩，可是住在此地麼？」

那老嫗答非所問地道：「柴扉未開，兩位是如何進來的？」

方秀梅道：「我等有要事，急欲求見潘老前輩，故而越牆而入，失禮之處，還望大量海涵。」

那老嫗嗯了一聲，道：「姑娘貴姓，找那潘世奇有什麼事？」

方秀梅道：「晚輩方秀梅，和潘老前輩有過數面之緣……」

只聽室中傳出了一個蒼老的聲音，道：「方姑娘，你怎會想起來我這個田園中人，快些請進來吧！老夫小恙未癒，不能迎出室外了。」

那白髮老嫗一閃身，讓開了過路。

方秀梅舉步行入室中，只見一個身披棉袍、手執竹杖的老者，緩緩由內室中行了出來。

方秀梅凝目望去，那老人果然是一臉病容，立時欠身一禮，道：「不知潘老前輩染恙，一直未來探視……」

潘世奇微微一笑，道：「險期已過，看來，老夫又有幾年好活了。」

目光一掠江曉峰，道：「這位是……」

江曉峰一抱拳，道：「晚輩江曉峰。」

潘世奇從未聽說過江曉峰的名字，不由啊了一聲道：「兩位請坐。」

方秀梅回顧著江曉峰，道：「潘老前輩也是武林高人，只因厭倦江湖紛爭，才息隱田園，不問江湖是非。」

潘世奇道：「老夫自知學藝不精，難以和人在江湖上互爭短長，退息田園，種菜度日。」

方秀梅道：「老前輩太自謙了。」

潘世奇目光突然轉到那白髮老嫗身上，說道：「二娘，客人來了，替我們弄點酒菜去

吧。」

那白髮老嫗點頭一笑，轉身入廚而去。

潘世奇先在一張竹椅之上坐下，方秀梅、江曉峰，才隨著落座。

潘世奇兩道目光，凝注方秀梅的臉上，瞧了一陣，道：「姑娘，咱們十年沒見了吧？」

方秀梅輕輕歎息一聲，道：「十多年了。」

潘世奇道：「姑娘到此，必然有事，還請明說了吧！」

方秀梅略一沉吟，道：「不敢欺騙老前輩，晚輩身中奇毒，恐難再活過一日夜，特地前來向老前輩辭別。」

潘世奇怔了一怔，道：「你中的什麼毒？」

方秀梅搖搖頭，道：「不知道，反正是一種很厲害的毒藥，人中之後，很快就滲入了內腑。」

潘世奇道：「什麼人下的毒手？」

方秀梅道：「說起來，只怕老前輩也無法相信，下毒人，乃是晚輩一向敬重的藍天義。」

潘世奇道：「藍天義？姑娘的神智沒有錯亂麼？」

方秀梅道：「晚輩很清醒。」

目光一掠江曉峰，接道：「這位公子，和晚輩一般，都為藍天義施用奇毒所傷。」

潘世奇手拍腦袋，說道：「奇怪呀！奇怪呀！」

方秀梅道：「老前輩奇怪什麼？」

潘世奇道：「世人大都知道姑娘的為人，才送了你一個笑語追魂的綽號，但老夫卻深知方

姑娘的爲人，你的話我是不能不信，不過，姑娘說那藍大俠在你身上下毒，這件事，倒是叫老夫難以相信了。」

方秀梅淡淡一笑，道：「我說的都是實話，信不信那是你的事了。」

潘世奇沉吟了一陣，道：「可要老夫爲你效勞麼？」

方秀梅道：「你會療毒？」

潘世奇雙目盯注在江曉峰的臉上，瞧了一陣，道：「老夫新近學會了醫道，但不知能否療治你們身受之毒。」

方秀梅搖搖頭，道：「你不成，藍天義用的毒，豈是輕易能夠解得。」

潘世奇淡淡一笑，道：「在下的醫道，的確不成，不過，賤內的醫道，倒是不錯，姑娘如若肯相信賤內，不妨要她瞧瞧。」

方秀梅道：「晚輩此來，只想奉託一些後事，如若能夠療治毒傷，那是意外之喜了。」

潘世奇道：「等賤內完了廚下工作，我就替諸位講一聲，看看她是否願意。」

江曉峰心中大感奇怪，二娘既是他的妻子，豈有不肯聽他話的道理，但聽他口氣，似是還要商請他妻子答應才成……

潘世奇是何等老於世故的人物，已然瞧出那江曉峰心中之疑，微微一笑道：「賤內有一個毛病，最不願管人閒事，她雖有很好的醫道，但她卻從來不肯替人醫病，除非人家求她，也許她會答應。」

方秀梅正待接言，遙聞一個女子聲音傳入廳中，道：「當家的，快些來幫我個忙。」

潘世奇高聲應道：「來了，來了！」

對方秀梅眨眨眼睛，低聲接道：「兩位坐坐，老朽去了就來。」匆匆出廳而去。

方秀梅低聲說道：「江兄心中有些奇怪，是麼？」

江曉峰道：「在下初入江湖，識見不多，也許姑娘可以告訴在下聽聽？」

方秀梅道：「這是樁很可笑，也很纏綿的事，潘夫人昔年在武林之中，也是一位大有名望的武林女俠，潘世奇的武功，更可列入一流高手，如若他們夫婦，在江湖之上逐鹿爭雄，實不難闖出大名氣來，但他們卻把大好青春時光，埋在這一片菜園和茅舍之中。」

江曉峰道：「想這中間，定然有很多內情了？」

方秀梅道：「不錯，就是爲了薛二娘……薛二娘就是潘夫人，生性奇特，丈夫和女人講一句話，就要鬧得天翻地覆，那潘世奇如若在江湖上走動，難免和武林中人有所往來，也無法避免和女人說話見面。」

江曉峰忍不住微微一笑，道：「那位薛二娘逼他隱於此？」

方秀梅點點頭，道：「不錯，但薛二娘也下了一番苦功，學得一手好菜，兩位武林才人，就這樣度過了數十年的歲月……」

長長吁了一口氣，接道：「過去，我常常暗笑那薛二娘和潘世奇，如今想來，他們倒是有先見之明了，我跑了數十年的江湖，不但一事無成，而且遇上的凶險和痛苦，折磨得豪氣盡消了，實不如菜園茅舍，安安靜靜的歡度歲月。」

江曉峰正待接口，只見潘世奇和薛二娘，每人捧著一個木盆，行入廳中，每人手中的木盒上，擺著四色佳餚。

潘世奇擺好了菜餚，肅客入席，道：「本來，咱們該喝一盅，只是兩位身上中了毒，不宜

飲酒。」

方秀梅起身一笑，道：「有勞二位了。」

薛二娘笑道：「田園無美餚以饗佳賓，幾碗青菜，都是出我之手，兩位隨便食用一些吧！」

潘世奇輕輕咳了一聲，道：「二娘，你瞧瞧他們兩位是不是中了奇毒？」

方秀梅欠身說道：「小妹來此，主要是向潘老前輩辭別，如若能得二娘大施妙手，療治好我們身中奇毒，更是意外之喜了。」

薛二娘道：「適才聽我們老頭子談起，說方姑娘和這位江相公，都中了藍天義施下的奇毒。」

方秀梅心中暗道：「原來，她把他叫到廚房問內情去了。」

只聽薛二娘長長歎息一聲，接道：「那藍天義如若不用毒也還罷了，如是他用了毒，定然是十分奇怪的毒藥，只怕我沒有這份能耐。」

潘世奇哈哈一笑，道：「別人不知道，難道我還不知道麼？如是連你也不能解救，天下大約沒有人解得了。」

薛二娘笑道：「你不要瞎捧我，這是立刻要見真章的事。」

潘世奇道：「不管如何，這樁事既然叫咱們遇上了，總要一盡心力才成。」

薛二娘笑道：「好吧！你們先吃飯，飯後讓我試試看……」

方秀梅道：「那咱們就等著二娘大施妙手了。」

薛二娘理了理滿頭白髮，笑道：「方姑娘、江相公碰碰運氣，老身也試試手段，兩位用飯

吧！老身還要到廚下去收拾一下。」言罷，轉身而去。

潘世奇哈哈一笑，道：「兩位請放開胸懷吃吧！拙荊醫道，老夫是滿懷信心，她縱然無法療治藍天義施用的奇毒，但至少可以告訴兩位一點眉目。」

那薛二娘燒得幾個菜，雖非山珍海味，但吃起來，卻味道可口，動人食欲，江曉峰、方秀梅雖然明知劇毒侵身，死亡將至，仍是忍不住地吃個盤底朝天。

江曉峰放下碗筷，擦擦嘴，連連說道：「好菜，好菜，在下記憶之中，從未吃過這等美味。」

薛二娘正好舉步跨入室中，接道：「豆腐、菜根，不登大雅之堂，二位吃得開心，老身就感覺到十分榮幸了。」

潘世奇笑道：「你瞧瞧吃得盤底都朝天了，讚美豈是虛言來！快些收拾了碗筷，看看他們身受之毒如何。」

薛二娘滿臉歡愉之色，匆匆收拾了碗筷。

待薛二娘收拾好桌面，手上圍裙未解，擦了擦手笑道：「我那老頭子說得不錯，救人如救火，耽誤不得，方姑娘先過來，讓老身瞧瞧。」

方秀梅緩步行了過來，在一張竹椅之上坐下。

薛二娘把過了方秀梅脈搏，又瞧瞧方秀梅的眼睛口舌，搖搖頭，道：「厲害啊！厲害。」目光轉注到江曉峰的臉上，接道：「你過來。」

江曉峰緩步行了過去，欠身對薛二娘一禮，道：「有勞老前輩了。」

薛二娘輕輕歎息一聲，道：「好漂亮一個娃兒，那藍天義竟然下得了手。」

江曉峰臉一紅，欲言又止。

薛二娘瞧過了江曉峰的口舌，臉色突轉嚴肅，沉吟不語。

茅舍中一片沉靜，靜得可聞得呼吸之聲。

遠處，傳來了幾聲蟬叫鳥鳴，點綴出田園情趣。

潘世奇憋不住心頭之疑，輕輕咳了一聲，道：「二娘，他們的毒傷如何？」

薛二娘搖搖頭，道：「唉！難醫得很！」

潘世奇道：「怎麼？連你也沒有法子救治麼。」

薛二娘又沉吟了良久，道：「我沒有把握。」

潘世奇道：「他們中的什麼毒？」

薛二娘道：「似乎是絕傳已久的斷魂散。」

潘世奇怔了一怔，道：「斷魂散？」

薛二娘道：「我只是這樣懷疑，但卻是無法證實。」

潘世奇道：「這麼說來，那是沒有辦法了？」

薛二娘沉吟了一陣，道：「辦法倒是有一個，只不過，要費很大的手腳，而且還要看他們的運氣如何。」

潘世奇望了薛二娘一眼，道：「可否說出來聽聽？」

薛二娘點點頭，道：「先用金針，刺破他們身上幾處經脈，然後再把他們放在蒸籠中，用陳醋、溫火，慢慢逼毒，然後，還要經過一重很艱苦的手續。」

潘世奇道：「什麼樣的手續？」

薛二娘目光轉動，緩緩由方秀梅和江曉峰的臉上掃過，道：「受過火蒸之苦，還要在陰濕的地窖之中，住上一段時間，按時服藥，一面運氣逼毒，運氣好，七七四十九日之後，就可完全復元，如是運氣不佳，就算能夠活命，只怕也要落個殘廢之身。」

方秀梅道：「果是很艱苦的療毒之法。」

薛二娘歎息一聲，道：「如是兩位不肯療治，只有死亡一途。」

潘世奇道：「好厲害的斷魂散……」

語聲一頓，道：「二娘，爲他們療傷的應用之物，不難準備，只是他們服用的藥物，是否能夠配到呢？」

薛二娘道：「其中有幾味藥物很名貴，也很難求得，幸好我收存的有。」

潘世奇道：「那好啊！但不知二娘肯否替他們療治傷勢呢？」

薛二娘沉吟了一陣，道：「我說過了，沒有把握！且不知他們兩位，是否願以身相試？」

潘世奇望了江曉峰和方秀梅一眼，道：「兩位都聽明白了，拙荆已答允爲兩位療傷，但不知兩位是否願意？」

江曉峰略一沉吟，道：「在下願一試薛老前輩的妙手。」

方秀梅道：「既有生機，晚輩亦願一試。」

薛二娘輕輕歎息一聲，道：「老身這些年息隱田園，久未動用過金針之術，那金針刺穴之法，又不得有分毫之差，老身心中實無把握，再說，那斷魂散的奇毒，老身並未見過，究竟諸位是否中的是斷魂散，老身心中也沒有確實把握。」

方秀梅道：「藥醫不死病，佛渡有緣人，老前輩動手爲我們療治，晚輩心中已是感激莫名

了，勞請老前輩先爲晚輩療治如何？」

薛二娘道：「好吧，姑娘請躺在榻上，好讓老身用針。」

目光一轉，望著潘世奇道：「老頭子，你還不快去準備應用之物，守在這裏等什麼？」

潘世奇應了一聲，起身而去。

薛二娘望了方秀梅道：「姑娘先說，還是由姑娘先來吧。」

語聲一頓，接道：「不過，江相公也可以到內室瞧瞧。」

江曉峰道：「這個，不太方便吧？」

方秀梅道：「療治毒傷，事出非常，江相公不用顧及到男女之嫌了。」

江曉峰輕輕咳了一聲，道：「既是如此，在下如再推辭，那是故作矯情了。」

薛二娘當先帶路，行入內室，指著木榻，說道：「姑娘先躺下去。」

方秀梅依言仰臥木榻，笑道：「老前輩只管放心下針，扎錯了也不要緊。」言罷閉上雙目。

薛二娘取過一個狹長的玉盒，打開盒蓋，只見盒中並排放著十二枚金針，長短大小，各不相同，她伸手取出一枚金針，刺入了方秀梅左臂上「臂臑」穴中。

方秀梅雖未睜眼瞧著，但卻顫動了一下身軀。

薛二娘迅快地拿起第二枚金針，又刺入方秀梅「消樂」穴中。

片刻間，方秀梅左臂上刺入了六枚金針，各占一大要穴。

薛二娘似是很疲倦，舉手理理白髮，道：「老身作息一會兒，再起出她身上的金針。」

江曉峰道：「老前輩在方姑娘身上刺下了六枚金針，不知是否已經夠了？」

薛二娘搖搖頭，道：「只是一個部位，左、右雙腿和背心、前胸，都要受金針刺穴之苦。」

江曉峰道：「斷魂散如此厲害麼？」

薛二娘道：「那斷魂散乃毒中之毒，除了那配製藥物的斷魂老人之外，天下再無第二種解藥，我的法子很笨，而且人也受苦，不過，卻是唯一能解斷魂散奇毒的辦法。」

江曉峰道：「晚輩習練的無相神功，不知金針能否破我之穴？」

薛二娘道：「無相神功？那你是金蟬子的弟子了？但那金蟬子已然失蹤了五十餘年，相傳已作古了。」

江曉峰道：「晚輩藝業，並非先師親授。」

薛二娘道：「不是金蟬子傳給你的武功，難道你師母傳給你的麼？」

江曉峰搖搖頭，道：「先師一生精力，盡都集中於鑽研武功之上，沒有成家。」

薛二娘道：「那你如何得到金蟬子這身絕世武學呢？」

江曉峰道：「先師遺留的秘笈中，說明甚詳，晚輩用書練成了這身武功。」

薛二娘道：「原來如此……」

語聲一頓，道：「令師遺下武功，傳諸後人，那足以證明他已作古了。」

江曉峰道：「那倒不是，先師爲求證仙道之說，以身相試，也許他老人家，已經得道成仙了。」

薛二娘點點頭，道：「你也躺下吧！就老身所知，那無相神功，還不致有礙療毒。」

江曉峰應了一聲，自行躺下。

薛二娘施用金針，刺了江曉峰幾處穴道，笑道：「你們好好的躺著，老身要去幫我那當家的，整理療毒的需用之物。」言罷，轉身大步而去。

足足過有一個時辰之久，那潘世奇和薛二娘聯袂而入。

潘世奇抱起了江曉峰，薛二娘抱起了方秀梅，直入廚下。

廚下早已準備好療傷之物。

只見幾塊巨石，分架著兩口大鐵鍋，鍋下木材高燒，火焰熊熊。每一口大鐵鍋上，各放著一個高約五尺的蒸籠。那蒸籠顏色陳舊，想是借來之物，經過一番改製。

潘世奇、薛二娘分別把兩人放入了兩個蒸籠之中。兩人同時動手，拔下了江曉峰和方秀梅身上的金針，但卻順勢點了兩人身上幾處穴道。

薛二娘加上蒸籠竹頂，只讓兩人露出一個腦袋，說道：「這醋氣蒸身之苦，不易忍受，如是不點你們穴道，你們無法忍受時，運氣破籠，那就前功盡棄。所以，老身為防患未然，不得不作準備了。」

潘世奇道：「二娘你去休息一下，這裏由我照料。」

薛二娘神色莊重地道：「施用金針解那斷魂散的毒，如是一個時辰，無法逼出，這番手腳就算白費了，不但他們受了苦，而且還會發作得更快，咱們沒有機會來第二次了。」

潘世奇道：「這個我知道了，有什麼你只管吩咐，老頭子決誤不了事，不過……」

薛二娘道：「不過什麼？」

潘世奇道：「你要早些來，別讓過了時間，豈不是要他們白白受罪麼？」

薛二娘道：「這個我有分寸，我未來之前，不許你妄動蒸籠。」

潘世奇連口應道：「不動，不動。」

薛二娘不再接言，轉身而去。

潘世奇目睹薛二娘背影消失之後，目光一掠方秀梅和江曉峰，笑道：「你們可知道，她爲什麼要走麼？」。

方秀梅道：「晚輩不知。」

潘世奇道：「她是因爲心裏害怕，所以才要避開的。」

方秀梅道：「她怕什麼？」

潘世奇道：「怕你們忍受不了醋氣蒸身之苦，婉轉呼號。」

方秀梅笑道：「這個，老前輩但請放心，就算再痛苦一些，晚輩也不至呼叫求救。」

潘世奇道：「你這麼一說，老夫就放心了，我閉眼打個盹，你們不能忍受時，就叫我一聲。」言罷，靠在竹椅上，閉目假寐。

這時，鐵鍋中的陳醋，已成爲滾滾熱氣沖入竹籠。

一股帶著酸味的熱氣，逐漸上騰，使人有著一種難以忍受的煩熱。

不過頓飯工夫，方秀梅和江曉峰，都已經被熱氣蒸逼得滿身大汗，滾滾而下。

潘世奇閉著雙目，微搖竹椅，望也不望兩人一眼。

熱氣漸增，使得方秀梅和江曉峰，都有著一種莫可言喻的痛苦，但兩人都咬著牙根，默不言語。

突然間，兩人都感覺到，被金針所刺的穴道處奇癢難忍，比痛苦更難忍。

方秀梅首先忍受不住，呻吟出聲。
潘世奇睜眼望望兩人，道：「兩位多多忍耐一下，大概差不多了。」
方秀梅銀牙咬舌，苦忍不言，江曉峰未呼叫出聲，但默默地運用潛力，和痛苦對抗。
又過了半個時辰左右，兩人頭上的汗水，有如下雨一般，直向下滾，蒸熱之苦，已面臨到所可忍受的極限。
這時，薛二娘卻緩步行了進來。
方秀梅、江曉峰已無法看清楚來人是誰，只覺一個人行到身前。
薛二娘舉手在兩人頂門上各擊一掌，兩人立時暈了過去。

江曉峰醒來，發覺自己躺在一間小室木榻上，潘世奇坐在一側竹椅上。
潘世奇眼看江曉峰醒來之後，微微一笑，道：「孩子，你的運氣好，身受之毒，已經全部逼出，再服用一些藥物，休養幾日，就可以復元了。」
江曉峰輕輕歎息一聲，道：「這等麻煩兩位，晚輩心中十分不安。」
潘世奇道：「老夫倒沒有什麼，但我那老伴，替你洗澡、換衣，清除逼出的毒汗，實是大費手腳，一個母親對她親生之子，那也不過如此了！」
江曉峰雖然已聽懂潘世奇的弦外之音，但卻不便接口多言。
潘世奇輕輕歎息一聲，道：「孩子，老夫的話你聽懂了沒有？」
江曉峰道：「晚輩還不大明白。」
潘世奇哈哈一笑，道：「那你就好好的想想吧，老夫先去瞧瞧那方姑娘的傷勢。」

江曉峰點點頭道：「晚輩自然用心推想，老前輩請便吧。」

其實，以江曉峰的聰慧，如何會聽不懂潘世奇弦外之意，只是，他覺著此事來得太過突然，對方雖然有救命之恩，但口氣中卻別有用心，使江曉峰大感為難，一時之間，竟不知如何回答。

大約又過了一頓飯工夫之久，潘世奇和薛二娘緩步行了進來。

江曉峰掙扎而起，卻被薛二娘搖搖手，道：「孩子，不要動。」

緩步行到榻前，柔聲說道：「孩子，不要動，乖乖的躺下。」

江曉峰道：「為晚輩傷勢，使老前輩十分勞累，晚輩心中極感不安。」

薛二娘微微一笑，道：「不要說這樣話了，我答應替你們療毒之時，心中實是毫無把握，但你們如不及早動手療治，也是死路一條，因此，老身不得不冒險，讓你們碰碰運氣。」

她舉手理一下滿頭蕭蕭白髮，接道：「不過，那斷魂散藥毒，既稱做毒中之毒，豈是輕易能夠治好的？不論內功如何精深的人，也無法在短時間內把餘毒除清，所以，你必須有一段長時期的休息，而且那休息之地，還要選一個不見陽光的陰暗潮濕之處。」

江曉峰道：「晚輩已覺著餘毒清除，傷勢全好了。」

薛二娘搖搖頭，道：「沒有，但你身中之毒，大都被逼出體外，加上你習練的無相神功，又是一種極為高深的內功，體能潛力，強逾常人，不過，那也是一樣的無法和斷魂散奇毒抗拒，只要你體內有點滴餘毒，它就會很快地滋長，多則三月，少則七日，毒性就再行發作，那時，別說是老身了，就算華陀重生，也一樣無法療治。」

江曉峰道：「這樣厲害麼？」

薛二娘臉色一寒，道：「難道你認爲老身是危言聳聽麼？」

江曉峰道：「這個晚輩不敢。」

薛二娘道：「你如是相信老身，那就得聽從老身的吩咐。」

江曉峰想到她對自己有著救命之恩，只好連連答應。

薛二娘忽的微微一笑，道：「聽話才乖，今夜太陽下山之後，就要把你們移到後院一處地窖之中，那本是我存放蔬菜之處，我已要老頭打掃乾淨了。」

江曉峰道：「又麻煩潘老前輩了。」

潘世奇道：「這叫周瑜打黃蓋，打的願打，挨的願挨，你也不用謝，這數十年的田園生活，悶的我老人家實在發慌……」

望了薛二娘一眼，哈哈一笑，接道：「二娘禁令森嚴，使我老頭子一直不敢妄動，難得你們給我找這一場不大不小的麻煩，使老夫能活動一下筋骨，忙了這一陣，連我的病也給忙好了。」

薛二娘道：「哼！你想得倒滿輕鬆，只怕這是很大的麻煩。」

潘世奇道：「咱們小心一些，不讓他找出痕跡，諒他們也沒有法子了。」

江曉峰心中雖是疑竇重重，卻是不便插口多問。

大約初更時分，潘世奇帶著江曉峰行入後院一座地窖之中，那地窖足足有兩間房子大小，堆滿了青菜。

地窖燃著一盞油燈，只見薛二娘和方秀梅早已在窖中等候。

潘世奇在堆積的青菜中，替兩人闢了一處可以仰臥打坐的地方，不過，在兩人之間，卻堆起了一道菜牆。

潘世奇神情很輕鬆，薛二娘卻有點緊張，愁眉微皺，顯然心中隱憂重重。

只聽薛二娘低聲說道：「兩位在這裏委屈一月吧！目下情勢不同，也無法顧到男女之嫌了，只要你們心地光明，同處暗室之中，也是無妨清白，老身給你們調配的藥物，還要兩、三天才能配成。」

語聲微微一頓，接道：「未得老身允許，兩位不許離此地窖。」

方秀梅道：「老前輩請放心，一月時光，轉眼即逝，在此期中，我等自會謹記老前輩囑咐之言。」

她久歷江湖，見多識廣，那薛二娘雖然說得很含蓄，也被方秀梅聽出了弦外之音。

潘世奇微微一笑，道：「方姑娘，老夫費了很多心機、手腳，爲你築成這空前絕後的青菜幕帳，只要你一拉身前兩捆大白蘿蔔，這堆積的青菜，立時就分由四面倒下，自會把兩位掩入菜堆之中。」

方秀梅道：「晚輩明白，多謝老前輩了。」

薛二娘長歎一聲，接道：「不論聽到了什麼聲音，不管發生了什麼事情，在沒有聽到我和老頭子的招呼，都不許你們出來瞧著，或是有所妄動。」

也不待兩人答話，二人匆匆離開了地窖而去。

幽暗、廣大的地窖中，只剩下了方秀梅和江曉峰兩人。

療毒之時，兩人都身不由主地任人擺佈，那鍋中滾醋，鍋上蒸籠，加諸在肉體一種極難忍

受的痛苦，使任何人都無法主宰自己，也無法去想些什麼。

但此刻，兩人都已經神智清明，雖是餘毒未除，但武功已大部份恢復，想到此後，孤男寡女，一道菜牆之隔，要在幽暗、潮濕的地窖之中，共度一月時光，縱然是心地光明，胸懷磊落，但食宿生活細節中，實有著諸多不便之處。

只聽方秀梅輕輕歎息一聲，道：「咱們這番身中奇毒，還能活命，可算是意外之喜了。」

江曉峰道：「如非方姑娘帶在下來探望潘老前輩，在下此刻，只怕屍體已寒，算起來，姑娘對在下也算有救命之恩。」

方秀梅突然格格一笑，笑聲充滿著淒涼和自嘲的意味。

江曉峰奇道：「姑娘笑什麼？」

方秀梅道：「你今年幾歲了？」

這突如其來的一問，只聽得江曉峰心頭為之一震，但又不便不答，只好應道：「在下麼，今年二十歲了。」

方秀梅道：「我長你幾歲，叫你一聲小兄弟，不算托大吧。」

長長吁一口氣，接道：「我知道我不配，堂堂金蟬步的傳人，是何等榮耀的身分，咱們本是永遠無法拉在一起的兩個人，但卻被藍天義的斷魂散，促成了咱們死亡的聚會，陰錯陽差的，又撞上了一個療毒聖手薛二娘，療治好咱們身中的不世奇毒，更巧的是，這毒中之毒，又必須一月時光的休息，使咱們同在這陰暗、潮濕的地窖，共度過三十個白晝、黑夜。」

江曉峰道：「唉！江湖的陰詐，當真是波詭雲譎，莫可臆測，陰險惡毒的藍天義，卻有著那樣一位絕世容色的女兒。」

方秀梅嗤的一笑，接道：「如非那位容色絕美的玉燕子藍家鳳，大約還不會把你引入藍府中去，你大約初履江湖不久吧？」

江曉峰道：「是的，在下初入江湖，不足半年。」

方秀梅道：「你這是無妄之災，藍天義決沒有把你算計在內，但那玉燕子的如花容貌，卻誘得你自投羅網，唉！玫瑰多刺，美色誤人，小兄弟，可怕呀！可怕！」

她閱歷豐富，一席話連勸帶嘲，只說得江曉峰雙頰發燒。

江曉峰輕輕咳了一聲，道：「姑娘，在下……在下……」

他覺得心頭有千言萬語，卻又不知從何說起。

方秀梅輕輕一笑，接道：「小兄弟，你在江湖上行走不久，大約還不知道我的名聲不好，江湖上送我一個笑語追魂的綽號。」

江曉峰心頭微凜，道：「但姑娘在藍府大廳中表現出的干雲豪氣，足可以愧殺鬚眉，在下心中就敬佩萬分。」

方秀梅道：「咱們還有一月時光相處，地窖幽暗，孤男寡女，你如肯認我做一個大姊姊，以後，也好相處一起。」

江曉峰心中暗道：「她對我有過救命之恩，自是不便拒絕，而且此情此景中，也只有認個姊弟身分，才能坦然相處。」

心中念轉，口中卻說道：「大姊姊不恥下交，小弟卻之不恭了。」

方秀梅輕輕歎息了一聲，緩緩說道：「很難得，不是這番患難與共，這一生大約也無法認你這位兄弟了……」

聲音突轉嚴肅，接道：「姊姊我十八歲時，藝成離師闖蕩江湖，只因嫉惡如仇，對壞人下手惡毒一些，又最愛揭人的虛僞面目，因此，爲甚多武林同道所不諒解，但大姊姊可指日爲誓，十餘年江湖生涯，並沒有玷汙我清白之身。」

江曉峰心想答她之言，但卻又想不出適當的措詞，只好唯唯諾諾，含糊以應。

方秀梅道：「兄弟，金蟬步乃武林奇技，絕傳了數十年後，又被你帶入，但又正巧的趕上了這武林大變，好男兒衛道除魔，此正其時，姊姊我願盡棉薄，助你一臂之力。」

這幾句話有如金鐵擲地，鏗鏘有聲。

江曉峰亦聽得肅然起敬，道：「兄弟但力能及，無不全力以赴。」

方秀梅道：「那很好，不過，道高魔高，宵小手段防不勝防，藍天義半世俠名，人人欽敬，誰知他陰謀深藏，一手遮盡了天下英雄的耳目，如非我親身經歷他下毒對付武林高手一事，就算別人告訴我，我也不會相信啊！」

江曉峰想到藍天義的手段，確是惡毒，輕輕一歎，道：「但不知藍姑娘是否與父同謀？」

方秀梅嗤的一笑，道：「兄弟，告訴我，那位藍姑娘對你如何？」

江曉峰只覺臉上一熱，緩緩說道：「那位藍姑娘對小弟，對小弟……」

方秀梅接道：「講實話給我聽，我和那位藍姑娘曾有過兩次懇談，對她知之較深，兄弟若據實告訴我，也許我可以提供你一點可貴的意見。」

江曉峰道：「此時此情，小弟還有什麼欺騙呢？不過，小弟和藍姑娘的事，實是乏善可陳。」

方秀梅道：「我這一生中，幾乎是混在男人群中長大，冷眼看人生，自信比你的見識多

些，而且，這番患難，使姊姊高攀，認了你這個兄弟，不管你對姊姊的看法如何，但姊姊卻很當真的，把你當做個弟弟看待……」

忽然長長歎一口氣，接道：「這中間雖有私情，但大半還是爲了武林公道、正義。」

江曉峰一時間，聽不懂話中涵義，忍不住問道：「小弟聽不明白。」

方秀梅道：「事情很簡單，就目下武林情勢而言，只有你，日後是抗拒那藍天義的人物……」

江曉峰道：「姊姊抬舉小弟了。」

方秀梅道：「不是抬舉你，我說的是由衷之言，你既得了金蟬步，在藍府大廳中，我又親眼看到了你的武功，再加奪命金劍，江湖上能夠和你頡頏的人，實也不多了，何況你年不過弱冠，正是習武人功力大進的年齡，過一天，你就多一天的火侯，不過，你有兩個最大的缺憾，一是你缺少江湖經歷，難防暗算，二是血氣方剛，不解江湖陰詐……」

輕輕歎息一聲，接道：「藍姑娘是心頭一個死結，日後，你一旦與藍天義抗拒於江湖之時，那藍姑娘的絕世容色，就是你的致命之傷，那是餌，也是個網，藍天義必將利用女兒美色，誘你進入陷阱。」

江曉峰黯然一歎，道：「那是說藍姑娘與父同謀了？」

方秀梅道：「縱然她不是與父同謀之人，但藍天義可以動之以父女之情，求女兒助他一次。」

江曉峰道：「那很可怕，小弟自信非喜愛美色的人，但自從見了那藍姑娘一面之後，卻無法擺脫那縈繞在腦際的玉貌花容。」

方秀梅道：「兄弟，不怪你，姊姊我走遍了大江南北，看盡了天下的紅粉玉人，但還未見過玉燕子藍家鳳那般的美媚人物，以兄弟你的技業才貌，藍家鳳確和你珠聯璧合，不過……藍家鳳她早已經有了心上之人……」

江曉峰幽幽地歎息一聲，接道：「我知道，藍家鳳的心上人，是血手門中的二公子高文超。」

方秀梅道：「姊姊我和她懇談過兩次，發覺玉燕子對高文超用情甚深。」

江曉峰苦笑一下，道：「藍姑娘可曾提過小弟麼？」

方秀梅道：「提過，那是說你們相識的經過，黔北雙惡刁氏兄弟，施用三絕針傷了她，兄弟爲她療傷，因此，有過肌膚之親，是麼？」

江曉峰道：「不錯，如不是那次爲她療傷，小弟也不會陷入情網了。」

方秀梅道：「論才貌武功，兄弟你都在那血手門二公子高文超之上，但你們見面晚了一步，被那高文超捷足先登，兄弟，男女間事講一個緣字，姊姊希望你能夠看開一些。」

江曉峰道：「經歷了這番生死，小弟自覺看開了不少，多謝姊姊的開導。」

地窖陰暗，伸手不見五指，兩人之間，又有著一道菜牆相隔，方秀梅雖無法瞧清那江曉峰的神情，但卻從他的語氣中，聽出一點他內心中的黯然感傷，那美媚絕世、嬌豔動人的玉燕子，早已深嵌於江曉峰的心田，已不是短短幾句慰藉之言，可以抹去心中留下的倩影，只有以後設法，慢慢地化去他心中塊壘。

心中念頭轉動，急急改變話題，道：「兄弟，目睹藍府中發生的大事，使姊姊心中感慨萬端，大廳中不乏高人豪傑、江湖魔頭，平日裏頤指氣使，受盡了奉承捧耀，但面臨到生死大關

時，竟然是畏縮不前，豪情全無，唉！他們竟然未想到個中厲害。」

江曉峰奇道：「他們怕死也就是了，個中還有什麼厲害呢？」

方秀梅道：「藍天義毒困群豪之後，無疑是暴露出他的猙獰面目，天下黑白兩道中人物，都算和他結了樑子，他爲求自保，必然要有所行動，形勢逼著他非到造成武林一統的局面不可，但他數十年來，爲了保持那一點俠名和掩飾陰謀，不便營私結黨，廣羅人手，一旦整個武林作對，手下人手甚少，這些人在藍府中，必將爲藍天義所收用，無缺大師、玄真道長，再加上乾坤二怪，以及奇書生吳半風、黃九洲、張伯松、君不語數十高手，一日間實力大增，這些人物，大都是武林的菁英，一旦爲藍天義所用，實力之強，恐怕已凌駕各大門派之上，何況，還有血手門爲他幫凶。」

江曉峰道：「那些人，大部份心中恨他，怎麼會甘心爲他所用呢？」

方秀梅道：「他們畏懼死亡，已然暴露了缺點，藍天義必然有法子使他們屈求效命。」

江曉峰道：「少林派一向爲武林尊稱爲泰山北斗，難道也會袖手旁觀，看那藍天義猖狂於江湖之上麼？」

方秀梅道：「少林派雖然是人才鼎盛，但這幾年卻有些大不如前之感，無缺大師在少林長老中，雖不能名列首榜，但至少是少林寺中前三名高手之一，玄真道長在武當門中，也算是第一流高手，乾坤二怪，在江湖之上，是魔道中頂尖人物，這些人匯合一起，實是一股很強的力量。」

目光突然轉注到江曉峰的身上，接道：「兄弟，今後，振興武林正義，領袖群倫的重責大任，我瞧是非你不可了……」

江曉峰沉吟了一陣，道：「不論小弟的力量如何，但既然讓我遇上這樁事，我都將盡我心力，設法對付那藍天義，但姊姊說我才堪領袖群倫，那確實不敢當了。」

方秀梅笑道：「你也許不信我的話，姊姊也無法舉出證明，但這畢竟是尚未發生的事，不過從此刻起，咱們就要留心一樁事，設法多結交武林同道……」

長長吁一口氣，道：「因此，姊姊我又要勸你一件事了。」

江曉峰道：「什麼事？」

方秀梅道：「希望你多在忍耐上下些功夫，藍天義準備了二十年，挾金頂丹書和天魔令的威力，突然發動，來勢如江河堤潰，這一股洪流一時很難阻止，咱們在大勢未定之前，必得多忍耐，就咱們目下處境而言，就需得有著忍辱負重的精神才成。」

江曉峰道：「姊姊似是言未盡意。」

方秀梅笑道：「兄弟果然是很聰明，我料想藍天義必然會派人追尋咱們的屍體，姊姊生與死，藍天義還不在意，但兄弟你就不同了，你亮出武林中最惡毒的兵刃『奪命金劍』，又露了『金蟬步』的絕世武功，你不死，藍天義必有著席難安枕、食不甘味的感覺，所以，他必要尋得了你的屍體而後甘心。」

江曉峰道：「姊姊之意，可是說，那藍天義會找到此地麼？」

方秀梅道：「不錯，我能想到潘世奇，那藍天義也可能想到，他們遍搜不著之後，很可能找上此地，說不定，咱們躲入這菜園茅舍中時，已經被那藍天義的爪牙看到，那潘世奇和薛二娘要咱們藏入地窖之中時，顯然已經預想到此事可能的變化，我是怕那藍天義一旦找上這地窖時，故意出言相激，兄弟你忍不住一時之氣，挺身而鬥，不論你勝、你敗，都將會促使奇毒發

作，那就不划算了。」

江曉峰道：「小弟明白了，姊姊這般勸我，小弟是感激不盡。」

方秀梅接道：「如是藍天義的爪牙，看到了咱們，藍天義在幾個時辰之內，就可能找上此地，如是過了今夜，還不見找來，那就證明他們沒有人瞧到咱們，不過是事後想起潘世奇。」

兩人談過了一番後，各自運氣調息。

九　疑為兩世人

時光匆匆，轉眼間過去三日。

出人意外的是，三日時間內，並沒有發生任何事故。

每日早晨，那潘世奇下入地窖一次，給兩人送上一天的食物，並且帶來穿著的衣服、兵刃、暗器。

每日下入地窖，潘世奇神情都很嚴肅，嚴肅到使得方秀梅和江曉峰不便和他多談話，和兩人初見時那等談笑風生的情形，大不相同。

第四天早晨，潘世奇又提著食用之物行入地窖，而且還帶了兩包藥物，分給江曉峰、方秀梅各自一包，道：「每一包中，有九十粒丹丸，每日三餐之後，各自服用一粒，九十粒丹丸服完，兩位就可以離開此地了。」

略一沉吟，接道：「也許明、後日，老夫有事，不能給兩位送飯來了。」轉身向外行去。

方秀梅忍不住地說道：「老前輩，請留步片刻，晚輩有事請教。」

潘世奇回過頭來，道：「什麼事，老夫無法多停。」

方秀梅凝目望去，只見那潘世奇神色之間，有著很深的憂鬱，和很深傷感，心中大感震動。

只聽潘世奇冷漠地說道：「姑娘說吧！」

方秀梅道：「藍天義派人來過這麼？」

潘世奇道：「來過，但被老夫擋回去了……」

望了江曉峰一眼，沉吟片刻，搖搖頭，道：「沒事，兩位好好的養傷，不要辜負了拙荊，老夫去了。」

他似是生恐那方秀梅再多問話，匆匆躍出地窖，蓋上石蓋。

方秀梅目睹潘世奇去後，才低聲對江曉峰道：「兄弟，情形有些不對。」

江曉峰道：「小弟也瞧出來了，那位老丈似是有事隱瞞著咱們。」

方秀梅輕輕歎息一聲道：「兄弟療傷吧！咱們不能辜負了那薛二娘的心意。」

江曉峰道：「潘老丈臨去時，望我一眼，使小弟心中大為不安，也使我想起一件事來，如鯁在喉，不吐不快。」

方秀梅道：「什麼事，和潘老前輩有關麼？」

江曉峰道：「是的，那薛二娘為我們療傷之後，替我洗澡、更衣，這情意，和慈母何異，那潘老丈亦用言語示意於我，說他們半百無後，很希望有個兒子，那是分明想要我認他們為義父母了。」

方秀梅道：「你當時怎麼說？」

江曉峰道：「當時，小弟支吾以對，裝作不懂，想是傷了他們的心，唉！其實，救命之恩，何異再造，認他們做我義父母，又有何不可呢？」

方秀梅搖搖頭，道：「我想事情決不會這麼簡單。」

江曉峰呆了一呆，道：「還有什麼事呢？」

方秀梅道：「兄弟，你留心到咱們進的食用之物，和前兩天有什麼不同麼？」

江曉峰尋思片刻，道：「味道有些不同。」

方秀梅道：「是的，前天的味道好一點，那是二娘的手藝，這兩天味道差些，那顯然不是出於二娘之手了。」

江曉峰道：「不錯，二娘一定有了事情，咱們得出去瞧瞧。」霍然站起身子。

方秀梅急急說道：「快些坐下，如是有了什麼事，你出去又於事何補？」

江曉峰道：「那薛二娘爲了救我們，才有了變故，如是我們置之不問，於心何安？」

方秀梅道：「你怎知薛二娘一定有了變故？難道她不會和我們一樣的躲起來麼？」

江曉峰怔了一怔，道：「姊姊說得是。」又緩緩坐了下去。

方秀梅道：「但看那潘老前輩的神色，事情又不像那樣簡單……」

長長歎息了一聲，才又接道：「不管那薛二娘的遭遇如何，咱們此刻都不能出去，兄弟，小不忍則亂大謀，薛二娘如是遭了不幸，咱們日後只能替她報仇，如是薛二娘還活著，咱們的現身，只能促成她送死。」

江曉峰略一沉吟，道：「姊姊高見，小弟難及萬一。」

突聽砰的一聲，似是一件重物倒掉在地上。

方秀梅心中一動，低聲說道：「兄弟，如若姊姊的判斷不錯，這可能是那潘老前輩對咱們示警的信號。」

江曉峰呆了一呆，低聲說道：「你是說，他們來了？」

方秀梅道：「不錯，可能是藍天義找上這地窖中來了。」

江曉峰道：「他們如要下入地窖瞧著呢？」

方秀梅道：「如若情勢真如你想得這麼壞，兄弟就不用多想，施展奪命金劍，把進入地窖中的人，全部殺死。」

語聲微頓，似是突然間想起一件重大事情，急急接道：「只弟，那潘老前輩似是說過，只要一推前面幾個大蘿蔔，這座青菜堆成的房舍，就會倒下來，封鎖住出入之路。」

江曉峰道：「不錯，潘老前輩這麼說過。」

方秀梅道：「好！那快些把它推倒。」

江曉峰嗯了一聲，伸手推出，只聽一陣輕微啵啵之聲，那青菜砌成的房舍，突然塌了下來。

潘世奇用白菜、蘿蔔堆砌的房舍和出入之路，似是早已經過很精密的算計，兩人並未感覺到青菜壓身，但那出入之路，卻已被倒塌的青菜完全堵死。

只聽一個冷冷的聲音說道：「潘兄，這是什麼地方？」

但聞潘世奇的聲音說道：「這是老夫存放青菜的地窖。」

另一個粗壯的聲音，接道：「好地方！可以放青菜，也可以藏人。」

潘世奇緩緩說道：「兩位不信的話，不妨下去瞧瞧。」

這三人說話的聲音很大，江曉峰和方秀梅都聽得清清楚楚。

但覺陰暗的地窖，微微一亮，顯是有人開高了蓋子。

接著兩聲輕響挾著一個較重的聲音，顯然，三個都已跌落地窖之中。

只聽一聲冷笑，道：「潘兄腳步很重啊，也可以給他們一點警告。」

潘世奇道：「老夫數十年田園生活，早已把功夫擱下不少，這輕身之術麼？自是難和兩位相提並論了。」

那粗豪的聲音道：「說得倒也有理，不過適才潘兄撞倒地上的石擔，不知是何用心？」

另一個清冷的聲音接道：「那顯然是一種傳警之意了。」

潘世奇淡淡一笑，道：「兩位如是不怕麻煩，不妨在這地窖中搜查就是。」

良久之後，聽那聲音清冷之人說道：「看窖中青菜堆積的形態，不似藏人的樣子，而且窖中堆積青菜甚多，也無法把它移開。」

感情，潘世奇早已經防患未然，這兩日中，又採了甚多青菜，堆在窖中，整個地窖的空間，被青菜占了十之八、九，除非把青菜移出窖內，實也無法在窖中翻動。

潘世奇道：「如是他們躲一時半刻，也許可能鑽入菜堆之中，如是想藏上幾天，躲入那密不通風的菜堆之中，悶也要活活悶死了。」

半晌之後，才聽那粗豪的聲音說道：「看樣子，這菜堆之中，不似有人鑽入的樣子。」

緊接著響起了一陣哈哈大笑，道：「潘兄，對不住啊！咱們兄弟奉命行事，實也是情非得已，你數十年清靜無爲，想來，也不致於不保晚年，在花甲之後，重捲入江湖恩怨之中。」

潘世奇口中輕輕歎息一聲，道：「你們奉有嚴命，自也難怪，老夫這把年紀了，哪還肯再蹈江湖是非之中？不……」

那清冷的聲音接道：「潘兄可是掛念二娘的安危麼？」

潘世奇道：「唉！老夫數十年來，未和江湖人物交往，數畝薄田，一片菜園，用作餬口，

只有二娘和我相伴晨昏，相依爲命，我怎能不掛念於她呢？」

那清冷的聲音，道：「二娘一直無法解釋她購藥的用意，所以，藍大俠不肯放她。」

潘世奇道：「兩位剛剛看到，那藥物是配給老夫進補之用，二娘生性剛烈，她心中無愧，自然是不願低頭，那是故意不講了，唉！只怕她吃了很多苦頭了。」

那清冷的聲音應道：「苦頭麼？總是難免要吃一點，等一會兒，我們回歸藍府之後，上覆藍大俠，說明內情，也許就可放二娘出來了。」

潘世奇道：「那就多謝兩位了。」

片刻之後，地窖中突又一暗，想是幾人都已躍上地窖而去。

江曉峰長吁一口氣，正待開口，卻被橫著伸過來的一隻柔手，抓住了右腕，低聲說道：「兄弟，不要說話。」

江曉峰心中會意，立時住口不言。

等過了一頓飯工夫之久，方秀梅才輕輕歎息一聲，道：「大概走了。」

江曉峰道：「原來，那薛老前輩被抓入藍府中了。」

方秀梅道：「一時之間，咱們也無法救她，不過現在你可放心了，那薛二娘沒有死，咱們該吃藥了。」

兩人服過藥物，開始運氣調息。

不知經過了多少時間，突然聽得一陣沙沙之聲，傳入耳際。

江曉峰伸手抓起奪命金劍，凝神戒備。

方秀梅道：「兄弟，不可造次，也許是潘老前輩。」

只聽潘世奇的聲音，傳過來，道：「兩位好麼？」

方秀梅已聽出是潘世奇的聲音，急急說道：「我們很好，老前輩無恙吧？」

潘世奇道：「他們對老夫還算客氣，但他們搜查得很細心，剛剛走了不久。」

談話之間，方秀梅和江曉峰已然撥開那堆積的青菜，現出身來。

江曉峰道：「二娘的遭遇，我們都知道了，為救晚輩們……」

潘世奇搖搖頭，打斷江曉峰的話，接道：「事情過去了，你不用再提它了，我怕她這些年中，專注烹飪和醫道之學，擱下了功夫，無法忍受那藍天義的拷打之苦，說出了兩位的停身之處，幸好她忍了過去。」

他雖然盡量想把自己語氣放得平靜，但那聲音之中，仍然有些抖顫。

方秀梅道：「二娘為我等吃苦，晚輩心中很是不安，恩大不言報，這份情意，晚輩永遠記在心中就是。」

潘世奇道：「照目下情形看，只要他們查不出兩位確為我們夫婦相救的證據，看來是不會太為難我們的。」

方秀梅道：「剛才，我已聽得老前輩和藍府中人交談的一些經過，似乎是那兩人和老前輩早已相識了。」

潘世奇道：「不錯，他們過去認識我，說出兩人，姑娘也不會陌生。」

方秀梅道：「什麼人？」

潘世奇道：「黔北雙惡，刁氏兄弟。」

江曉峰道：「是他們？」

潘世奇道：「怎麼？江世兄也認識他們麼？」

江曉峰道：「不久之前，他們還施用三絕針傷了玉燕子藍家鳳，如非在下及時相救，玉燕子屍骨早寒了。」

潘世奇道：「刁氏兄弟，作惡多端，兩手血腥，藍天義竟然把他們羅致手下，看起來，那藍天義當真要倒行逆施了……」

語聲微微一頓，接道：「刁氏兄弟，不難對付，但藍天義遍尋不著兩位屍體之後，定然不會甘心，八成要再派人來，因此，老夫覺得，此地已非兩位安身之處了。」

方秀梅道：「晚輩也作此想，正想向老前輩告別。」

潘世奇道：「你們要到哪裏去？」

方秀梅道：「晚輩已覺著毒傷盡癒，天涯海角，到處可以去得了。」

潘世奇搖搖頭，道：「不成，不成，二娘不會騙你們，藥物沒有服完，決不能現身見日，你們此刻離開，奔走天涯，也許可避開那藍天義的搜蹤鐵騎，但卻無法逃過毒發而亡的厄運。」

江曉峰接道：「我們也不能再留這裏，拖累老前輩了。」

潘世奇道：「老夫年過花甲，雄心早消，數十年田園生活，已使我和這個世界，互不相關，生死一人事，何足掛齒？但你們既逃出了虎口，豈能再被他們追回去？你們如毒發而亡，我那老伴二娘，一番痛苦，豈不是白受了麼？」

江曉峰道：「老前輩之意呢？」

潘世奇道：「老夫要你忍辱負重，好好的活下去。」

方秀梅道：「老前輩似是早已經替我們想好了藏身之地。」

潘世奇道：「不錯，距此不遠，有一座雜林，林中有一株老榆，因為年代久遠，樹身早空，但卻仍是枝葉繁茂，老夫幾番忖思，覺著那株大榆樹中，很安靜。」

方秀梅道：「老前輩為我等籌謀，晚輩實是感激不盡。」

潘世奇道：「兩位既是肯聽老夫之言，咱們立時就要動身。」

方秀梅道：「此刻什麼時光了？」

潘世奇道：「深夜三更。」

三人攀上地窖，奔向雜林。

潘世奇輕車熟路，帶著兩人，行入雜林深處，找著那一處千年老榆，爬上樹頂。

果然，那老榆主幹，早已成空，潘世奇拔出身上匕首，低聲說道：「藏在老榆樹身內，自然是不會太舒適，兩位就委屈些時日吧！好在這雜林隱密，夜晚之時，兩位不妨在林中走走，老夫給你們做一個頂蓋。」縱身躍下老榆。

方秀梅和江曉峰也拔出隨身兵刃，斬削出兩個容身之地。

為了方便，江曉峰住在下面一層，方秀梅卻用枝幹架了一座木架，用以打坐。

這時潘世奇也替兩人做好了一個頂蓋，低聲說道：「兩位保重，老夫每日送一次食用之物，如是四日以上不來，那就是老夫出了事情……」

長長歎息一聲，接道：「不論情勢如何？你們都要恪守諾言，不可擅自外出，二十餘天，很快就可以過去了。」

也不待兩人答話，縱身躍下大樹而去。

果然，潘世奇恪守約言，每隔兩日，如約送上食用之物。

但他每日進入雜林，都是深夜之中。

時光匆匆，轉眼間，又過了十餘日。

這夜，又該是潘世奇送來日用之物的日子，但那潘世奇竟然爽約未來。

一連六日，都未再見潘世奇送上食用之物。

第七日的晚上，江曉峰再也忍耐不住，要回茅舍探查，但方秀梅一力勸阻，道：「咱們已過了二十天啦，再有五天，就是藥完毒消之日，無論如何，再多等五天。」

江曉峰道：「姊姊不餓麼？」

方秀梅道：「我內功不如你，咱們已數日未食，你既覺出饑餓，姊姊豈有不餓之理？所以，今晚我要出去獵些野味充饑。」

江曉峰道：「此事該由小弟出去才是。」

方秀梅道：「此時此情，不分男女，只問大小，我是姊姊，自是由我去了。」掀開頂蓋，躍下樹身而去。

江曉峰抬頭望去，只見星河耿耿，大約是二更過後時分。

這近月時光之中，兩人不是躲在地窖之內，就是藏在樹身之中，看星光閃爍，不禁動心，爬出樹身伸展一下雙臂，長吁一口氣，心中卻有著恍如隔世之感。

突然間，響起了衣袂飄風之聲，一條人影，由大樹旁側，疾掠而過。

江曉峰只道是方秀梅，幾乎大聲呼叫，但一見那人隱入兩丈外一株大樹叢中，立時住口木

言。

這月來，常處黑暗之中，使得江曉峰的目光，大爲增進，已然看清來人一身黑色勁裝，不似方秀梅的衣著。

片刻之後，那隱入大樹枝葉中的人影，突然飄落實地之上，仰臉發出兩聲夜梟的怪叫。

但聞怪叫聲彼此相和，片刻間，四條人影，分由四面行來，雲集於一處。

江曉峰緩緩把雙腿提起，全身伏在那一根主幹之上，以木掩蔽，然後才微微探出頭去，查看敵勢。

只見來人，都穿著一般的夜行勁裝，但身上帶的兵刃，卻是不盡一樣，有刀有劍，還有一人背插一對判官筆。

但聞那居中之人說道：「咱們在此林中搜尋了數日夜，是可以藏身的地方，都已經找遍了，大概可以回去覆命了。」

但聞那背插判官筆的大漢說道：「這片雜樹，無人居住，那潘世奇何以常常到這裏來呢？」

江曉峰心中一動，暗道：「原來，他們埋伏在這裏監視那潘世奇，才找入這片雜林，這些日子中不見他到來，大約是發覺了被人追蹤，所以不再入林送飯。」

但聞那居中之人說道：「潘世奇已六、七日未離過那茶園茅舍，方秀梅和那小子如在此林之中，也該出來找些食用之物，但咱們卻沒有發現一點蛛絲馬跡，在下實是想不通原因何在？」

那身揹判官雙筆的少年緩緩說道：「在下之意，不如放火燒了這片雜林，不管他們是否藏

在這雜林之中，也好回去覆命了」

江曉峰只聽得心中一動，暗道：「此人好生惡毒，倒要瞧清楚他，日後遇上他時決不放過。」

凝目望去，只見那人大眼長臉，雙頰高聳，一眼間，就給人一種陰沉冷峻、陰險惡毒的感覺。

只聽居中之人說道：「不成，這片雜林縱長十餘里，橫寬亦在三里以上，左右兩端，都有住宅，咱們如何能夠放火？」

語聲一頓，接道：「伍兄，是否覺著咱們還有漏於搜查之處？」

那身負判官筆之人，沉思了一陣，道：「除了他們把樹身挖空，住在樹身之內，其他地方，咱們都已經查到了。」

那居中之人道：「這個不大可能吧！」

只聽東面背刀之人道：「咱們已找了幾日幾夜，不見他們蹤跡，八成已經不在這片雜林中了。」

其他人紛紛接口，都要回去覆命。

那身揹判官筆的大漢，似是不願獨犯眾怒，也就不再多口。

五條人影魚貫出林而去。

江曉峰望著五人消失的背影，暗暗歎道：「好險啊！好險！如果我們早一日出來尋食，非要被他們找出一些痕跡不可。」

片刻之後，方秀梅手提一隻烤好的野兔，和一盒菜飯而回。

江曉峰道：「姊姊，剛才有很多武林高手在此聚會，你如早回來一些，必被他們撞上了。」

方秀梅道：「我瞧到他們了，所以，我打到了一隻野兔，就索性跑入一家民宅，借他們的火鍋烤好了野兔，又帶了一些菜飯回來，大約可以幫咱們度過五天了。」

江曉峰道：「那民家不會講出去麼？」

方秀梅道：「我臨去之際，給他們丟下了一片金葉子，不要他們講出去，大約他們是不會講了，咱們不能不作戒備，從此刻起，咱們都不許再離開這藏身之處，一人坐息，一人戒備，好在只有五天時光了，很快就可以過去。」

兩人就在樹身中住了下來。

五日時光，匆匆而過。

兩人吃完了最後一粒藥物，江曉峰就要離開，卻被方秀梅一力勸阻，要他坐息一陣，讓藥力行開再走。

江曉峰只好依言打坐。

初更時分，屈指算來，兩人已整整三十二天，沒有見過陽光。但這一個月的工夫，除了服藥療傷之外，也使兩人的內功大為長進，因為專心一志，心無旁騖，雖只一月時光，卻抵得平時一年還多。

江曉峰伸展一下雙臂，道：「姊姊，咱們好像該洗個澡換換衣服吧！」

方秀梅道：「那還要委屈你多忍一會兒！林中有個小池，咱們去洗洗臉，先去瞧瞧潘老前

輩，然後，再找地方洗澡、更衣，決定咱們行程何處。」

方秀梅帶著江曉峰，行到林中一座小池旁邊，洗過臉，立時登程，趕往那菜園茅舍之中。

只見室門緊閉，菜園中也長了不少雜草。

方秀梅一拉江曉峰，兩人先在茅舍四周巡視了一遍，不見有人埋伏，才緩步行到茅舍前面，伸手叩門。

只聽一個蒼老的聲音應道：「什麼人？」

方秀梅沉吟了片刻，才應道：「是潘老前輩麼？」

原來，她忽然覺著那聲音有些不像潘世奇，只待從尾音分辨出來，才接口答話。

木門呀然而開，潘世奇白紗包頭，右手執刀，當門而立。

方秀梅道：「老前輩受了傷。」

潘世奇也看清楚了兩人，老眼中閃出一絲喜悅的光芒，道：「你們沒有被找出來？」

方秀梅道：「老前輩爲我們安排的地方，十分隱密，他們窮數日夜搜尋之能，都未能找到我們。」

潘世奇道：「老夫向林中送飯之事，被他們暗中瞧見，派遣高手到此，給老夫一頓好打……」

江曉峰大感不安，欠身一禮，道：「爲救晚輩們，害得老前輩如此受苦，實叫晚輩心中難安。」

潘世奇歎道：「你們沒有被他們找出來，那是邀天之幸，老實說我並不安心，如是那藍天義派一個熟悉林中形勢的人，他就很容易想到那株千年老榆。哎，老夫這一頓打，總不算白挨了。」

語聲微微一頓，接道：「你們請進來坐吧。」

潘世奇摸著火摺子，正待燃燈，卻為方秀梅所阻止，道：「老前輩，茅舍附近沒有埋伏，也許遠處還有監視之人，不用燃燈了。」

潘世奇道：「好，咱們就在夜色中談談吧。」

方秀梅望望潘世奇道：「老前輩傷得重麼？」

潘世奇道：「傷得不輕，來人之中，有兩個是內家高手，先點了我兩處穴道，使我無法運氣抗拒，被他們拳腳如雨的飽打一頓。」

方秀梅道：「你的頭是……」

潘世奇接道：「被他們踢來踢去，一頭撞在一塊尖棱石上，劃破了一個大口子。」

方秀梅輕輕歎息一聲，心想說幾句安慰之言，卻又不知從何說起。

江曉峰此時卻突然接口說道：「老前輩，二娘回來了麼？」

潘世奇道：「回來了，唉！如非為了二娘，老夫早就和他們對拚了。」

江曉峰道：「晚輩想一見二娘，以拜謝救命之恩。」

但聞一個淒涼的女子聲音，道：「不用謝我了，孩子。」

輪聲轆轆，薛二娘白髮蕭蕭，坐在一張輪椅上，雙手轉輪而出。

潘世奇迅快地拉上窗簾，關上木門，燃起燭火。

江曉峰凝目望去，只見那薛二娘自膝以下，蓋著一條白色的被單，不禁心中一動，道：

「二娘，你的腿？……」

薛二娘搖動著滿頭白髮，嘴角間，掛著一個淒涼的微笑，道：「不要緊，老身如許年紀了，死也不足爲惜，何況，只是殘廢了兩條腿。」

潘世奇接道：「藍天義逼問她藥物用途，用夾棍挾碎了她兩膝的關節，唉！她雖有妙手回春之能，但卻無法使自己的碎骨復元。」

江曉峰黯然一歎，道：「兩位淡泊名利，與世無爭，卻爲我們拖累，受此苦刑。」

薛二娘道：「事情已經過去，兩位也不用放在心上，重要的是，那藍天義已在四下設伏，你們的行動，只怕很難逃過他們的監視。」

方秀梅道：「這個，晚輩自會應付，不用老前輩費心了。」

江曉峰雙目盯注在二娘的臉上，瞧了一陣，道：「二娘，你膝前有幾位兒女？」

薛二娘黯然一笑，道：「老身畢生之中，以此爲最大憾事，未能替我那老頭子生個一兒半女，他口中雖然未言，但心中卻是十分難過……」

潘世奇接道：「我過得很開心，從沒有提過兒女的事……」

薛二娘道：「你口裏越是不講，心裏就愈是難過。」

江曉峰道：「如是晚輩能補二娘之憾，潘老前輩又不嫌棄晚輩的話，晚輩願認兩位膝下，視做生身父母。」

薛二娘似是不信自己的耳朵，眨動了一下眼睛，道：「孩子，你說什麼？」

江曉峰道：「晚輩願認在二娘膝下，做一義子，不知二娘可否答允？」

薛二娘突伸出手，撫著江曉峰的頭髮，道：「孩子，你這話當真麼？」

江曉峰道：「晚輩言出忠誠，義父、義母在上，受兒一拜。」

薛二娘似是忘去了身上的創疼，喜孜孜地叫道：「老頭子，快些過來，難道你還要峰兒再拜一次不成。」

潘世奇依言行了過來，站在輪車旁側。

江曉峰整整衣衫，對兩人大拜三拜。

方秀梅待那江曉峰行過三拜大禮之後，也隨著拜伏於地道：「兩位老前輩，可否也把我這身世飄零的弱女子，收到膝下？」

薛二娘笑道：「很好，很好，一夜間兒女俱有，我老婆子這個苦，並不白吃啊！」

方秀梅也對著二人行了大禮，緩緩站起身子。

薛二娘喜極而泣，兩行淚珠，滾滾而下。

潘世奇也有著無比的喜悅，但他究竟是見多識廣的人物，歡樂中仍不忘危惡處境，輕輕咳了一聲，道：「咱們有兒有女了，百年之後，也有人替咱們戴孝送終，弔祭靈前，不過，那藍天義還不斷遣出府中高手，追尋他們的下落，咱們要得爲這對兒女們想個法子，避避風頭才是。」

方秀梅接道：「這倒不敢再勞動二老費心，女兒已有脫身之策。只是初拜父母，就要別離，女兒心中有些不安。」

薛二娘拭拭臉上淚痕，流現出依依不捨之情。

潘世奇道：「來日方長，目下不宜太過兒女情長，你們既已有脫身之策，還是快些動身吧！」

方秀梅心中亦知目下情景，多留此一刻時光，就多一分危險，也替那潘世奇等多招來一分殺機。

當下一欠身，道：「義父說得是，來日方長，以後，我和兄弟都會承歡膝下，敬奉二老，此刻時機不當，我等多留無益，二老保重，我們去了。」

一拉江曉峰，兩人雙雙跪倒，又對潘世奇夫婦拜了三拜，才站起身子。

薛二娘衣袖掩面，顯是心中正有著無比的悲傷。

江曉峰突然行前兩步，右手輕輕掀起那薛二娘掩膝的羅裙。

只見薛二娘雙腿由膝蓋處完全截斷，兩條腿俱已殘廢。

江曉峰只覺胸中熱血沸動，忍不住也流下了兩點熱淚，黯然說道：「義母保重，孩兒去了。」

薛二娘突然拿下蒙面衣袖，低聲說道：「孩子們，慢走一步。」

方秀梅、江曉峰同時轉過身子，齊聲說道：「義母還有什麼吩咐？」

薛二娘回顧了潘世奇一眼，道：「老頭子，推我到廚下去，我要替他們做一點乾糧，讓他們帶去。」

潘世奇搖搖頭，道：「二娘，來不及了，咱們要活下去，而且，也不能耽誤了孩子們。」

方秀梅道：「娘的情意，我們心領了。」

潘世奇回首一掌，拍熄了室中的燭火，道：「你們走吧！」

方秀梅心知不宜再多留戀，伸手推開木門，牽起江曉峰，大步向外行去。

江曉峰緊隨在方秀梅身後而行。

遙聞薛二娘的聲音傳入耳際，道：「孩子們，保重啊！」

江曉峰心頭不忍，長歎一聲，正待答話，卻被方秀梅低聲喝止，道：「不要答話。」用力一牽江曉峰，縱身急奔而去。

兩人一口氣跑出了六、七里路才停下腳步，方秀梅道：「兄弟，你可是不滿姊姊這等作法麼？」

江曉峰道：「為了義父母的安全，姊姊做得不錯啊。」

方秀梅輕輕歎息一聲，道：「以兄弟的武功，就算咱們遇上了藍天義的屬下，突圍並非難事，至少也可以拚他們幾個回來，但義父母都已身受重傷，只怕是無能和人抗拒，萬一藍天義仍不死心，派人到茅舍巡視，瞧到了咱們，豈不是害了兩位老人家麼？」

江曉峰點點頭，道：「姊姊說得是。」

語聲一頓，道：「姊姊已想好了脫身之策，不知是否可以講出來了？」

方秀梅搖搖頭，道：「我哪裏有什麼辦法，只不過隨口安慰義母兩句罷了。」

江曉峰望望天色，道：「姊姊，如是你胸無良策，小弟倒有一個辦法。」

方秀梅道：「什麼辦法？」

江曉峰道：「咱們易容混入藍府中去，殺他一個措手不及。」

方秀梅道：「以兄弟的武力，再加上那奪命金劍，到藍府中去鬧他一個天翻地覆，並非難事，但此刻時間不同。」

江曉峰道：「哪裏不同？」

方秀梅道：「進入藍府的人，咱們只是唯一冒死逃出來的，目下武林道上，只怕還未必已知道那藍天義的舉動。」

江曉峰道：「此等大事，江湖上豈有不知之理？」

方秀梅道：「很難說，一則此事太過突然，藍天義以數十年時光建立起來的俠名、信譽，早已深植人心，驟然間想把他的俠名抹去，談何容易，就拿姊姊我說吧，在壽筵未開之前，我還在忙著替他們藍家辦事……」

江曉峰接道：「這個我知道。」

歎息一聲，道：「姊姊，黑、白兩道上無數高手，進入了藍府大門，有如投海大石，一個月消息杳然，難道還不足以震動江湖麼？」

方秀梅道：「你怎麼知曉他們是消息杳然呢？」

江曉峰道：「這個，小弟是推想而得。」

方秀梅道：「姊姊也無法想出，藍天義用什麼方法，能使原本對他記恨甚深的人，忽然之間，一變為他所用，但他必然早已有了算計，如是他無法收服這些人，自然不會選定在壽筵之上動手了。」

江曉峰道：「姊姊說得雖然有理，不過，那些人都不是無名小卒，豈肯永遠屈服於死亡威脅之下，為藍天義所用？」

方秀梅道：「真的可怕之處在此，如藍天義有辦法能使這些武林高人，在極短的時間內，為他所用，這手法也自可適用於其他的人，以他數十年的俠譽，他要造訪少林寺，那少林掌門方丈，也要降階相迎，就他在壽筵上施展的下毒手法而言，只要他能夠接近那人身側，就可以

施展毒手了。」

江曉峰道：「就算他能下毒，以死亡威脅對方，但卻未必能使他們甘心受命，這其間，只怕還別有內情。」

方秀梅道：「所以，咱們眼下最要緊的一件事，是設法把藍天義爲害江湖的事，宣揚出去，使武林中人，都對他心存警覺，免得他們在毫無防備中受到傷害。」

江曉峰道：「姊姊久年在江湖上走動，識人甚多，只要把內情告訴幾位朋友，讓他們將此訊傳佈開去，豈不是很快就可以把藍天義這等惡跡，傳揚於江湖之上麼？」

方秀梅搖搖頭，道：「不行，姊姊在江湖上的聲名不好，黑道人我不跟他們來往，白道中人，又對我敬而遠之……」

江曉峰道：「爲什麼呢！姊姊胸懷仁慈，豪勇智謀，都非常人所能及，藍府大廳中，多少英雄豪傑，但卻無一人能夠及得姊姊……」

方秀梅淡淡一笑，接道：「兄弟，疾風知勁草，生死見真情，沒有藍府中那一切事故，姊姊就無法和你兄弟攀交，沒有地窖療毒、樹腹養息這一段經過，兄弟無法對我了解。」

舉手理了一下鬢邊散髮，輕輕歎息一聲，接道：「其實，姊姊我也有很多不對的地方，我爲人太刻薄，我行我素，不求人解，有時行事只求其成，不擇手段，我自信一生中，沒有枉殺過一個好人，但卻得了一個笑語追魂的綽號，這一段療傷時光中，想想過去的所作所爲，確然太狂傲了，難怪別人不能加以原諒。」

仰臉看看天色，又道：「藍天義找不出咱們已死的證據，絕然不會放手，此人心機深沉，武林中很少有人能夠及得，只怕各處道上，早已布下了監視咱們的耳目，目下咱們對情勢全不

了然，很難逃過藍天義的耳目監視。」

江曉峰豪氣凌雲地說道：「如今咱們毒傷已癒，就算碰上藍天義的屬下，也可以放手和他們一戰了。」

方秀梅道：「以兄弟的武功，和他們動手相搏，自是可操勝券，不過，只要咱們一和藍天義動上手，不論勝敗，咱們的行蹤，必然洩露，那時，藍天義必將盡全力要追殺咱們。」

輕輕歎息一聲，接道：「兄弟，咱們的前途，充滿著險惡，就算咱們能把消息傳揚於武林中，別人一時間也無法相信，這要時間證明，藍天義的惡跡逐漸暴露於江湖之上，那時才能使武林同道覺醒，匯集成抗拒藍天義的力量。」

江曉峰道：「照姊姊這麼說來，咱們就算把此訊息傳告江湖，也是無用的了？」

方秀梅道：「唉！這是一項很艱苦的工作，咱們只能辛苦耕耘，卻無法求得收獲，不過，凡是得到咱們這消息之人，至少可以提高些警惕之心，而且，也可以引起他們對藍天義的注意，至少可使藍天義的惡跡，早些暴露。」

江曉峰點點頭，道：「姊姊一個女流，竟然是心比昭月，不計成敗安危，滿懷仁慈、正義，小弟如不全力相助，實有愧七尺之軀了。」

方秀梅微微一笑，道：「兄弟，我就要等你這句話，你如不肯答允和姊姊合力設法挽救這次劫難，姊姊我一人之力，實也是無法獨勝此任，現在，有兄弟你，使姊姊增強了信心，唉！藍天義百密一疏，不該放咱們離開藍府。」

江曉峰道：「為武林存正氣，小弟願盡棉薄，不過，小弟初出茅廬，不知江湖上的詭詐，這運籌帷幄，行謀用略，還要依憑姊姊了。」

方秀梅歎道：「我這等才智，實不足以應付大局，但我知道，當今武林之中，只有兩個人可當此重任。」

江曉峰道：「什麼人？」

方秀梅道：「茅山閒人君不語，還有一個神算子王修，不過神算子行蹤無定，可遇不可求，君不語卻陷身於藍府之中。」

江曉峰道：「那是說沒有辦法找到他們幫忙了？」

方秀梅似是陡然間想起了一件十分重大的事，仰臉望著天上星辰，半晌，自言自語地說道：「奇怪呀！奇怪！」

江曉峰道：「奇怪什麼？」

方秀梅道：「君不語怎會甘心留在藍府中呢？」

江曉峰突然低聲接道：「姊姊，有人來了。」

方秀梅一怔，道：「在哪？」

江曉峰道：「聽馬蹄之聲，還在數十丈外。」

方秀梅凝神傾聽，果聞蹄聲得得，傳了過來。

目光轉動，只見不遠處有一株大樹，當下牽起江曉峰的衣袖，飛身而上，也不過剛剛藏好身子，兩匹健馬，已然疾奔而至。

借星光看去，只見兩個騎馬之人，都穿著疾服勁裝，背插兵刃，縱騎如飛，絕塵而去。

匆匆一眼，方秀梅發覺兩人頗似一輪明月梁拱北，和金陵劍客張伯松，不禁一呆，幾乎失聲而叫。

江曉峰瞧出了方秀梅異常的神色，低聲說道：「姊姊認識這兩個人？」

方秀梅道：「馬走得太快了，姊姊未看清楚，但看兩人，頗似金陵劍客張伯松和一輪明月梁拱北，這兩人都是江南道上叫得響的人物，也是那日被困於藍府的人。」

江曉峰道：「這些人已甘心為藍天義所用了麼？」

方秀梅道：「我也無法了解，張伯松和梁拱北，都是很有俠名的人，尤以張伯松為人正直……」

突然間，又聞蹄聲傳來，夜色中，又奔來兩匹健馬。

這一次，方秀梅在心理上有了準備，所以很留心馬上的人。

只見第一匹馬上，坐著袖裏日月佘三省，第二匹馬上卻是千手仙姬祝小鳳。

這些人身佩兵刃，神態閒適，也無異於常人之處，只瞧得方秀梅愣在當地，半晌講不出一句話來。

江曉峰目睹兩騎馬逐漸遠去，低聲對方秀梅道：「姊姊認識這兩個人麼？」

方秀梅點點頭道：「這一次我看得很清楚，決然不會錯了。」

江曉峰道：「都是江南道上的武林高手麼？」

方秀梅道：「不錯。而且都是姊姊認識的人。」

江曉峰道：「他們可有什麼異樣之處麼？」

方秀梅道：「姊姊奇怪的也就在此了，這些人一個個都看不出有何異樣……」

話聲一頓，接道：「難道咱們推斷有誤，藍天義並無霸謀江湖的野心，都真把他們放了不成？」

江曉峰道：「果真如此，咱們倒要查查清楚了。」

方秀梅道：「但看義父母所受的傷害，這又是不可能的事啊！唉！短短一月時光，藍天義能夠制服別人，還有可說，但那余三省，乃是才智極高的人物，怎會也甘爲藍天義所利用呢？」

突然間，她似是有了決定，回顧了江曉峰一眼，道：「兄弟，咱們追去瞧瞧好麼？」

江曉峰道：「姊姊覺著可以去，小弟自然奉陪。」

方秀梅道：「有一件事，咱們必須要先查明白。」

江曉峰道：「什麼事？」

方秀梅道：「那藍天義用什麼方法，能使武林中這麼多英雄人物，爲他效命？」

江曉峰道：「既是如此，趁他們還未走遠，咱們快追上去。」

方秀梅嗤的一笑，道：「兄弟，不能這樣去。」

江曉峰道：「那要怎麼去呢？」

方秀梅道：「假定他們都已被藍天義，用一種神奇的力量所制服，咱們要易容改裝，去接近他們，先觀察清楚，再作道理。」

江曉峰道：「好吧，一切都聽姊姊安排就是。」

方秀梅微微一笑，道：「兄弟，你在這裏等一下，我去買些衣服來。」

縱身飄落實地，一連幾個飛躍，消失在夜色之中。

江曉峰望著方秀梅遠去的背影，期望的等待中，不知過去了多少時間。

突然間，一條人影，在夜色中疾掠而至。

那是方秀梅，帶著一大包衣物而來。

江曉峰看清楚來人之後，飄身落著實地，低聲說道：「姊姊。」

方秀梅道：「兄弟，在官道旁邊，不便談話，咱們那邊坐吧。」放步向前行去。

江曉峰緊隨在方秀梅的身後，行到一處小溪旁邊。

方秀梅打開手中包裹，取出兩套男人衣服，笑道：「下去洗個澡，換換衣服，姊姊相信取的衣服，不會相差太遠。」

江曉峰呆了一呆，道：「就在這四無掩遮的荒野小溪洗澡麼？」

方秀梅微微一笑，道：「怕什麼，深更半夜，四無人蹤，我剛剛已經洗過了，你洗好了招呼我一聲，我在那面草叢中休息。」

江曉峰皺皺眉頭，道：「這個，這……」

方秀梅接道：「在江湖上走動，要能隨遇而安，不用這個、那個了，快去洗吧，洗過澡，我還有要緊事和你商量。」放下衣服，轉身而去。

江曉峰想到月來都未淨身，只好行近溪邊，除下衣服，匆匆淨過身子，穿上方秀梅取來的衣服，果然尺寸甚是合身。

當下重重咳了一聲，正想招呼方秀梅，哪知人影一閃，方秀梅飛躍身前，笑道：「那邊有飯菜，咱們邊吃邊談。」

牽著江曉峰，行入一堆草叢之中，一塊白布上，早已擺好飯菜，而且碗筷俱全。

方秀梅一面催促江曉峰食用，一面說道：「兄弟，看了剛才情形，姊姊不得不改變主意了……」

江曉峰停筷問道：「如何改變呢？」

方秀梅道：「這法子很冒險，除了武功之外，還要依憑機智和幸運，就是姊姊這數十年在江湖上所聞所見，數百年來，江湖從沒有這樣的怪事，藍天義能夠在極短的時間，使人人為他效命，變敵為友，正所謂一夕大變，天下易勢，這事情有些古怪，如是咱們不能了然內情，那就無法和他們抗拒，也無法使武林同道相信我們的話。」

江曉峰道：「姊姊的意思是……」

方秀梅道：「設法和藍府中人接近，好歹找出一點頭緒來。以你的武功，我的江湖經驗，再加上小心從事，而且，藍天義久尋不獲，也許已經認為我們死去，這也給我們不少方便，幾方面一湊，或有可乘之機。」

江曉峰道：「姊姊說得是，小弟也曾想過這檔子事，藍天義目下的企圖不明，咱們也無法冒然指他有獨霸武林的野心。」

方秀梅輕輕歎息一聲，道：「不管藍天義心機多麼深沉，但他取得『金頂丹書』和『天魔令』的隱密，仍然洩露了出來，無缺大師和玄真道長，失陷於藍府之中，總可使正大門派中人，提高一些戒心，乾坤二怪未出藍府，也可使黑道人物，對他有些動疑，姊姊擔心的，還是那位玉燕子藍家鳳！」

一提藍家鳳，江曉峰不自禁地為之心頭一震，急急說道：「藍姑娘怎麼樣？」

方秀梅兩目盯注在江曉峰臉上瞧了一陣，道：「她的絕世容色，和天賦嬌媚，如若一心一意的為她父親效忠，不擇手段，武林中正義、公道，非毀於其手不可，第一個，兄弟就無法抗拒。」

江曉峰長歎一聲，默然不語。

方秀梅長長吁一口氣，仰臉望天，道：「藍天義有這樣一個女兒，再加上他收存金頂丹書和天魔令上記載的武功，真要興風作浪，江湖之上，實難找出能拒抗他們父女的人。」

江曉峰緩緩抬起頭來，歎息一聲，道：「姊姊，如若能證實那藍家鳳是個十惡不赦的人，小弟自信還有自制之能，不至於屈服在她的美色之下。」

方秀梅道：「兄弟，姊姊在西域時，曾聽過一個傳說，那傳說交織愛恨，是英雄行徑，也是英雄本色，姊姊想了這麼多年，還沒有把它想通。」

江曉峰道：「想通什麼？」

方秀梅道：「想通它是悲劇還是喜劇。」

語聲微微一頓，接道：「現在姊姊把這個傳說講出來，是喜是悲，兄弟你自己去想吧！」

江曉峰似是被方秀梅的言詞，引起了無限興趣，急急說道：「兄弟洗耳恭聽。」

方秀梅道：「姊姊在西城時，曾看到一個青石堆砌的大墳，墳墓的四周，種滿了各種奇花，花色之雜，應該是天下第一，西域嚴寒，但那石墳卻是群山環抱，四季溫暖如春，那地方原本是維吾爾族王宮所在，爲了埋葬兩個人，將整座的王宮搬遷而去。」

江曉峰道：「那石墳之中，定然是埋葬很受崇敬的人物了。」

方秀梅道：「是兩個悲劇英雄。」

江曉峰道：「是兩個男人？」

方秀梅道：「一男一女，那男的是維吾爾族的英雄，天賦神力，武功過人，那女的是維吾爾族的名花，據說，那女的生得嬌豔絕世，是那一代維吾爾族中第一美人，兩人同受著維吾爾

族人的敬愛……」

「那男的力搏虎獅，勇冠群倫，被族人奉爲第一勇士，也替族人建立了很大的功勳，按理說郎才女貌，佳偶天成，兩人該是很理想的一對，可是兩個人都太驕傲了，但族人卻覺著他們是天生一對，因此，盡力爲他們撮合……」

「有一次，在一場爲那男的慶功酒會上，那位美麗的姑娘，突然心血來潮，想考驗一下自己的美麗，究竟有多大的魅力，是不是所有的男人，都甘願爲她效死……」

江曉峰道：「這要如何考驗呢？」

方秀梅道：「那位美麗的女郎，就在酒會上宣佈了一件事，她要與會的男士，參與一場比武之戰，哪一個勝了，她就嫁給他爲妻。」

江曉峰道：「她要考驗自己的魅力，使族人自相殘殺，豈不是太過殘忍了麼？」

方秀梅道：「因爲她太高傲了，她明明知道族人要在這場宴會上，撮合她和族人第一勇士的婚事，爲了驕傲，她宣佈了決定自己終身的辦法，於是，一場惡鬥就在筵前展開。」

江曉峰道：「那人既是維吾爾族中第一勇士，還有何人敢和他動手呢？」

方秀梅道：「因爲那位姑娘太美麗了，族人中不乏敬慕她的少年，雖然明知不是敵手，但也忍不住挺身而出，那位美麗的姑娘笑了，證明了自己的魅力。」

江曉峰道：「以後呢？」

方秀梅道：「自然沒有人能是那位第一勇士的敵手。他戰勝了十二陣。」

江曉峰道：「那是意料中的，應該是一場喜劇了。」

方秀梅道：「可是那位美麗的姑娘又想出了花樣，她要得勝的人，跪在身前，向她求

婚。」

江曉峰道：「那位第一勇士呢？跪了沒有？」

方秀梅道：「跪了，他無法抗拒她的美麗，就跪在那美麗的姑娘身前，當他站起身子時，看到了那姑娘臉上的笑容，聽到她嬌美的聲音，她說：『你征服廣大的疆土，上千萬的人，我卻征服了你。』」

江曉峰道：「這姑娘太驕傲了。」

方秀梅道：「就這樣一句話，鑄成了千古的大悲劇，那位第一勇士，突然感覺到英雄的尊嚴受到了傷害，竟然拔出身上的佩刀，刺入自己前胸之中，鮮血順著那雪亮的鋒刃，緩緩流了出來，一代英雄，就這樣結束了自己的性命。」

江曉峰只覺心頭震動，良久之後，才緩緩說道：「那位姑娘該滿足了，她果然征服了族人中的第一勇士。」

方秀梅黯然一笑，道：「是的，她征服了本族的第一英雄，但她失去了自己心愛的人，她看到他流出的鮮血，突然感覺到，自己一直在深愛著他，她哭了，淚水順著那美麗的面頰，流在男的身上。」

江曉峰接道：「那還有什麼用呢，她逼死了他！哭也無法使他復活了！」

方秀梅不理江曉峰的問話，接著說道：「她俯下身子，拿起他仍然握在手中的佩刀，緩緩把刀鋒刺入胸中，英雄、美人，就這樣子的雙雙死去，他們的族人，把他們合葬在一起。」

江曉峰聽得有些黯然，緩緩說道：「姊姊，這故事是真的麼？」

方秀梅道：「我不知道，但我到過他們合葬的石墳前面，維吾爾族爲了紀念他們的第一勇

士，和那位美麗的姑娘，就在那石墳前，種植了很多花，此後，每一個到石墳奠祭的人，就帶一株花去，種在那石墳四周，漸漸的愈種愈多，整個的石墳，被千百種花卉環繞了起來。」

江曉峰輕輕歎息一聲，道：「那位姑娘會武功麼？」

方秀梅搖搖頭道：「不會。」

江曉峰道：「一個不會武功的女子，竟然能把一把利刃，刺入了自己的胸中，這份勇氣實在非同小可了。」

方秀梅喃喃歎息一聲，道：「兄弟，不論這傳說是真是假，但它卻有著一種很深奧的含意，兄弟聽完了這段傳說之後，不知有何感受？」

江曉峰道：「我爲他們不值，但也有些同情他們。」

方秀梅微微一笑，道：「兄弟，男子漢大丈夫，應該做番轟轟烈烈的事業，不要爲兒女柔情所苦。」

江曉峰淡淡一笑，道：「我知道，姊姊的用心良苦，小弟感激不盡。」

方秀梅道：「兄弟，我忽然想到一件事，不知是否該問問你？」

江曉峰道：「什麼事？」

方秀梅道：「如是咱們遇上了藍家鳳，兄弟能夠自制麼？」

江曉峰怔了一怔，道：「這個，這個……兄弟相信可以。」

方秀梅點點頭，道：「那就行了，咱們可以動身了。」

江曉峰道：「到哪裏去？」

方秀梅道：「去追那些人。」

江曉峰道：「姊姊知道他們在哪裏麼？」

方秀梅道：「我不知道，但咱們順著這條官道走下去，自然會找到他們，他們連夜分批出動，想來定然是有著很重要的事情，如是我推斷的不錯，他們後面還會有人趕來。」

揮手從懷中摸出兩個人皮面具，接道：「姊姊在江湖上東飄西蕩，有時爲了行動方便，常常改扮成男人，而且也學會了男子的口音，至於你這張人皮面具，戴上之後，看上去十分蒼老，正好配合你這身衣服，你要裝扮成一個年紀很大的老人，而且是土裏土氣的鄉巴佬，土財主，姊姊還替你準備了一件東西。」

江曉峰道：「什麼東西？」

方秀梅伸手從地上取出一個一尺多長的竹管旱菸袋，而且火鐮、火石，一應俱全。

江曉峰接過旱菸袋，笑道：「姊姊要扮裝成什麼人物呢？」

方秀梅道：「姊姊扮你的隨身管家，四十多歲的中年人。」

江曉峰道：「小弟這一生之中，從未戴過人皮面具……」

方秀梅道：「這和用黑紗把頭、臉包起來，又有何不同呢？」

語聲一頓，笑道：「姊姊在身側代你應付，你只管放心做你的土財主就是。」

兩人戴上了人皮面具，方秀梅又從身上取出一瓶藥粉，用水調開，塗在人皮面具之上。

江曉峰奇道：「姊姊，這個幹什麼？」

方秀梅道：「如是久走江湖上的人物，只要留上心，就不難分辨出，一個人是否戴有面具，但如塗上姊姊這藥物，就算他一等一的眼光，也瞧不出來了。」

江曉峰微微一笑，道：「原來如此。」

兩人易容之後，立時動身趕路。

方秀梅長年在江南走動，形勢十分熟悉，走了一段路程，已發覺這是通往一處渡口之路，不禁心中一動，暗道：「張伯松、余三省、祝小鳳、梁拱北等，分批乘馬夜行，旨在渡江北上了，藍天義怎地放心，讓這些人遠離鎮江府，脫出自己的監視之外呢？難道這些人，在這短短一月之中，都已很忠心的，能使藍天義差他們遠行千里外，爲他辦事，以藍天義的深沉，如是心中毫無把握，決不會差遣他們遠行。」

一時間，只覺得疑竇重重，難以明白。

十　情牽一生心

突然間，又是一陣急促的馬蹄聲傳了過來。

江曉峰忍不住停下腳步，抬頭望去。

方秀梅低聲說道：「兄弟沉住氣。」

但聞蹄聲漸近，兩匹快馬，並馳而至。

這次，江曉峰也留心瞧去，只見左首一騎馬上，是自己的宿敵高文超，右邊一騎馬上，卻正是自己念念難忘、夢魂縈繞的玉燕子藍家鳳。

江曉峰只覺突然間被人在前胸重擊一拳，胸中血氣浮動，打個踉蹌，幾乎跌摔在地上。

方秀梅一伸手，抓住了江曉峰的左臂。

江曉峰長長吁一口氣，抬頭望去，兩匹馬，已然超越過身前三丈多遠。

只見高文超陡然一帶馬韁，那奔行的健馬忽然間轉過頭來，衝到兩人身前。

他騎術精良，距兩人還有四尺左右時，一提韁繩，健馬長嘶一聲，突地停住了奔衝之勢。

方秀梅歎道：「老主人，咱們該住店的，錢是人賺的，你老人家這般年紀了，還要摸黑趕路。」

高文超兩道冷森的目光盯注在兩人身上，瞧了一陣，突然一揚馬鞭，橫裏向江曉峰抽了過

去。

方秀梅吃了一驚，暗道：「如是他忍不下這口氣，非被他這一馬鞭，打出破綻不可。」

但情勢迫急，在高文超兩道冷森的目光監視下，方秀梅已無法示意。只見那馬鞭子將要抽中江曉峰時，突然稍稍一揚，呼的一聲，從頭頂掠過。

高文超微微一笑，道：「兩位趕夜路，不怕遇上了土匪打劫麼？」

也不待兩人答話，一帶馬頭，縱騎而去。

但聞蹄聲疾急，片刻間消失不見。

方秀梅道：「兄弟，你很沉得住氣。」

江曉峰淡然一笑，道：「就算挨他一馬鞭子，我也會忍下這口氣的。」

抬頭望著天上星辰，無限黯然地說道：「姊姊，咱們養了一個月的傷，在這一個月中可以發生很多事，是麼？」

方秀梅道：「是啊！這一月時間的變化之奇，尤過十年……」

方秀梅江湖經驗，是何等廣博，已然聽出了江曉峰弦外之音，輕輕歎息一聲，接道：「兄弟，我明白你的用心，不過，就姊姊觀察所得，藍家鳳和高文超，還未結爲夫婦。」

江曉峰心中雖然壓積了無數悲傷、氣悶，但一下子被方秀梅揭露了胸中之秘，亦不禁感覺著臉上發熱，道：「姊姊，小弟之意，只是覺著一個月的時間，可以發生很多事。」

方秀梅略一沉吟，道：「兄弟，姊姊卻有著和你不同的看法，每一件事，都非巧合，其間必有著因果關係，而且也沒有絕對的突變，尤其一個才慧過人的人……」

江曉峰接道：「姊姊此言，小弟不敢苟同。」

方秀梅笑道：「高文超已對咱們動疑，也不用急急追趕他了，行程寂寞，姊姊倒也想和兄弟深談一下，你說吧！爲何不同意姊姊的看法呢？」

江曉峰道：「姊姊說沒有突變，小弟就不同意，就拿那藍天義說吧！他數十年的江湖奔走，行俠仗義，濟困扶危，但他卻在花甲大筵之上，突然一手毀去了自己數十年辛苦建立的俠譽，難道這不是突變麼？由好到壞，只不過半日時間，卻毀了他幾十年的功業。」

方秀梅點頭笑道：「很有道理，但如要把事情仔細地分析一下，那就大有文章了……」

江曉峰道：「小弟不解。」

方秀梅道：「這中間該有著因果關係，像那藍天義，如若未得到金頂丹書和天魔令，他也難有這等成就，但他得到了，那是因；由於金頂丹書和天魔令，使他武功立時有了登峰造極的成就，也促成了他顯赫武林的俠譽，這是果；尤其他心生貪念，想永霸金頂丹書與天魔令，才深藏不露，費時勞心，造就了十二劍童和十二飛龍童子，這是因：苦心設計，壽筵上一舉制服了武林中正邪高手，這是果。只不過他心機沉深，別人未能及早洞悉罷了。」

江曉峰輕輕歎息一聲，欲言又止。

方秀梅心中暗道：「看他之情態，似是對那藍家鳳仍是念念難忘，如不早些設法，除去他心中之疾，這一株武林奇葩，恐怕將難等到開花結果，就沉萎於情海波濤之中。」

心中念轉，輕輕咳了一聲，道：「兄弟，以那藍家鳳的千嬌百媚，才慧聰敏，拜倒在她石榴裙下的人，只怕不是高文超一個人吧！」

江曉峰道：「唉！姊姊可是說小弟麼？」

方秀梅神情肅然地說道：「藍家鳳色絕一代，醉人如酒，除你之外，我想心懷一親芳澤的，又何止千百？可惜的是，藍家鳳只有一個啊！」

江曉峰默默良久，道：「姊姊，小弟想不通你話中含意。」

方秀梅道：「有些人自慚形穢，有些人無緣識荆，餘下的自然都是些自負才貌的佳公子了，這一場情場逐鹿，必將是醋海生波，以兄弟的才貌而論，自然也該是這場情場逐鹿戰中的主要人物。」

江曉峰只覺方秀梅這幾句話，聽來有些受用，但又覺有些被諷刺的味道，不禁一皺眉頭，道：「姊姊取笑我麼？」

方秀梅忽然覺著，這一句聽來很淡漠的話中，卻含有刻骨難忘的相思，和極爲深刻的悲傷，不禁油生惜憐之情。

她仰起臉來，長長吁了一口氣，心中卻如風車一般地打了幾百轉，暗道：「他和我地窖對坐，樹腹相處，卻從未生過一點邪念，也從未有過一點越禮的舉動，看來他並非喜色之人，藍家鳳一代尤物，實也難怪他一見動情，看他仰慕之意，實也是發乎於情。此刻，縱然我舌翻金蓮，也難消他胸中憂苦，但他身負絕技，實又是拯救這番武林劫難的主要人物，公誼私情，我都該助他一臂之力，形勢逼人，只好用些手段，文章還要作在玉燕子藍家鳳的身上，激勵他豪壯向上之心，日後再慢慢設法，化除他胸中塊壘。」

念轉意決，微微一笑，道：「兄弟，你如難忘藍姑娘，早該向姊姊請教才是。」

江曉峰怔了一怔，道：「請教什麼？」

方秀梅道：「教你如何在情場與人逐鹿。」

江曉峰苦笑一下，道：「姊姊，算了吧！藍姑娘已經有心上情郎！小弟又何苦……」

方秀梅接道：「你不能自暴自棄，目下那高文超還未必全獲芳心，姊姊是女人，對女人了解較深，何況，那藍姑娘數日前，還和我兩度深談，敵優我劣，這一戰非出奇兵，無能獲勝。」

江曉峰道：「出奇兵？」

方秀梅道：「是啊，可願意聽姊姊我的宏論麼？」

江曉峰訕訕說道：「願聞高見。」

方秀梅答道：「玉燕子藍家鳳之美，大約只要是男人無不動心，人人對她遷就奉承，兄弟必要與眾不同才成。」

江曉峰道：「怎樣才算與眾不同？」

方秀梅道：「別人奉承她，你要冷淡她，別人見她如癡如狂，你要對她視若無睹。」

江曉峰怔了一怔，道：「是這樣麼？」

方秀梅道：「一點不錯，如肯聽姊姊的話，包你會大有收獲。」

江曉峰道：「姊姊，算了吧，藍家鳳可能已經和那位高文超有了婚姻之約。」

方秀梅微微一笑，道：「婚約倒是沒有，只不過他們相愛似是甚深，大有海枯石爛，永不變心之概。」

江曉峰道：「姊姊又怎會知曉呢？」

方秀梅道：「那藍姑娘和我長談過兩次，言語之間，對那高文超用情甚深。」

江曉峰道：「她對那高文超用情甚深，小弟，小弟……」

方秀梅笑道：「這要勇氣了，越是困難的事，兄弟越要有爭勝之心，情場、搏鬥，都是一般，何況，還有姊姊從中相助呢。」

江曉峰道：「你要我對她用手段？」

方秀梅笑道：「藍家鳳閱人多矣！拜倒石榴裙下，大獻殷勤的美男子，又何止你和高文超？不出奇兵，豈足言勝？」

微微一笑，接道：「不是姊姊捧你。就我所見男子中，弟應該是第一人才，不論武功、俊美，你都比他們優越，只可惜，你們相逢得晚了一步，被人捷足先登，如是你能和高文超同時認識那藍家鳳，高文超決非你情場之敵。」

江曉峰道：「但已經晚了，夫復何言！」

方秀梅道：「有一句話，可助你成功，那就是，橫—刀—奪—愛。」

江曉峰道：「這句話很普通，小弟想不通有何幫助。」

方秀梅道：「妙在橫字和奪字，橫刀要決心，這實要兄弟你拿主意，奪愛要方法，這個姊姊幫助你，現在你先下決心，姊姊再出謀略。」

江曉峰道：「小弟用謀略手段，縱然能獲勝一時，也勝得不武，情既不真，得之何用？」

方秀梅道：「大是大非之前，本可拋去私情，但姊姊細想咱們目下處境，是非私情，並多衝突，大可把大義和私情兼顧並行，合二爲一。」

江曉峰微微一笑，道：「姊姊舌燦蓮花，小弟聽得十分佩服。」

方秀梅神色肅然地說道：「兄弟可是覺著姊姊在騙你麼？」

江曉峰道：「那倒不敢，但姊姊言語之中，對小弟確有很多鼓勵之意。」

方秀梅道：「鼓勵之意雖有一些，但姊姊說的卻也是千真萬確的事。」

江曉峰道：「小弟只知私情足以害公，卻想不明白，大義和私情何以能並行不悖。」

方秀梅道：「那是因爲人的價値，玉燕子藍家鳳，本來只是個絕世無倫的美人，但是現在，她的美麗，卻因藍天義的陰謀，和江湖的命運結合在一起。」

江曉峰道：「小弟還是想不明白。」

方秀梅道：「很簡單，藍天義除了擁有金頂丹書和天魔令之外，還有一個很厲害的憑仗，那就是玉燕子藍家鳳的美麗，如若藍家鳳真的被父親說服，助他爲虐，比起這金頂丹書、天魔令更爲可怕。」

方秀梅微微一笑，接道：「大概你有點想明白了，金頂丹書和天魔令究竟是死物，上面記載的武功，雖然是奇絕之技，但它需要時間，才能練成，那玉燕子藍家鳳卻是活寶貝，她不是武功，但她卻有著無與倫比的制服力量……」

語聲一頓，接道：「這是指你們男人而言。」

江曉峰道：「你是說那玉燕子藍家鳳可以征服所有的男人？」

方秀梅道：「我不知道世間是不是有柳下惠這種人，全然不爲美色所動，不過，姊姊知道，只要那個人喜愛美色，一定會爲藍家鳳的美色所動。」

方秀梅神色肅然地接道：「所以，咱們要設法應付，所謂兵來將擋，水來土掩，那藍天義如若利用女兒作美人計，以遂謀霸江湖之願，咱們亦可用美男計對付了。」

江曉峰道：「美男計？」

方秀梅道：「不錯，藍天義用女人，咱們用男人，這才能鋒芒相對，一決勝負了。」

江曉峰道：「那人是誰啊？」

方秀梅道：「就是兄弟你呀！」

江曉峰怔了一怔，道：「我？」

方秀梅道：「不要菲薄自己，藍家鳳是我所見的第一美女，但兄弟你，卻是我所見的第一美男子，你們兩人應該是勢均力敵的對手，那要用意志力，和方法去分勝負了。就我所見，你該是最爲適當的人，只要你能念念不忘武林正義，不但不會爲藍家鳳嬌媚所迷，而且大義私情，都有成就，就大義而言，促使藍家鳳由邪惡的迷失中清醒過來，也無疑斬去藍天義一隻臂膀，就私情而論，兄弟亦可贏得美人芳心，爲武林留下珠聯璧合的佳話。」

突然間，江曉峰覺著胸中塊壘盡消，數月來，藍家鳳那縈繞胸懷的音容笑貌，頓被一股磅礴之氣淹沒。

只見方秀梅嫣然一笑，接道：「我想兄弟你一定可以做到。」

江曉峰歎道：「姊姊不要說笑了……」

方秀梅道：「我沒有說笑，我說的是千真萬確的事，這一戰，關係武林正義的存亡絕續，姊姊只能提供方法，那意志力，卻要你自己堅持了。」

江曉峰道：「姊姊所謂的意志力，由何而來？」

方秀梅道：「那該是一種精神力量，和一種浩然氣度，姊姊也無法把它很具體的說出來，只要心中一直不忘武林正義，自會有一種鎭靜清明的胸懷。雖和藍家鳳朝夕相處，也不會爲她所用了。」

江曉峰輕輕吁一口氣，道：「姊姊之意，需大智慧的人物才能辦到，小弟只怕無此能耐和定力。」

方秀梅微微一笑，道：「武林正義和兄弟你的兒女私情，合而爲一，你們這一場搏鬥中，必然是有勝亦有敗。正邪不並立，不是你制服她，就是被她迷惑收用，兄弟啊！好自爲之。」

她這一段話固然說的是真實之言，但其中卻也別有作用，想激勵起江曉峰的鬥志，和解脫藍家鳳撒在江曉峰身上的柔情之網。

眼看江曉峰果然爲自己言語說動，豪氣奮發，心中暗自歡喜。

她見過江曉峰的武功，就她十數年江湖上的閱歷而言，江曉峰實已是武林中頂尖高手，再加「奪命金劍」的利器，和那變化莫測的「金蟬步」，只要不是藍天義親身臨敵，足以應付變故了。

忖思之間，行到了一處林木環繞的莊院前面。

抬頭看去，只見一盞紅燈，高高挑起，在夜風中不停地擺動。

方秀梅心中一動，停下了腳步，低聲說道：「兄弟，這地方有古怪，若是平常人家，不管他多麼豪富，也不會在夜晚中，高挑起一盞紅燈，咱們得仔細瞧瞧才成。」

江曉峰四顧了一眼，也發覺這座莊院有些奇怪，除了那高挑的紅燈之外，用一座很高圍牆，把莊院圍了起來，而且只是孤零零的一個大莊院，附近再無住家。

當下說道：「姊姊說得不錯，小弟也覺著有些奇怪。」

方秀梅打量了四下形勢一眼，道：「那莊院大門旁側，有一棵大樹，咱們先爬上大樹，瞧瞧莊院內的景物，再作計較。」

江曉峰道：「如是那莊院中確有名堂，必然會有著很森嚴的戒備，小弟先去瞧瞧。」

方秀梅知他的武功，強過自己甚多，那奇絕一代的「金蟬步」，縱然陷入敵人圍困之中，也是不難脫身，當下微微一笑道：「小心你這身裝扮。如今你是又老又醜的土財主，別要被人家瞧到，以後，這副面目，就無法再在江湖上出現了。」

江曉峰笑道：「小弟心中有一個念頭，不知當是不當？」

方秀梅道：「你這樣問我，那念頭定然是很奇怪了？」

江曉峰道：「小弟忽發奇想，咱們爲什麼不用各種不同的身分，攪亂藍天義的耳目呢？使他莫測高深。」

方秀梅略一沉思，道：「你想利用這一身土員外的裝扮，和藍天義的屬下較量一下麼？」

江曉峰道：「姊姊的化妝術十分精絕，咱們如是經常變換身分，再和他們動手搗亂，使他們覺著武林道上，還有很多人敢和他們作對，也可稍激那藍天義提早發動之心。」

方秀梅道：「這法子不錯，不過，這中間，還得修改一下，咱們不可經常如此，一、兩次，也許真有莫測高深之效，但如鬧得次數太多，那就要露出馬腳了。」

江曉峰微微一笑，道：「一切悉憑姊姊作主，小弟先去探探那莊院中的形勢。」

語聲一落，突然一振雙臂，疾如流矢劃空一般，激射而起，一躍兩丈多高。起落之間，人已到三丈開外。

方秀梅暗暗讚道：「難得他小小年紀，練成了這樣一身輕功。」

只見人影閃了兩閃，飛登一株大樹之上，迅即不見。

方秀梅爲人慎細，打量四周的景物，選了一條後退和藏身之路，然後再凝神望著那大樹上的舉動變化。

這當兒，突聞得一陣馬蹄奔行之聲，傳了過來。

方秀梅聽那馬蹄聲，來自身後大道之上，立時快速地閃入了一片深草叢中。

撥開草叢望去，只見兩匹快馬，並轡而至。

左首一匹快馬之上，竟然是老管家藍福，右首一匹馬上，卻是太湖漁叟黃九洲。

方秀梅心中一動，暗道：「黃九洲隱居太湖，已然久年不問江湖，浩瀚煙波，一葉小舟，經年在湖中遊盪，武林同道，也難得見他一面，但他卻和藍天義同時出現於壽筵之上，那說明他和那藍天義交非泛泛了，且那大廳群豪之中，他又是唯一未中奇毒的人……」

心念一轉，只覺太湖漁叟黃九洲，不但是藍天義第一知己，而且也可能是這次江湖大變的主謀人物之一。

凝目望去，只見兩匹快馬，直入那莊院中去。

莊院大門開啓，迎入兩人之後，立時又關閉了起來。

方秀梅心中雖想跟上去，混入那莊院中看個究竟，但她自知這點武功，決然無法逃過那許多高人的耳目，輕舉妄動，必然要破壞大局，強自忍下未動。

且說江曉峰登上大樹之後，才發覺那莊院之中，戒備十分森嚴，很多佩帶兵刃的黑衣人，不停地在莊院圍牆之內巡邏走動，而且少數黑衣人的手中，還牽著有凶猛高大的惡犬。

在那高大的第一道圍牆之內，還有一道白石砌成的圍牆。兩道圍牆之間，足足有近四丈的距離。

江曉峰心中暗道：「這兩道圍牆的距離，必然經過高人設計，除了功入化境，能夠凌空虛步，馭劍殺人的劍俠之流絕世高人之外，任何輕功，都不易一躍而過四丈以上距離。」

「在那第二道圍牆之後，才是繁盛的花木，可以用作藏身，但那第一道和第二道圍牆之間，卻是一片平坦非常，寸草不見的土地。那些巡行的黑衣人，就在那第一道和第二道圍牆之間。」

「至於第二道圍牆之內，是否還有埋伏，就無法看得出來了。」

這時，藍福和黃九洲已然到了莊院之外，兩個黑衣人打開了大門，迎接兩人進入內莊，隱入那鼎盛的花木之中不見。

江曉峰打量過莊院中的形勢，只覺戒備森嚴，如是強行混入，極可能被人發覺，引起衝突，想到方秀梅智許多端，應該先和她商量一下，再作主意。

心念一轉，飄身下樹，轉身而回。

方秀梅正自等得心中焦急，眼看那江曉峰行了回來，立時由草叢中一躍而出，低聲說道：「我正在擔心你好勝涉險，這不是談話地方，咱們到那邊去。」

一口氣跑了二十餘丈，才停了腳步。

方秀梅笑道：「黃九洲和藍福也進了那莊院中去，在江南武林道上，太湖漁叟黃九洲可算得一個莫測高深的人物，姊姊從未聽到過他和人動手的事！但他自具一種震懾人心的威嚴，使人對他自生敬畏，還有那位老管家藍福，昔年追隨藍天義在江湖上行走之時，已具不凡身手，這些年隱居鎮江，只怕又有了很大的進境，藍天義視他如同手足，必然會把金頂丹書或天魔令上的武功傳授予他……」

長長吁一口氣，接道：「姊姊只管自說自話，連問你也忘記了，你瞧到那莊院中的形勢了麼？」

江曉峰道：「瞧到了，戒備十分森嚴。」

方秀梅道：「如何一個森嚴之法？」

江曉峰道：「那高大的圍牆之內，還有一道較矮的圍牆，全用白石砌成，兩道圍牆之間，有著四丈以上的距離，很多帶有兵刃的人，不停地巡行，還有幾人牽著巨犬。」

方秀梅沉吟了一陣，道：「藍天義果然是厲害，他早有了這等佈置，竟然能一手遮天，天下武林同道，都未能及早發現這樁隱密，看情形，這地方的重要，尤過鎮江藍府了。」

江曉峰道：「既是如此，小弟應該混進去瞧瞧才是。」

方秀梅道：「那地方戒備森嚴，你準備如何混入？」

江曉峰道：「小弟思索之後，打算藏在樹上，看機會躍入那第一道圍牆之內，然後，設法殺死一個巡行人，或是點了他的穴道，換上他的衣服，再設法混入第二道圍牆中去。」

方秀梅道：「聽起來辦法不錯，不過，這中間還有很多必需要解決的問題。」

江曉峰道：「什麼問題？」

方秀梅道：「你先要算準那人繞行的時間，第二個人幾時能到，你必需在極短的時間內，殺死他，換了他的衣服，處理了他的屍體。」

江曉峰微微一笑，道：「這些不窮姊姊費心，只要小弟能一擊而中，不讓他呼叫出聲，然後，把他抱出圍牆草叢之中，換去衣服。」

方秀梅道：「你可確知這莊院之中，沒有暗樁麼？」

江曉峰道：「如若那莊院埋有暗樁，咱們也許早被發現了。」

方秀梅道：「就算莊院外沒有暗樁，但那巡行之人，決非倉促組成，彼此之間，定然相識，你陡然混入其中，只怕不難被人瞧出，再說，那些巡行之人，還有帶著狗的，犬類嗅覺靈敏，恐怕也會對你狂吠。」

江曉峰道：「姊姊說得不錯，但小弟覺著，天下只怕很難有十分安全的事，這些事，看來只有見機而作了。」

方秀梅道：「姊姊之意，如若太過冒險，倒不如多做些準備工夫。」

江曉峰道：「如何準備呢？」

方秀梅道：「兄弟先要設法看清楚他們交接的時刻，然後再選交接之前動手，兄弟混入其中之後，立時可以進入第二道圍牆之內，倒可以減少甚多麻煩。」

江曉峰微微一笑，道：「那需要很多時間，但咱們沒有，兄弟想立時行動，如是那莊院確有高人，小弟就及時撤退出來，憑仗金蟬步的身法，大約還不致被他們困住。」

方秀梅看他去意甚堅，心知難再攔阻，當下說道：「我呢？」

江曉峰道：「你在附近等我。」

方秀梅道：「要我等到幾時？」

江曉峰略一沉吟，道：「這個很難說了，如是小弟一切順利，明晚三更時分，再出莊院和姊姊會面，如是姊姊等過明晚，還不見小弟出來，那就不用等我了。」

方秀梅道：「唉！你如陷入那莊院之中，姊姊留此或逃走，也沒有什麼區別了……」

語聲微微一頓，接道：「但姊姊不勸阻你，我相信你的武功，就算被他們發現了，仗憑那

幻絕一時的金蟬步，也可以脫困而出，所以，你應該是有驚無險，不過，你要注意兩件事。」

江曉峰道：「什麼事？」

方秀梅道：「小心暗算，處處謹慎，不要給人暗中下手的機會，第二是注意飲食，不要中毒，除此兩點之外，我想，你足以應付敵人了。」

江曉峰道：「多謝姊姊指教，小弟去了。」

方秀梅輕輕歎息一聲，道：「慢著。」

江曉峰本已舉步而行，聞聲停下腳步，道：「姊姊還有什麼吩咐？」

方秀梅道：「我不放心你一個人去。」

江曉峰道：「難道姊姊也想去嗎？」

方秀梅道：「嗯！不錯，但姊姊自知沒有生擒敵人的力量，希望你能多擒一個敵人回來，咱們兩個一起混進去，如以武功而論，我雖然無能應付變局，但我想在用謀方面，對你或有小補。」

江曉峰略一沉吟，道：「好吧！姊姊在此等候片刻，小弟去試試看，能否生擒兩人回來。」

方秀梅舉步而行，緊隨江曉峰的身後，道：「兄弟，我在莊院外面近處等，也好瞧著莊院中的情勢變化，萬一你被人發覺了，就一直奔向西南，咱們在二十里外見面。」

江曉峰道：「小弟明白。」

行近莊院，方秀梅自行在草叢之中隱好身手，江曉峰卻重行攀到那大樹之上，隨即竄了出去。

這時，天色已近五更，一片陰雲，掩去了天上的星月，夜更顯得黑暗。

方秀梅運足了目力，仍是無法瞧到江曉峰的身影。

大約過了一刻工夫，江曉峰急步而來，兩肋之間，各挾一個黑衣人。

方秀梅起身迎了上去，道：「他們不斷的巡行，怎麼你生擒了他們兩人，竟然未被發覺？」

江曉峰低聲說道：「他們這方法有漏洞，雖是不斷巡行，但每人相隔的距離過遠，彼此之間，無法見到，授我以可乘之機。」

兩人脫下了黑衣人的衣服，匆匆換過，方秀梅拿出易容藥物，迅快地在兩人臉上化妝幾下，匆匆趕到了圍牆外面。

江曉峰縱身而起，伸手抓住牆壁，向裏看去。

只見一個背插單刀的黑衣人，正緩緩行去。不大工夫，轉過一個彎不見。

一切都出乎方秀梅意料之外的順利。

兩人互望一眼，同時翻落圍牆之內。

江曉峰道：「小弟走前面，注意那人行走的速度，以免和人相遇。」大步向前行去。

方秀梅跟著江曉峰轉過視線，立時舉步向前行去。

兩人繞行一周，仍然沒有被人發覺。

江曉峰放慢腳步，待方秀梅追上之後，才低聲說道：「我想他們之間，必然相識，等一會兒換班時，難免會和他們相見，到那時交談起來，只怕要露了馬腳，少時如過第二道圍牆時，

先設法隱身於花木之中……」

陡然飛身而起，快速絕倫地越過第二道圍牆。

只見花木成林，左首一片花叢，足足五尺見方，當下一伏身，隱入了花叢之中。

就在他隱身飛入花叢的同時，方秀梅也飛身縱過第二道圍牆。

江曉峰招呼了方秀梅，兩人一齊隱起。

這時，天已將明，黎明前一段黑暗，使得房舍之中的景物，籠罩在一層幽暗的夜色之中。

方秀梅低聲吁了一口氣，道：「咱們的運氣很好，這等森嚴的戒備，咱們竟然能毫無驚險的混了進來。」

江曉峰道：「他們日日夜夜，如此戒備，早已變成了例行公事，嚴而不密，咱們才能輕易混入。」

方秀梅道：「使姊姊想不明白的是，那兩條巨犬，怎的竟然也無反應。」

江曉峰道：「這一夜來的生人太多，把那幾頭巨犬，也搞糊塗了。」

方秀梅略一沉吟，道：「就姊姊的演算法，咱們在此停留的時間，最多不超過八個時辰……」

江曉峰接道：「不要緊，小弟那點穴手法，如若無人施救，只怕他們很難再醒過來。」

方秀梅道：「你點了他們死穴？」

江曉峰道：「不是，點的是暈穴，這是家師獨門手法，別人也不易解得，咱們離此之後，再救他們，要不然兩人要暈迷個三日三夜。」

方秀梅不再多問，移轉話題，道：「現在咱們混進來了，用心只在查看，他們聚會於此的

目的何在，所以，能夠不和他們動手，那就不用和他們動手了。」

江曉峰道：「這莊院很大，房舍連綿，咱們全然不知內情，自然是無法明目張膽的查看了，這等用謀鬥智的事，要看姊姊的了。」

方秀梅沉吟了一陣，道：「一個很大的難題，如是咱們現身出去，說不定會被人瞧出破綻，如是不現身，他們失蹤了兩個人，自然會很快發覺了……」

談話之間，瞥見一個人打著燈籠，快步行了過來。

方秀梅凝目望去，只見那人大約三十上下，身著黑衣勁服，背上插著一把單刀。

這莊院中人，大都是短裝勁服，而且隨身帶著兵刃，似乎是準備隨時隨地應變對敵。

只見那執燈人行到大門口處，高聲說道：「王武兄在麼？」

一個粗豪的聲音應道：「兄弟在此。」

隨著應答之聲，一個手牽巨犬，背插單刀的中年大漢，由門口轉了出來。

牽犬人看清那執燈人後，一欠身，道：「副總管，有何吩咐？」

江曉峰心中暗道：「這人是副總管，那是說在他之上，還有一位總管了。」

只聽那執燈人說道：「總管家來了，你瞧到了沒有？」

王武應道：「屬下瞧到了。」

執燈人點點頭，道：「那很好，總管家剛剛把我找去，告誡我說，目下風聲很緊，也許有很多武林高手會追蹤他們而來，囑我特別小心，不要出了岔子……」

王武一欠身，道：「副總管放心，連屬下共有九個人，一直不停地巡行，別說人了，就是飛鳥，也無法不被我們發現。」

執燈人點點頭，正待轉身而去，目光卻轉到巨犬身上，道：「王武，你把巨犬戴上口罩，豈不是失去了牠靈敏的嗅覺麼？」

方秀梅心中暗道：「我說呢！他們帶的巨犬，竟是毫無反應，原來，巨犬戴著口罩。」

只見王武欠身應道：「這是梅花姑娘的吩咐，她說今晚有很多貴賓到來，如是巨犬不戴口罩，狂吠起來，太過擾人。」

那副總管冷哼一聲，道：「臭丫頭仗憑夫人對她幾分寵愛，竟然在這裏發號施令起來！」自言自語中，轉身而去。

王武望著那副總管的背影，搖了搖頭，又望望手中所牽巨犬戴的口罩，轉身行回原位，開始巡行去了。

方秀梅回顧了江曉峰一眼，道：「兄弟，他們如是彼此不和，咱們就有辦法了。」

江曉峰道：「什麼辦法？」

方秀梅道：「咱們先製造出一些疑雲，讓他們彼此起疑，增加怨恨，咱們就有機可趁了。」

江曉峰道：「咱們不能長期藏在這花叢之中，必需要在天亮之前離開此地。」

方秀梅點點頭道：「兄弟，看情形咱們恐無法在青天白日之下，離開這所莊院了，目下有兩條路，姊姊也不知該如何抉擇才好！」

江曉峰道：「哪兩條路？」

方秀梅道：「第一條路是咱們退出去，大約還來得及，第二個路是不計後果的混進去。」

江曉峰沉吟了一陣，道：「他們這一番聚會，看來十分重要，咱們順利的進來了，就這樣

退出去，未免太可惜了。」

方秀梅道：「姊姊也是這樣想法，所以難做決定，兄弟做此決定，不知是否已經胸有成竹？」

江曉峰道：「兄弟原想假扮他們之間一位武士，和他們混在一起，但此刻想來，此法大大不妥，他們之間似是都很熟識，小弟混在其中，勢必被他們瞧出來，如何才能設法混跡其中，還要姊姊指示一個方法。」

方秀梅略一沉吟，道：「對這座莊院的形勢，咱們是一無所知，目下只有一個辦法，兄弟設法找一處最明顯的地方，也是他們想不到的地方。」

江曉峰道：「那是什麼所在，既要很明顯，又使他們想不到呢？」

方秀梅道：「譬如是他們大廳屋角或正樑背上，總之，使他們覺著那地方，不可能是藏人的所在。」

江曉峰道：「兄弟明白了，姊姊準備如何呢？」

方秀梅道：「我準備混入後宅中去，剛才那個領班王武，提到了梅花姑娘，足證這宅院之中，住有女人，姊姊去瞧瞧，看看有無法子，藏到她們中間。」

江曉峰道：「咱們如何會面？」

方秀梅道：「夜晚如是沒有陰雲，當是個月明之夜，咱們會面只怕不易，但可設法互通消息，用白箋寫出內情，埋在這花叢之中，上面擺三片花爲記，各自找機會設法送來，如是兄弟第二晚仍不見姊姊消息，那就是姊姊沒法子在此存身，離開此地了。」

江曉峰輕輕歎息一聲，道：「那咱們如何再見？」

方秀梅道：「你還記得那處洗澡、更衣的小溪麼？在那裏見，咱們以七天爲限，只要還活在世上，都要設法趕往那裏會面，假如你仍然無法在那裏見到姊姊，那就是我已經離開人間，兄弟也不用再單人匹馬的和藍天義作對了。」

江曉峰道：「要我到哪裏去呢？」

方秀梅長長吁了一口氣，道：「如若姊姊死了，我無法再助你，你的事我也無法管了，不過，就姊姊的看法，日後，能夠和藍大義抗拒於江湖之上，非你不可，姊姊死後，你如還有抗拒藍天義的雄心，那就設法找到神算子王修，其人胸羅玄機，上知天文，下知地理，他如答允助你，那你就算有了大半成功之望。兄弟，對付藍天義不能全憑武功。」

江曉峰突然從懷中摸出「奪命金劍」，道：「姊姊，劍柄處有一個白玉按鈕，只要一按玉鈕，這金劍中的毒針，就可激射而去，針體奇毒，見血封喉，而且細如牛毛，去勢強勁，在一丈之內，大約天下還沒有能躲開的人，針乃天山千年寒鐵製成，鋒利無比，縱有金鐘罩、鐵布衫的武功，也是無法抵拒，劍中一管針，共有六六三十六枚，足夠姊姊護身保命之用了。」

方秀梅搖搖頭，道：「這等珍貴之物，如何能交給我保管呢？」

江曉峰道：「咱們情同骨肉。如非遇上姊姊，小弟此刻早已屍冷骨寒了，以姊姊的機智，再仗持奪命金劍，縱然遇上了什麼危險，我相信也可平安度過了。」

方秀梅道：「好吧！姊姊暫時借它保命。」

江曉峰探頭向花叢外面瞧了一眼，道：「姊姊，小弟先去了。」

方秀梅道：「你要多小心啊！」

江曉峰道：「姊姊也要保重。」

緩緩行出花叢，借夜暗掩護，緩緩向大廳行去。

這一月來，方秀梅給了他不少啓發，使他明白遇事三思，冷靜觀察，處處用智。

他一面舉步而行，一面打量四周形勢，逐漸地行近大廳。

目光轉動，只見大廳前一塊橫匾，心中突然一動，我如藏在大廳橫匾之中，別人定然是想不到了。

大約是莊院中人，再也想不到，竟會有人敢混進來，是以，莊院之中，並無暗樁。

江曉峰凝神聽了片刻，不聞動靜，立時縱身而起，一式「潛龍升天」，手攀大廳屋椽，伸頭看去，只見那橫匾之後，有一塊很大的地方，足可供一人容身。當下一收雙腿，全身躲入了大匾之後。

他剛剛藏好身子，突聞一陣木門啓動之聲，那緊閉的莊院大門，突然大開。

兩個騎馬大漢，並轡直馳入莊院之中。

這時，東方已然泛白，隱隱間可見景物。

江曉峰探出頭來，只見並騎而入的兩個大漢，竟是那日大鬧藍府的乾坤二怪。

大廳右側，一排房舍中很快地奔出來兩個黑衣人，一個接過馬韁，繞過花叢而去，另一人卻引導著乾坤二怪，穿過大廳，向後行去。

乾坤二怪行近大廳前面時，身著黃袍的大怪，突然停下了腳步，兩道淩厲的目光，在廳前石階上，瞧了一陣，又抬頭望望廳上的橫匾，但卻未發一言，緩步向廳中行去。

幸得江曉峰早生警覺，早已隱入匾後，運氣準備應變。

但聞步履聲逐漸遠去，消失不聞。

江曉峰再探首向下瞧去，只見那光滑的石階之上，有一點黑色灰塵，不禁心中一動，暗道：「那老怪果然是極爲警覺的人，大約他已由石上一點黑色的灰塵，想到這橫匾後藏得有人，不知何故，他又不肯揭露出來。」忖思之間，突聞一個嬌甜動人的聲音，傳入耳際，道：「我看他不似早夭之相，恐怕一定還活著世上。」

這聲音江曉峰聽得不多，但卻在他心中留下了深刻難忘的印象，一聞之下，立時分辨出那是藍家鳳的聲音。

隨著那嬌笑的聲音，大廳中緩步走出來一男一女。

江曉峰雖只匆匆一瞥，已瞧出那男的正是血手門的二公子高文超。

只聽高文超說道：「令尊派出了那多高手，搜尋近月，未找出他們的行跡，八成是死定了。」

藍家鳳行到大廳門口處，突然停了下來，回目望著身側的高文超道：「死了也應該留下屍體，爲什麼找不出一點蛛絲馬跡？」

高文超笑道：「天地如此遼闊，如若他們稍有準備，不難在死後設法隱去屍體。」

藍家鳳道：「聽爹爹說，那斷魂散藥毒奇烈，兩人決無法逃出三十里外，那應該是很好搜才是，怎的搜查近月，仍是找不出一點線索？」

高文超笑道：「如若他們自知必死，可以事先用鐵塊綁在身上，沉入江中，那就死難見屍了。」

藍家鳳輕輕歎息一聲道：「大哥之言，雖然有理，但家父卻一直對此甚感不安，那方秀梅

的死活，關係不重要，但那位金蟬步的傳人江曉峰，卻是個很可怕的人物，尤其是他那柄奪命金劍，更是惡毒無比之物，他如未死，定然要報此仇，我擔心他會找上鎮江我家中去。」

高文超道：「鳳妹也未免太多心了一點，就算他還活在世上，諒他一人，也是孤掌難鳴，不足重視的。」

兩人就站在大廳門口處，大談江曉峰，卻不知江曉峰就在兩人頭頂的橫匾之內，把兩人交談之言，聽得字字入耳。

但聞藍家鳳長長歎息一聲，道：「像他那樣一身武功的人才，死了實也可惜，如能把他收歸所用，倒是一個十分有力的助手。」

高文超仰起臉來，長長吁一口氣，道：「鳳妹，你心中對那姓江的，似是有著很深的懷念，是麼？」

藍家鳳怔了一怔，道：「你怎麼這樣想？他人都死了，你還這樣多心。」

高文超似是不願再談江曉峰，牽著藍家鳳的手，道：「咱們出去瞧瞧吧！令尊也該到了。」

藍家鳳緩緩把嬌軀靠在高文超的身上，柔聲說道：「高大哥，講實話給我聽，你心裏是否贊成我爹爹這次作爲？」

高文超扶著藍家鳳的香肩步下台階，一面說道：「令尊的事，我不便批評。我肯率領血手門中人，參與此事，完全是爲了你。」

藍家鳳突然挺起身子，用手理一理鬢邊散髮，歎道：「老實說，對爹爹這次設計，我心中一點也不贊成，但我是他的女兒，有什麼法子去反對他呢？」

高文超道：「如若令尊完全是爲了自救，那倒也無可厚非。」

藍家鳳冷哼一聲，突然加快了腳步，向莊院外面行去，片刻間，消失於莊院外面不見。

十一　恩怨兩分明

江曉峰望著藍家鳳美麗的背影，內心之中，有著一股說不出的悲傷，但悲傷中，卻又參雜著一份輕淡的歡愉。

悲傷的是，日夜縈繞心頭的藍家鳳，確已投入了高文超的懷抱，兩人相愛情深，儼若夫婦；那一份輕淡的歡愉，是藍家鳳果非這次江湖大變的主謀，而且對父親大爲不滿，只是她身爲女兒，親情如山，不能反對罷了。

這時，東方天際，已送出一輪紅日，金黃色的陽光，照在花叢露珠上，閃閃生光。

江曉峰長長吁一口氣，理一理心頭上千萬愁緒，暗自忖道：「我這存身之處，已被乾坤二怪發覺，早晚必被揭露，已非安全所在，必得早些設法離開才成。」

目光轉動，四顧了一眼，不見有人，立時一提氣，由橫匾之後飄身而下，疾快地閃身進入大廳。

這座大廳，十分寬敞，地上鋪著紅氈，但佈設卻十分簡單，除了一張長桌，和數十張紅漆木椅之外，別無他物。

江曉峰目光轉動，只有大廳一角，有一座斜架起來的橫樑，可資容身，當下急步奔了過

去，縱身而起，躍落在橫樑之上。

這次他極為小心，未使橫樑上積塵落下。

數日中的驚險際遇，已使他處處謹慎起來，打量了四周一眼，突然發覺自己停身之處，雖可俯瞰大廳中所有的景物，但在一種適當的角度下，廳中人亦可瞧到自己。

心中正在盤算著如何換一個停身的地方，耳際響起了一陣步履之聲，後壁處木門開啓，老管家藍福和乾坤二怪，魚貫行了出來。

藍福回頭望望大廳中掛的橫匾，緩緩說道：「馬兄，可是說得這塊橫匾麼？」

身著黃袍的大怪搖搖頭，道：「是大廳外面的一塊。」

藍福點點頭，大步向外行去，一面說道：「馬兄，自發現那積塵，到此刻有好多時間了？」

黃袍大怪道：「大約有頓飯工夫吧！」

藍福一皺眉頭，道：「如若那人當時仍然躲在橫匾之後，定然瞧到了馬兄的舉動了。」

黃袍大怪淡淡一笑，道：「這個麼，兄弟也曾想到了，那時，天色已亮，照兄弟的想法，貴莊之中只要有守院的人，他決然無法逃過守院人的耳目監視。」

藍福微微一皺眉頭，道：「這所別院，已久年未用，表面上瞧去，防備很森嚴，但莊院之內，卻無戒備，老夫晚來了一步，調派已自無及。」

江曉峰暗暗忖道：「在藍府中時，他還一口一個老奴，想不到一月之隔，他已改口自稱老夫了。」

只見藍福大步行到廳門外面，突然飄身而起，左手抓住橫匾，右手護面戒備，揮首向內瞧

了一眼，立時飄落實地。

二怪羊白子接道：「老管家可曾瞧出什麼？」

藍福突然一瞪雙目，兩道森冷的目光，緩緩掃掠了庭院中的花木一眼，道：「馬兄觀察入微，老夫極是敬服，只可惜，馬兄未能當時飛身而上，查看一下，以致給了他可乘之機。」

黃袍大怪淡淡一笑，道：「兄弟初到此地，行事不能太過莽撞，未得藍兄的應允，自行飛身查看，萬一那是藍兄安排的暗樁，豈不是要兄弟鬧一次玩笑麼！」

藍福略一沉吟，道：「馬兄說得也是，此事實也不能責怪馬兄……」

語聲一頓，接道：「就老夫查看所得，那橫匾之後，確是有人藏過，而且痕跡猶新，顯然那人離開不久，極可能就在昨夜之中。」

羊白子道：「兄弟入莊之時，曾見巡行腹壁之內的武士，牽有幾頭藏犬，藏犬耳目嗅覺，靈敏無比，決不致讓人混入，也許是看守莊院中人所爲，藍兄最好是先查清楚。」

藍福點點頭道：「羊兄言之有理，兩位一夜奔走，也該回房去休息一下了，老夫相信，如是真有人混了進來，此刻還未離開，還不難查得出來。」

羊白子四顧了一眼，道：「過了午時之後，藍大俠就可趕到，老管家最好能在午時之前，把此事查個水落石出。」

藍福點點頭，道：「兩位放心。」

乾坤二怪不再多言，緩緩轉身而去。

藍福目睹兩人去遠，重又飛上橫匾，仔細地查看了一陣之後，再行飄身落地，沉聲喝問道：「有人麼？」

左側廂房之中，一個黑衣大漢應聲而出，欠說道：「小的梁七，恭候吩咐！」

藍福揮揮手，道：「請副總管來。」

梁七應了一聲，急急轉身而去。

藍福背負雙手，站在大廳門口處，初升旭日照射下，把藍福長長背影，映印在大廳之中。片刻之後，梁七帶著一個三十左右，身著黑衣，背插單刀的大漢，急奔而來。

江曉峰微微側臉望去，只見那人正是夜中執燈現身的副總管。

那副總管對藍福，似是有無比的敬畏，又是抱拳，又是欠身地說道：「見過總管。」

江曉峰恍然大悟，心中暗道：「原來藍福兼任這莊院的總管，難怪這莊院中只有一位副總管了，看起來，藍天義一切陰謀計畫，藍福都參與其事，如能設法生擒了藍福，當可從他口中知曉不少隱密。」

藍福也不還禮，冷冷地說道：「陳貴，你知罪麼？」

陳貴全身一顫，道：「屬下知罪，不知犯了什麼律條。」

藍福道：「你身爲副總管，兼理總管之責，下轄三十六位武士，藏犬四頭，竟然連一座小小莊院，也不能守護機密。」

陳貴只覺背脊上升起一股涼意，冷汗涔涔而下，道：「出了什麼事？」

藍福回目望那高掛廳上的横匾一眼，道：「你可在這横匾之後，設有暗樁？」

陳貴搖搖頭，道：「沒有。」

藍福冷漠的笑了笑，道：「那就是有人混入了這莊院之中，在這横匾之後，隱藏了一會兒，重又離開他去。」

陳貴道：「屬下該死。」

藍福冷冷說道：「照老夫的看法，那人此刻還未離開這座莊院。」

陳貴舉手抹去臉上的冷汗，道：「我立刻召集屬下搜查。」

藍福口氣突然一變，緩緩說道：「我想他們混入這莊院之後，決然不會直奔大廳，必會在花草叢中停留一段時間，只要你們細心搜查，不難找出一點蛛絲馬跡。」

陳貴欠身說道：「屬下務必要查個水落石出，對總管有所交代。」

藍福道：「帶人仔細搜查一遍，如是發現了可疑的痕跡，立刻回報於我……」

語聲微微一頓，接道：「不過，我覺著有些奇怪，那些藏犬，嗅覺靈敏，怎的有生人混入此中，竟無所覺。」

陳貴又欠身說道：「這個，這個……此事和梅花姑娘有關。」

藍福怔了一怔，道：「和梅花有何關連？」

陳貴道：「梅花姑娘的主意，在藏犬口上加了罩子。」

藍福道：「爲什麼呢？」

陳貴道：「梅花姑娘說，昨夜佳賓雲集，恐怕藏犬狂吠，惹人生厭，故而在犬嘴上加了個口罩。」

藍福一皺眉頭，揮手說道：「知道了，你先帶人搜查這座莊院，如不見敵蹤，再來見我。」言罷，轉身步入大廳。

陳貴高聲說道：「如是找出敵人，是否定要生擒？」

藍福頭也未回地冷冷說道：「格殺勿論。」

看上去，並不見他奔走，實則走得快速異常，一句話說完，人已進入大廳中門後不見。

原來，這座莊院裏建築得十分奇怪，共分作前、中、後三座院落，但這三座院落卻各自成一格局，前面一座院落，以這座大廳爲主，似乎是所有的房舍，都和這座大廳通連。

隱在一角橫樑脊上的江曉峰，把藍福和陳貴之言，聽得十分清楚，心中暗道：「如是他們放開藏犬追蹤，以牠們嗅覺的靈敏，那倒是一樁極爲麻煩的事，梅姊姊不知躲在何處，萬一被藏犬發覺形蹤，是否應招呼她一起逃走呢？

「再說自己藏身之處，並非絕對的隱密，如是大廳中集人稍多，就有被發現的可能，但細看大廳，又無別的存身之處……」

一時間，只覺著諸般困難，紛至沓來，但卻又想不出一個解決之策。

突然間，幾聲犬吠，打斷了江曉峰的思潮。

側目望去，只見陳貴、王武各牽著一頭巨犬，身後跟著六個手握單刀的大漢，正在大廳外的草叢中穿梭奔走。

江曉峰藏身之處，無法盡窺庭中的景物，但可見的視線中，人影閃動，穿梭奔行，似乎是廳院中的人手，愈來愈多了。

忽然，汪的一聲，一隻巨大藏犬突然出現大廳門口。

這藏犬頸間未見索繩，想是主人有意放開。

隨著那高大的藏犬，出現了一個十八、九歲的少女，一身勁裝，但卻未帶兵刃。

只見那巨犬在地上嗅了一陣，直奔大廳中來。

江曉峰心中暗道：「糟了，這巨犬如若找到這樑木之下，必然將引起他們對這橫樑的注意，輕而易舉的就被瞧到了。」

事情迫急，江曉峰不得不作應變的準備，暗中提氣戒備。

忽然間，木門呀然，似是有人行了出來。

隱身在橫樑上的江曉峰，心知此刻稍一移動，就可能暴露行蹤，只好屏息以待。心中暗定主意，除非被人瞧到，決不妄動。

只見那巨犬縱身而起，直撲過去，接著汪的一聲大叫，摔在地上，大約是被人發出的內家掌力擊傷了。

江曉峰不敢轉頭，無法瞧見那人，卻聽一個冷冷的聲音，道：「姑娘把巨犬帶入廳中，而且還要縱犬傷人，是何用意？」

但聞那勁裝少女答道：「追查奸細到此。」

那冷冷的聲音，道：「你把老夫當做了奸細麼？」

勁裝少女道：「你雖然不是奸細，但卻是初到此地，巨犬只能憑嗅覺找出生人，卻無法辨識你的身分，你不該出手傷牠。」

那人又冷冷說道：「照姑娘之意，老夫應該讓這畜牲咬一口了？」

勁裝少女仍想爭辯，卻被另一個聲音喝止，道：「你這丫頭，找奸細怎會找到大廳中來？」

這聲音江曉峰極是熟悉，一聽之下，立時辨識出是藍福的聲音。

勁裝少女對藍福似極敬畏，不敢再強行爭辯，欠身道：「義父傳下令諭，說有奸細混入，因此，我才放開『追風』，借牠的嗅覺，追查奸細到此，『追風』雖是靈犬，但牠也只能找出

生人的藏身之處，無法分辨敵我。」

藍福怒道：「這番來此嘉賓，大都是初到此地之人，難道都會變成奸細不成？……」

語聲一頓，接道：「陳貴告訴我，昨夜犬加口罩，也是你這丫頭出的主意，致使巡夜巨犬，失其效用，此刻，追查奸細，竟然追查到大廳中來，老夫疏於管教，當真是把你寵壞了。」

江曉峰心中暗道：「果然是他們想不到，我竟敢躲在這等顯明之處。」

只聽勁裝少女說道：「義父責備的是，但此刻亡羊補牢，時猶未晚，只要義父答允助我，憑追風的靈性、嗅覺，必可找出奸細來。」

江曉峰暗道：「這丫頭倒是倔強得很。」

但聞藍福說道：「要我如何助你？」

勁裝少女道：「只要義父把昨夜到此的生人，召集廳中，使追風熟悉他的氣味，女兒就可找出奸細了。」

藍福略一沉吟，道：「這個，容我想想，你先退出廳去。」

勁裝少女不敢再辯，帶著巨犬追風，轉身出廳。

但聞藍福說道：「適才梅花對黃爺無禮，還望你老多多擔待。」

原來，擊傷巨犬「追風」的人，竟是太湖漁叟黃九洲。

黃九洲緩緩說道：「老管家肯把她收做義女，這丫頭定有過人能耐了？」

藍福笑道：「她雖是苗女，但卻有一半漢人血統，人還聰明，難得的是天賦訓獸能耐，就是老主人，也對她有幾分喜愛，在此莊院，已居數年，我又常住鎮江，少了管教，養成野性，日後倒得對她多加訓教才成。」

兩人一面談話，一面行近木桌，拉開兩張木椅坐下。

黃九洲輕輕咳了一聲，道：「老管家，天義老弟，幾時築建了這座莊院？」

藍福對黃九洲，似有著特別的敬重，當下答道：「十幾年了。」

黃九洲道：「但天義老弟卻從未對我提過。」

藍福笑道：「黃爺是老主人唯一的知己，說說無妨，這座莊院，乃是老主人訓養信鴿和猛獸之處，故而從未和人談過。」

黃九洲一皺眉頭，道：「信鴿用做傳訊，但訓養猛獸卻是爲了何故？」

藍福笑道：「黃爺不要小看這莊院中訓養的猛獸，其中大都是選得異種從小馴養而成，別說普通的江湖武師不如牠們，就是武林高手，碰上了也很頭疼，老主人對那些猛獸，極爲重視，常常到此查看。」

黃九洲啊了一聲，道：「有這等事，老管家可否說得詳盡一些？」

藍福沉吟了一陣，道：「黃爺這一問，老奴倒是突然有著無從說起之感，待老主人趕到之後，黃爺不妨自己去見。」

江曉峰暗道：「凶猛之獸，不過虎獅之類，藍福說得如此慎重，不知是些什麼怪獸？」

黃九洲輕輕咳了一聲，道：「藍福兄，天義老弟此番要我等雲集於此，不知有何用意？」

藍福似是甚感意外，沉吟了良久，道：「老主人作何打算，老奴也知道不多。」

黃九洲道：「老管家能否就你所知，告訴老夫？」

藍福說話，似是極爲小心，每一句話，都經過一番沉思，才緩緩說道：「大約是這樣吧！

老主人準備以實力，和黑、白兩道上幾位首腦人物談判，一舉間，解決那金頂丹書和天魔令的事。」

黃九洲道：「就在這座莊院之中麼？」

藍福道：「大概是吧！詳細的情形，老奴也不太清楚，黃爺乃是我家老主人一向最爲敬重的人，見著老主人時，何妨一問。」

黃九洲緩緩站起身子，道：「老管家，你家老主人盛名得來不易，數十年的俠名，不能毀於一旦，一個人，活上百歲，也是難免一死，重要的是，要留下千秋萬世的美名……」

藍福接道：「黃爺和老主人相交數十年，對他相知甚深，老主人一向行事，都經過深思熟慮，想來不會莽撞從事。」

黃九洲歎息一聲，道：「在鎮江藍府中，已然鑄下大錯，但他爲了自救，我也無法阻攔於他，希望這一次，不要再造大錯。」

藍福道：「老奴知道，黃爺請到後面休息吧！」

黃九洲道：「我要坐息一下，天義老弟來時，告訴我一聲，我要好好問問他！」

藍福道：「老奴記下了。」

黃九洲轉過身去，緩步行入大廳之內。

藍福望著黃九洲的背影，臉上是一種很奇怪的神情，叫人無法分辨是喜是怒。

江曉峰心中暗道：「原來這黃九洲並未參與同謀。」

直待黃九洲行入內室之後，藍福才轉身出廳而去。

江曉峰暗道：「如非那黃九洲及時現身，勢必被那巨犬找出我藏身之地不可，這陰差陽錯一誤會，倒讓我平安無事了。」
但他心中明白，這地方決非安全所在，隨時可能被人發現，如若能夠設法混入大廳內房舍之中，或可安全一些。
心中念轉，不自覺地探頭向後瞧去。
突然間，一陣衣袂飄風之聲，傳入了耳際。
江曉峰心中警覺，已自無及。
目光轉動，只見藍家鳳玲瓏嬌軀，正站在橫樑之上，兩道炯炯的目光，盯在自己的臉上。
江曉峰心中暗道：「高文超和她寸步不離，定然在她身後，看來是免不了一場惡鬥。」當下一吸氣，凝神戒備。
藍家鳳有著出人意外的冷靜、沉著，美目轉動之間，冷冷地瞧了江曉峰一眼，低聲道：「你是什麼人？」
原來，江曉峰臉上戴著人皮面具，藍家鳳無法認出。
江曉峰心中暗道：「這大廳乃是一處來往的過道，時時有人出入，而且，又在藍福、黃九洲等附近，我如和她答話動手，必然驚動那些人……」
他只管心中自作盤算，忘記了回答藍家鳳的問話。
藍家鳳美目中寒芒一閃，但仍然低聲問道：「你聽到了我的話麼？」
江曉峰淡淡一笑，道：「聽到了。」
接著，飄身落著實地，道：「我戴有人皮面具，換去了本來面目。」
藍家鳳冷然一笑，道：「你很膽大。」

江曉峰道：「我知道，只要你呼叫一聲，立時將有很多高手雲集廳中，圍攻在下。」
藍家鳳眨動了一下大眼睛，道：「你心中很明白，但卻是一點也不害怕。」
江曉峰道：「那是因爲在下自信有脫身之能。」
藍家鳳略一沉吟，道：「可否脫下你臉上的人皮面具？」
江曉峰道：「可以，不過，不能在這地方。」
藍家鳳道：「好！你跟我來。」舉步向大廳後面行去。
江曉峰緊隨在藍家鳳身後而行。

藍家鳳推開一扇木門，探首向裏面瞧了一眼，快步向裏面行去。
江曉峰心中暗道：「不入虎穴，焉得虎子，既已被她發現了行蹤，倒不如大方些，跟她去見識一下。」
藍家鳳步履快速，穿過了一道長廊，行入了一座房間之中。
江曉峰閃身衝入房內，藍家鳳隨手掩上了房門，突然回手一掌，拍了過去。
這一掌勢道快迅無倫，又是出其不意，迫得江曉峰施出「金蟬步」法，才把一掌避開。
江曉峰避開一掌之後，蓄勢待敵，以防那藍家鳳再度出手施襲。
哪知藍家鳳竟然不再出手攻襲，緩緩說道：「不用你脫下人皮面具了。」
江曉峰道：「那是姑娘已知道在下的身分了。」
藍家鳳輕輕歎息一聲，道：「你果然還活在世上，爹爹並非多慮。」
江曉峰仍然舉手揭下人皮面具，道：「令尊的藥物很毒，但卻未能把在下毒死，想來，他

定然很失望了。」

藍家鳳冷冷說道：「但此刻你卻自投羅網，只要我呼叫一聲，你決難再生離此地，不過……」

江曉峰道：「不過什麼？」

藍家鳳道：「你對我有過救命之恩，我今日也救你一命，還你相救之情，從此咱們就恩債結清，日後殺你之時，就心安理得了。」

江曉峰道：「想不到藍姑娘竟還是一個心存是非之人。」

藍家鳳道：「我不想和你談論是非，只求心安，你救過我一次，我也救你一次，那應該是很公平的事。」

江曉峰聽她語氣冷漠，不禁心頭黯然，忖道：「看來，她心中對我，是全無半點情意了。」

突然，方秀梅的話起自腦際：「藍家鳳容色絕世，只要是男人，見了她，大約是沒有不動心的，你要與眾不同，別人對她深情款款，萬般結交，你要對她冷淡……」

心中念轉，口中卻冷笑一聲，道：「不用了，在下自信這座莊院中人，還困我不住。」

藍家鳳怔了一怔，道：「你很自負。」

江曉峰抬頭望著屋頂，語氣冷漠地說道：「昔日我救你，並非因爲你是玉燕子藍家鳳，甚至根本不知你是女兒之身，因此，你用不著對我感激，我只是要救人，不管那人是女人還是男人，甚至於他是瞎眼、斷腿的殘廢，我都要救他……」

藍家鳳臉色一變，接道：「你如早知是我，那就不會救我了，是麼？」

江曉峰道：「不錯，如若以後，我還有救人性命的機會，在下決然不會救姑娘了。」

藍家鳳自懂事以來，憑仗著絕世容色，從來未聽過一個男人，對她說過這等冷酷之言，心中既覺奇怪，又有著尊嚴被傷害的難過，呆了一呆，道：「你用心在救人，難道我不是人麼？」

江曉峰道：「人有好壞之分，如若是救得不當，錯救了一個壞人，讓他爲惡人間，那是無異傷害了甚多好人，因此，在下不救。」

藍家鳳道：「嗯，這麼說來，我是壞人了？」

江曉峰長長吁一口氣，道：「姑娘可是覺著自己，是個好人麼？」

藍家鳳道：「倒要請教，我壞在哪裏？」

江曉峰微微一怔，暗道：「她本無甚惡跡，倒是叫人無法具體指出她壞在何處了。」一時間，心中打轉，終於使他想起了一句話來，緩緩說道：「雞鳴狗盜的宵小之徒，爲害也不過是一家一鄰，但如是大奸巨惡，其爲害之烈，那就要天下震動，蒼生塗炭了。」

藍家鳳點點頭，道：「罵得好，可惜的是我還有些當之有愧。」

江曉峰冷冷說道：「姑娘已知曉了在下身分，在下要說的話，也已說完，應該告辭了。」轉身行近木門。

藍家鳳道：「你如想憑仗金蟬步的力量闖出去，機會不大，而且，我爹爹就要趕到，你可能和他遇上。」

江曉峰道：「那是在下的事，和姑娘無關。」

藍家鳳冷哼一聲，道：「好！你去死！」

江曉峰望了藍家鳳一眼，緩緩伸手，準備打開木門。

就在他右手將要觸及木門之際，突聞金風破空，寒芒一點，閃電而至，江曉峰疾縮右手，閃避開去。

但聞噠的一聲，一枚細小有如黃豆的銀丸，深嵌入木門之中。

江曉峰緩緩回頭，望了藍家鳳一眼，道：「姑娘這是何意？」

藍家鳳道：「昔日你救我之命，可曾事先問過我麼？」

江曉峰道：「救人性命，大約還不用徵求被救人的同意吧！」

藍家鳳道：「這就是了，那我今日要救你之命，似是也不用管你是否同意了。」

江曉峰搖搖頭，道：「我們處境不同，豈能一概而論。」

藍家鳳冷漠地接道：「還有一件事，賤妾不願你心生誤會，我救你之命，只求心安，因為你救過我，除此之外，別無作用。」

藍家鳳這幾句話說得冷漠如冰，江曉峰有如被人在前胸上重重擊了一拳，心中隱隱作疼。但他卻強忍痛楚，故作冷漠地淡淡一笑，道：「咱們的處境不同，在下救姑娘時，姑娘已身中毒針，奄奄將斃，但在下此刻卻毫無傷疼，姑娘的盛情，在下仍然心領，就算你救過我了，此後，不再勞姑娘關心，姑娘保重，在下去了。」伸手拉開木門，大步向外行去。

藍家鳳冷哼一聲，未再攔阻。

江曉峰跨出木門，抬目一看，只見高文超滿臉殺機，站在廊道五尺以外，左手仗劍，右手平胸，已然蓄勢待敵。

一般人，都是用右手施用兵刃，但此時這高文超，卻是左手仗劍，倒是武林中罕見的事。

高文超冷冷望了江曉峰一眼，道：「閣下好長的命啊！」

江曉峰淡淡一笑，道：「區區一點毒藥，確然算不得什麼。」

高文超揚了揚左手的寶劍，道：「這把劍乃純鋼所鑄，我不信劈了你的腦袋之後，你會再長一個出來。」

江曉峰道：「好大的口氣。」

高文超緩緩向前逼進了兩步，道：「你亮兵刃吧！今日咱們這一戰，應該分個生死出來。」

江曉峰回頭望了一眼，只見一道橫壁擋住了去路。

原來，藍家鳳把他帶到了廊道上最後一間房舍之中。

後無退路，江曉峰除了捨死一戰，似已無法別作選擇，當下一提氣，暗中戒備，緩步向前行去。

高文超左手長劍一振，閃出了兩朵劍花，道：「閣下再不亮出兵刃，只怕再無拔劍的機會了。」

江曉峰心中暗作盤算，這廊道寬不過五尺，雖然身負金蟬步法，卻是不宜施展，只有和他硬拚了。心中念轉，右手一探，從腰間拔出了一把匕首。

他從來不帶長劍，一把奪命金劍，又交給方秀梅使用，只好用隨身帶的一把匕首，做爲拒敵之用。

高文超看他拔出匕首，不再猶豫，左臂一探，長劍直點前胸。

江曉峰見對方左手用劍，心中已然提高警覺，知他必有怪異招數，心中毫無輕敵之念，匕

首一揚，「鐵樹開花」，短短一把匕首，幻起了一片護身的銀光。

只聽噹噹兩聲金鐵交鳴，長劍、匕首，兩番交觸。

高文超冷笑一聲，左手長劍疾進，忽刺忽劈，凌厲絕倫。

他左手用劍，攻出的招數，大異常規，劍芒所指，盡都是人不易防範之處，江曉峰手中匕首疾如輪轉，全神對敵，也不過是勉強封擋住那高文超的攻勢。

轉眼之間，雙方已惡鬥數十招。

江曉峰逐漸地習慣了那高文超左手運劍的攻勢，右手的匕首，已逐漸地適應，守勢之外，已有還擊之能。

高文超左手長劍，尙有著精奇的變化，但因廊道狹窄，無法施展。

形勢限制，使兩人都無法發揮所學。

這時，藍福、黃九洲和乾坤二怪，都已聞聲趕到。

因爲廊道狹窄，高文超一人一劍，已經無法施展，藍福等雖然目睹兩人的惡鬥激烈，但卻無法插手助戰。

唯一能夠攻襲江曉峰背面的藍家鳳，卻又不肯出手，站在門口凝神觀戰。

但聞藍福高聲說道：「高世兄，放他出來。」

高文超疾攻兩劍，向後退去。

江曉峰收了匕首，抬頭看去，只見藍福、黃九洲、乾坤二怪等，並排站在大廳和廊道口處。

顯然，敵人存心把自己誘入大廳，施展群攻。

江曉峰回頭望去，只見藍家鳳也正瞪著一雙清澈的雙目，望著自己。

一陣強烈的英雄感，在玉人美目凝注下，泛上心頭，雖然明知廳中人，都是武林中絕頂高手，江曉峰仍然舉步向前行去。

藍家鳳突然放步追來。

心中暗暗忖道：「今日寧可戰死此地，也不能讓她笑我膽怯。」

江曉峰明明聽到腳步聲，迫近身後，但卻強自忍著不肯回頭瞧看。

他緩步行到大廳和廊道交接之處，藍福等卻突然向後退開，散佈廳中。

江曉峰心中已存寧爲玉碎，不叫藍家鳳小看的打算，故而神態十分從容，舉步行入廳中。

冷冷地望了散佈四周的群豪一眼，道：「諸位既是存心群攻，請亮出兵刃吧？」

藍福淡淡一笑，道：「江公子很有豪邁之氣，不過，老夫覺著以閣下的能耐，還不值我們群攻，老夫一人，足可對付閣下了。」

江曉峰緩緩說道：「老管家口氣不小，想來定是身懷絕技，江某亦願領教。」

藍福仰天打個哈哈，道：「那很好，不過，咱們定下約法，老夫才肯和閣下單打獨鬥。」

江曉峰道：「老管家請說。」

藍福道：「閣下的金蟬步法，乃是武林中第一等逃命的奇技，只是，老夫想領教閣下的真才實學，不願見識閣下的逃命之技。」

江曉峰道：「金蟬步暗合陰陽、八卦，除了避敵攻勢之外，亦可用作殺人。」

藍福道：「哼哼，老夫倒是想見識那金蟬步殺人之法，因此，要閣下答允，未分勝負之

前，不能逃走。」

江曉峰道：「但在下也不能答允你永遠留此不走。」

藍福道：「只要你勝了老夫，隨時可離開此地。」

江曉峰打量了藍福一眼，冷冷說道：「你講的話能不能算數？」

藍福怒道：「老夫出口之言，豈有不算之理。」

江曉峰道：「別人的話，你可以不聽，如是藍天義的話呢？」

這幾句話表面聽來，平淡無奇，骨子裏卻是把藍福損到了極處，言中之意，無疑是說藍福縱然身懷絕技，也不過是一個奴才。

藍福雖然城府深沉，也不覺聽得臉上發熱，但他仍然能壓制下心頭的忿怒，冷笑一聲，道：「只要你真能勝我，就算敝東主到此，老夫也負責讓你離開。」

江曉峰道：「希望你說的話能夠算數。」

藍福冷然一笑，道：「廳中之人，非只你我，老夫出口之言，他們都已經聽到了，難道我還會抵賴不成？」

語聲一頓，接道：「你要和我比兵刃？還是比試拳腳？」

江曉峰道：「悉憑尊便。」

藍福道：「咱們先比拳腳，以百招爲限，如是百招之內，無法分出勝敗，咱們再比兵刃。」

江曉峰道：「好！老管家請出拳。」

藍福道：「老夫讓你先機。」

江曉峰心中暗道：「敵眾我寡，時間拖得愈長，敵人愈多，對我愈不利，不用和他客套了。」心中念轉，立時踏中宮直欺而上，口中喝道：「小心了。」呼的一聲，直向藍福前胸搗去。

藍福一側身，左手如封似閉，右手掌勢「穿雲取月」，五指半屈半伸的，反向江曉峰抓了過來。

江曉峰心中暗暗一震，道：「這老頭子果非誇口，這一招，守中寓攻，攻中寓守，不知是何奇學，叫人有著無法封架、還擊之感。」心中忖思，人卻疾快地向後退出了兩步。

藍福冷笑一聲，左腳踏前一大步，右拳一招「直搗黃龍」，擊向小腹，左掌卻輕搭在右臂肘間，不知是何作用？

強烈的拳勁，帶起了呼嘯風聲。

江曉峰一吸氣，向後斜退兩步，避開了拳勢。

這一招「直搗黃龍」，並非是什麼奇奧之學，破解不難，但藍福左拳輕搭右肘，一齊攻來，顯是有著巧妙的變化。

江曉峰自出道以來，從未見過這等奇怪的拳勢，不論攻守，都是與眾大不相同。

由於藍福的拳路難測，使得江曉峰大爲慎重起來，不敢輕易出手封擋。

藍福冷笑一聲，突然間展開了快攻，雙掌有如繽紛落英，招招都擊向江曉峰的要害大穴。

江曉峰原想瞧出了藍福的怪異拳路，然後再行設法還擊，但藍福雙掌的連環快攻，迫得他不得不施出「金蟬步」先求自保。

但見他雙肩晃動，有如蝴蝶穿花一般，遊行於藍福的快速雙掌之下，覷空還擊。

但他終於扭轉劣勢，轉守爲攻。

藍福掌掌如巨斧開山一般，一口氣劈出一百多掌。

但江曉峰金蟬步，步步含蘊玄機，藍福掌勢雖快，始終無法擊中對方一掌。

突然間，一個嬌脆的聲音，傳入耳際，道：「住手！」

藍福收掌而退，轉目望去，只見那發話之人，正是藍家鳳，不由一怔，道：「小姐有話說？」

藍家鳳目光一掠江曉峰，只見他滿身汗水，濕透衣衫，顯然，他已用盡了全力，閃避那藍福的快速攻勢。

當下一揮手，道：「老管家，你已經多攻了五掌，你們講好的一百招，但你攻了一百零五掌。」

藍福啊了一聲，道：「既是老奴在百招拳掌內，無法取他之命，那只好比試兵刃了，老奴在兵刃上扣除五招就是。」

藍家鳳緩緩向前行了兩步，道：「老管家，我求你答應一件事好麼？」

這藍福雖是奴僕身分，但他追隨藍天義數十年，情意深重，就是藍夫人也要對他奉讓三分，是以，藍家鳳言詞間十分婉轉。

藍福道：「小姐有何吩咐，老奴洗耳恭聽。」

藍家鳳道：「這人救過我一條命，老管家早已知曉了。」

藍福道：「老奴知道。」

藍家鳳接道：「武林中講究恩怨分明，我欠了人家的債，如果不能報償，心中實是難安。」

她頓了頓，接道：「我想要你放他離此，我先還了他一次救命之恩，不知老管家意下如何？」

藍福道：「小姐的吩咐，老奴本是不敢不從，但老主人嚴命緝拿，格殺勿論，小姐之命，和老主人之命衝突，倒叫老奴無所適從了。」

藍家鳳輕輕歎息一聲，道：「所以，我求你助我完成這個心願，如是我爹爹當真怪罪下來，自然由我出面承當。」

藍福緩緩說道：「姑娘之命，老奴不敢不從，不過老奴也有一個條件，希望小姐答允。」

藍家鳳道：「那你說說看吧！」

藍福道：「要他留下奪命金劍。」

藍家鳳怔了一怔，回目望著江曉峰道：「你現在應該認了，你雖然身負絕技，也難和我們抗拒，奪命金劍和你的性命，你應該有個抉擇。」

江曉峰道：「在下似是用不著騙你。」

藍家鳳道：「若那奪命金劍真的不在他身上，那將如何？」

藍福道：「這個老夫不信。」

藍家鳳道：「我瞧他不似說得謊言，那奪命金劍，又不是微小之物，也不難搜查出來。」目光轉到江曉峰的臉上，緩緩說道：「你如是講的實話，可敢讓我搜查一下？」

江曉峰冷冷說道：「那有什麼不敢？」

藍家鳳緩緩行到江曉峰的身前，道：「讓我搜搜。」

伸手向江曉峰的腰間摸去。

日光之下，只見藍家鳳玉指尖尖，肌膚似雪，江曉峰本想避讓，但目睹那美麗的玉掌，頓消反抗之心，任那藍家鳳出手搜查。

藍家鳳玉手觸及江曉峰腰間之時，突然五指加力，點了江曉峰三處穴道。

江曉峰驟不及防，被她點中肋間三處要穴，心中一驚，道：「你……」

藍福呵呵一笑，接道：「小姐機智過人，老奴佩服得很。」

藍家鳳不理藍福的誇獎，歎口氣，望著江曉峰道：「男女授受不親，我一個女孩子，如何能在你身上摸來摸去，所以，我不得不點了你的穴道，讓別人搜查。」

江曉峰原想大罵她一頓，但見她目光中滿是慚咎之色，又自忍了下去。

藍家鳳美目流轉，投注到高文超的身上，道：「你去搜搜他，我相信你不會暗施毒手傷他。」

高文超輕咳一聲，行到江曉峰的身前伸出雙手，很仔細地在江曉峰身上搜查一遍，搖搖頭，道：「果然沒有。」

藍家鳳轉目望著藍福，道：「我相信他不會說謊，果然沒錯。」

就在藍家鳳轉望向藍福時，高文超突然暗用血手神功，輕輕在江曉峰左肩上，按了一掌。

他手法快速，用的力道又極有分寸，場中人大都沒有注意。

江曉峰雖然有點感覺，左肩上似是被人輕輕拍了一下，不疼不癢，也未放在心上。

藍福一皺眉頭，道：「小姐，你真的要放他麼？」

藍家鳳道：「他救過我，我救他一次，覺著很公平。」
藍福無可奈何地點點頭，道：「好吧！下不爲例，你讓他走吧！」
藍家鳳回轉身子，拍活了江曉峰身上三處穴道，道：「你可以走了！」
江曉峰略一沉吟，舉步向外行去。
藍福既然答應了釋放，廳中群豪，也無人再出手攔阻。
江曉峰行近廳門時，突聞冷喝一聲：「站住！」
江曉峰本是強按心頭怒火而去，聞得喝叫之聲，立時停下腳步，回頭說道：「怎麼樣？」
藍福道：「我還要問你一事。你身中奇毒，怎會不死？老夫想知道是什麼人救了你？」
江曉峰道：「這叫吉人天相，自然會逢凶化吉。」
藍福氣得雙目一瞪，道：「錯開此時，老夫隨時可以殺你。」
江曉峰道：「到那時再說不遲。」
藍福道：「好！你記住這句話……我再問你，那奪命金劍現在何處？」
江曉峰仰天打個哈哈，道：「你似是很怕那奪命金劍，是麼？」
藍福道：「老夫相信那奪命金劍雖然厲害，還未能傷得到我，但它太過歹毒，留在武林終是禍害，老夫準備把它毀去。」
汪曉峰冷笑一聲道：「這個麼？在下也不願回答。」
轉過身子，大步向外走去。
藍福圓睜怒目，望著江曉峰的背影逐漸遠去消失。
藍福雙目中暴射出忿怒光芒，回顧了藍家鳳一眼，道：「小姐，老奴已從你之命，放他一

次，下次他如再遇上老奴，小姐大約是不會管了？」

藍家鳳道：「他救我一命，我還報他一次，早已恩怨兩清，下一次你把他亂劍分屍，我也不管。」

藍福平日裏對人十分自謙、恭順，對待藍家鳳更是愛護備至，此刻滿臉怒容，大有怒忿填胸之勢，藍家鳳心中亦是不樂，回答了兩句話，轉身自去。

高文超目睹藍家鳳背影消失，低聲向藍福說道：「老管家不用氣苦，江曉峰縱然逃得性命，也得吃上一次大苦頭。」

藍福道：「怎麼?你在他身上做了手腳?」

高文超道：「晚輩打了他一記血手掌，不過，爲了不讓藍姑娘發覺，晚輩不敢太過用力。」

藍福突然放低了聲音，道：「那小子內功精深，血手掌雖然是武林奇功，但如不用力，只怕也無法傷他。」

高文超微微一笑，道：「晚輩自信血手奇功，已有了七成的火候，雖然用力不大，無法發揮十成效能，但他受傷則決無可置疑，縱然他內功精深，未必會死，至少也身受重傷，需要一段時間調息，才可復元。」

藍福道：「你的血手掌功，幾時可以發作?」

高文超道：「大約三個時辰之內，可以發作，至少他需要七天時間坐息。」

藍福道：「如若他急急趕路，大約要幾時發作?」

高文超道：「這個，大約在一個時辰之內，傷勢就要發作了。」

藍福道：「一個時辰，算他不停奔走，也不過走上三、五十里路而已，所以，如若咱們在一個時辰之後，遣人分頭追尋，想是不難找到他了？」

高文超道：「如若他傷勢發作，決然難再奔行，只要找的方向不錯，自是不難找到他了。」

藍福點點頭，道：「諸位請各自回房休息去吧！藍大俠快要到了，老夫請示過藍大俠之後，再作主意。」

廳中群豪聽得藍福如此一說，各自散去。

高文超緩步行到自己臥室，推開木門，只見藍家鳳早已坐在房中等候，不禁爲之一呆。

藍家鳳神情冷峻地說道：「你在江曉峰身上做了手腳？」

高文超輕輕咳了一聲，道：「這個，這個……」

藍家鳳冷冷接道：「你要說實話，騙了我，我就恨你一輩子。」

高文超無可奈何地點點頭，道：「不錯，我在他身上作了手腳。」

藍家鳳長歎一聲，道：「我明白你對他暗下毒手的用心，你是爲了妒忌，但你應該明白，我欠他一條命，不是他救我，我身中『三絕針』奇毒暗器，早已屍骨化灰，這恩情如若不補償，我一生一世也無法忘懷。」

高文超緩緩說道：「鳳妹說得是，但如今大錯已鑄……」

藍家鳳打斷了高文超未完之言，說道：「你能否療治血手掌毒？」

高文超道：「自然能夠了。」

藍家鳳道：「那也許還來得及，咱們走吧！咱們去找江曉峰，替他療治好身上血掌毒傷。」

高文超道：「這莊院四周，地域遼闊，到處是亂石青草，咱們既不知他的行蹤，要到哪裏找他？」

藍家鳳道：「不用你擔心，你只要跟著我，找到他之後，你替他療好傷勢就是。」

高文超一皺眉頭，道：「你怎知他的行蹤？」

藍家鳳眨動了一下眼睛，道：「我只是求得自己心安，如若咱們找不到他，也算盡了心意。」

高文超心中有著一種黯然傷情的感覺，但他強自振作精神，淡淡一笑，道：「咱們去找他，爲他療傷，也該有一個時間限制，不知要找到幾時？」

藍家鳳雙目盯注在高文超的臉上，道：「你似乎是沒有救他的誠意？」

高文超道：「鳳妹誤會了，只是令尊大駕就到，咱們悄然他往，不在此地迎接，豈不是大爲不敬麼？」

藍家鳳道：「我爹爹如若見責，自然由我承當，決不會連累到你，至於時間，咱們尋到太陽下山爲止，如若太陽下山後，還找不著，那就算盡了心意，不用再找他了。」

高文超口齒啓動，欲言又止。

藍家鳳一扯高文超的衣袖，大步向外行去。

高文超心中雖然不願，但他對藍家鳳愛慕太深，有些畏懼，只好跟在身後行去。

兩人出了莊院，藍家鳳低首在地上，查看一陣，舉步向東北方行去。

且說江曉峰行出莊院，一口氣奔行出五、六里路，在一片荒野草叢中坐了下來。

他覺著背後有些不適，運氣調息。

這一調息，才覺著在左肩後風腑穴上受了暗傷，隨著他運氣行功，迅速地擴展開來，整個左肩都有些麻木不靈。

回憶廳中清形，警覺到是高文超下的毒手，趕忙運氣閉住了左肩上的穴道。

仰面望去，只見藍天如洗，晴空萬里，好一個朗朗乾坤。

江曉峰緩緩站起身子，伸展一下右臂，只覺功力仍在，右臂仍然可以運用自如。

突然間腦際閃過一個念頭，暗道：「這一片美好的世界，如若被藍天義攪個天翻地覆，使生靈塗炭，草木含悲，豈不是一大恨事，我既身受血手毒傷，恐亦難再活得下去，乘此刻尚有可戰之能，何不使這殘餘的生命，發揮出強烈的光芒，如能一舉刺殺了藍天義，使即將掀起的江湖大劫，消弭於無形之中，那是更好，至不濟，也可殺死他們幾個屬下，也強過坐以待斃了。」心中念轉，突然轉身又向那莊院之中行去。

這一念之間，使他由死亡的邊緣中，重又復生。

他行不過半里左右，遙見兩條人影，飛奔而來。他瞧到兩人，兩人也瞧到了他。

江曉峰已瞧出那當先之人，正是藍家鳳，不禁心中一動，暗道：「這丫頭放了我，心又不甘，大概來追殺我了。」立時停下腳步。

目光一轉，只見身側長著一根小竹，右手一探，拔出小竹，握在手中，以備做兵刃之用。

這時，兩條人影，已然奔到江曉峰的身前。

藍家鳳腳步還未站穩，人已急急開口說道：「你受了傷麼？」

江曉峰道：「怎麼樣，兩位可是想乘人之危？」

藍家鳳道：「我們是來救你的。」

江曉峰道：「哼哼！這麼說來，姑娘的心地很慈善了？」

藍家鳳冷冷說道：「我不知道他暗下毒手。」

江曉峰道：「你們出雙入對，儷影並飛，心意相通，這話很難叫人相信。」

高文超怒聲接道：「不要汙傷藍姑娘的清白，她並不知我暗中下手傷你。」

江曉峰兩道清冷的目光，轉注到高文超的身上，道：「那是閣下一人之意了？」

高文超道：「不錯，區區預感到，咱們早晚都免不了一場生死之搏。時間拖得愈長，咱們之間的恩怨，糾結愈深，所以，我想早些殺死你。」

江曉峰冷冷地望了藍家鳳一眼，緩緩說道：「憑閣下這點能耐，除了暗施毒手之外，殺我江某人的希望，只怕今生不大。」

兩人雖然沒有說明那恩怨糾結所在，但彼此心裏都很明白，那糾結、恩怨都纏繞在藍家鳳的身上。

藍家鳳是何等聰明之人，豈是聽不出兩人對話的弦外之意。目光轉動，望了兩人一眼。

平常之時，兩人不在一起，在藍家鳳心中，兩人都是才貌雙全的英俊少年，如今，兩人站在一起，比較之下，藍家鳳才發覺，不論氣度、俊美，江曉峰似是都比高文超強過甚多。

心中念動，不覺間多望了江曉峰一眼。

只聽高文超冷哼一聲，說道：「鳳妹，這人是令尊最爲擔心的人物，他傷勢已經發作，咱們如若救了他，不但爲令尊樹下一個強敵，而且……」話到此處，突然難以爲繼。

江曉峰似是突然沉住了氣，肅立不語，暗中卻運功戒備，防備高文超突施暗襲。

藍家鳳已瞧出自己多望了江曉峰那一眼，已引起了高文超心中不悅，使他原本存有的救人之心，變成一片殺機。

當下柔聲說道：「高大哥，你答應過，要救他，是麼？」

高文超怔了一怔，道：「不錯，但此人桀驁不馴，救了他，豈不是爲令尊樹一強敵，救之何益？」

藍家鳳臉色一變，道：「如是我一定要救他呢？」

高文超怒火中燒，冷冷說道：「我血手毒功所傷之人，除了我獨門解藥之外，別人決無法救得。」

藍家鳳柳眉聳動，冷笑一聲，道：「你答應過的話，難道就不算數了麼？」

高文超突然垂下頭去，輕輕歎息一聲，道：「好吧！鳳妹一定要救他，在下只好從命了。」

高文超探手從懷中摸出一個玉瓶，倒出兩粒丹丸。

藍家鳳伸出玉手，道：「交給我。」

高文超略一沉吟，緩緩把藥丸交在了藍家鳳的手中，道：「一顆內服，一顆捏碎，敷在傷處。」

藍家鳳接過藥物，橫跨兩步，行到了江曉峰的身側，道：「藥物的用法你已聽到了，就請

你收下去吧！」

江曉峰望了藍家鳳手中的藥丸一眼，緩緩說道：「生死等閒事，江某人也不放在心上。」

藍家鳳道：「我知道你很英雄，但我欠你一條命，這恩情不奉還，我心中永遠不安。」

江曉峰道：「但在下活下去，將是令尊一大禍患。」

藍家鳳道：「我爹爹是憑藉武功，在江湖上爭霸，縱然多你一個人，也未必能阻止他的武林霸業。」

江曉峰道：「憑藉你姑娘這一句話，在下也應該活下去了。」

伸出手去，接道：「對姑娘贈藥之情，在下並不感激。」

藍家鳳道：「你本來也用不著感激，我只是還你一條命罷了。」

語聲一頓，道：「張開嘴巴！」

江曉峰怔了一怔，但卻依言張開了口。

藍家鳳右手玉指，捏起一顆藥丸，投入江曉峰的口中。

江曉峰一閉口，把藥丸吞入腹中。

高文超只覺前胸如被重擊，別過頭去，不敢多看。

藍家鳳緩緩把手中另一顆丹丸，交在江曉峰的手中，道：「這一顆外敷傷處，你已經服下了一粒丹丸，縱然不肯再敷用此藥，你也是不會死的了，但餘毒也不會除淨，活不活死不死的滋味，想來很不好受。」

江曉峰收起藥丸，道：「不勞費心，在下自有主張。」

轉過身子，大步向前行去。

藍家鳳後退兩步，和高文超並肩而立，口中卻高聲叫道：「站住！」

江曉峰回過頭來，道：「姑娘後悔了？」

藍家鳳道：「我只是想到了另一件事，覺著應該對你說明。」

同時伸出右手，挽起了高文超的左臂，慢慢地把嬌軀，偎入了高文超的懷中，道：「你知道我現在是什麼身分？」

江曉峰道：「大名鼎鼎藍天義、藍大俠的女兒，玉燕子藍家鳳，江湖上有誰不知。」

藍家鳳道：「你錯了，我是高文超二公子的妻子，我們的名份已定，不論海枯石爛，我永遠是他的人……」

高文超受寵若驚地接道：「鳳妹你，這話可是真的麼？」

藍家鳳回過臉去，望著高文超嫣然一笑，接道：「自然是真的了。」

高文超喜上眉梢，內心之中，有著莫可言喻的快樂。

他一直懷疑著藍家鳳對那江曉峰心有情意，做夢也想不到藍家鳳竟然會當著江曉峰之面，說出這樣一番話來，頓覺心花怒放，連帶對那江曉峰的敵意，也消了很多，哈哈一笑，揮手說道：「藍姑娘一諾千金，江兄已得解藥，只要你小息三日，餘毒即可盡除。」

高文超暗用血手毒功，只傷了那江曉峰的軀體，但藍家鳳一番話，字字如刀如劍，卻刺傷了江曉峰的內心，只覺得血翻氣湧，幾乎要暈倒地上。

但他強提真氣，勉強地穩住了身子。

方秀梅的話，重又在心中響起，江曉峰暗作決定，忖道：「對！我要對她冷淡些，而且愈冷愈好，我不讓她瞧出我心中的痛苦，也不受那高文超的諷笑。」

定定神，暗暗吁一口氣，冷冷地說道：「在下倒要恭喜兩位了……」

他盡量保持平靜，目光緩緩從兩人身上掃過，微笑接道：「藍姑娘已還了在下一條命，此後，咱們再行相遇時，兩位也用不著手下留情了，在下就此別過。」抱拳一禮，轉身行去。

他用盡全身的氣力，使自己保持著輕快的步伐，使行動之間顯得瀟灑一些。

藍家鳳看江曉峰輕鬆的步履，和那逐漸遠去的背影，內心突然泛升起一種莫名的黯然和淒涼之感。

她一直認爲那江曉峰對她有著一份很深的眷戀，卻料想不到江曉峰竟是那樣冷漠，冷漠得全然毫無情意。

她有一種被輕藐、傷害的感覺，突然間，轉身狂奔而去。

高文超大感奇怪，急急放腿追去，一面大聲喊道：「鳳妹，鳳妹……」

他心中焦急，全力施展，片刻工夫，已越過了藍家鳳。

凝目望去，只見藍家鳳滿臉淚痕，心中更是震駭，回身攔住了藍家鳳的去路，道：「你怎麼了？」

藍家鳳停下腳步，舉手拭去臉上的淚痕，道：「我很好。」

高文超奇道：「那你哭什麼？」

藍家鳳怔了一怔，道：「我在想，放了江曉峰，定然難逃爹爹一頓責罰。」

高文超微微一笑，道：「我還道是什麼大事，原來如此。他傷勢未復，去亦不遠，我追上去把他殺了，豈不是由責罰變成大功了麼？」

藍家鳳道：「不成。」

了。」

高文超一皺眉頭，道：「斬草不除根，春風吹又生，如要除他，不能再錯過這個機會了。」

藍家鳳道：「他雖然受了傷，但他還有奪命金劍，那毒冠江湖的利器，你一個人去，叫我如何能夠放心？」

高文超聽得心頭大感甜暢，道：「鳳妹說得也是。」

藍家鳳目光轉動，四顧了一眼，道：「此刻，大約我爹爹也趕到了莊院，藍福對爹爹最是忠心，必然會把我放走江曉峰的事，告訴爹爹，爹爹在氣怒之時，見了我，必然要重重責罰，說不定會在氣怒之下殺了我。」

高文超接道：「這麼嚴重麼？」

藍家鳳道：「我放走江曉峰，還情報恩，爹爹固是生氣，但更重要的是，我放走江曉峰，洩露了此地的隱密，這一點爹爹決難忍受。」

高文超道：「鳳妹說得是，目下之策，只有早些趕回莊院，懇求老管家，把此事暫時壓下，不要告訴令尊。」

藍家鳳道：「我知道藍福的脾氣，他決不會同意此見，欺瞞爹爹。」

高文超道：「那要怎麼辦呢？」

藍家鳳轉了轉黑眼珠子，道：「目下只有一個法子，要你幫忙了。」

高文超道：「為鳳妹的事，縱然赴湯蹈火，亦是在所不惜，什麼辦法，快說出來。」

藍家鳳道：「我爹爹對我娘最是敬重，但我娘未必和爹爹同來，我總是他的親生女兒，過了氣頭，大約就不會再有殺我之心，你先回到莊院中去瞧瞧風聲，明日午時再來此地相見，爹

爹經過一夜思慮，也許會氣怒平息一些……」

高文超接道：「你呢？難道留在這荒野之中？」

藍家鳳道：「目下也只有如此了，我在荒野躲一夜，明日午時咱們見面時，如是我爹爹氣平一些，我就回去見他，如是爹爹餘怒不息，那我只好再回鎮江了。」

高文超思索一陣，實也想不出更好的法子，只好應道：「好吧！明日午時咱們在此相見，荒野中夜寒露重，你要多多小心。」

藍家鳳道：「小妹自會惜愛，不勞大哥費心。」

高文超一揮手，轉身而去。

十二　霸吞江湖道

藍家鳳直待高文超背影消失不見，才站起身子，順著江曉峰的去路追去。她心知江曉峰要敷藥調息，去必不遠，很快就可追上。

哪知這地方冷僻、荒涼，四周很少居民，當年那藍天義選中此處，就是因此地人跡少至，藍家鳳追尋了半日，找遍了方圓十餘里，仍是不見那江曉峰的行蹤。

藍家鳳十分任性，找了半日，不見江曉峰的行蹤，心中更是氣惱，尋找之心更是強烈、堅定。

且說江曉峰接過解藥，強持鎮靜，繞過一片雜林，再也無法忍耐心中悲苦，踉蹌奔行，一口氣跑了三、四里，在一處深草叢中停下，盤坐草叢之中，運氣調息。

但他心中思緒紛亂，藍家鳳那美麗的倩影，如影隨形，揮之不去。他愈想忘去，腦際間的人影，卻愈覺鮮明，竟是無法靜下一刻來。

調息不成，索性閉上雙目，倒臥在草叢之中睡去。

他想靜靜地睡一覺，也許好些，但各種事端，紛至沓來地湧上心頭。

他想到藍天義，在這等荒涼之處，建了這樣一座廣大的莊院，在那莊院之中，定然隱藏著

極大的隱秘，自己雖然混入了莊院中去，但卻一點隱秘也未探出來，就被人發覺了行蹤，逐出莊院……

再想到藍家鳳適才那一番言語，無限溫柔地偎入了高文超的懷中，證明對自己確然是毫無情意，解圍贈藥，卻只是還報金陵郊外的相救之恩……

武林大義和兒女私情，交織成一片痛苦，使他深陷其中，耳目也失去了靈敏，藍家鳳兩度由他身旁行過，他竟未察覺。

突然間，幾聲鴉噪，驚醒了迷惘，沉思中的江曉峰，抬頭看望天色，已是晚鴉歸巢的時分。

他緩緩站起身子，抖抖身上的野草，抬頭看西方天際，落日餘暉幻起了一片絢爛的光景。

江曉峰望著那美麗的晚霞，腦際間閃過了一道啓示生命的靈光，暗暗忖道：「落日西山，餘暉將盡，但仍能幻出這滿天彩霞，我江曉峰堂堂男子，豈能讓生命無聲無息的消失於人間？雁過留聲，人死留名，我要使生命在人間發出光彩。」

這片時光中，他似是參悟了人生，伸手摸摸衣袋中的解藥，心底泛生一種強烈的求生欲望。

四顧無人，脫下上衣，捏碎丹丸，自敷傷處，重又盤坐調息。

這一次，很快調勻了呼吸，神馳物外，進入忘我的禪定之境。

這等坐息療傷，也是習練內功之人，最危險的境界，這時，任何突然的襲擊和驚嚇，都可能使他走火入魔，重則殞命，輕則落下殘廢之身。禪定中，江曉峰隱隱聽到獸鳴，只是那聲音短促微弱，還未驚擾到他。

坐息醒來，天已入夜。

不遠處，燃著一堆野火，一陣陣烤肉的香氣，隨夜風飄傳過來。

江曉峰突然想到了自己已然近一天未進食，聞到肉香，頓覺腹中饑腸轆轆，饞涎欲滴，不自覺地站起身子，向那燃起的火堆行去。

火光下，只見一個衣著破爛、滿臉油污的少年，正在抱著一條兔腿大嚼，尙有大半隻野兔，正在火上熏烤，肉香撲鼻，動人食欲。

那少年抬頭望了江曉峰一眼，又自顧自地大啃兔腿，連招呼也不打一個。

火光照耀下，江曉峰把那少年看得十分清楚，他衣著雖然破爛，但五官卻是生得十分端正，尤其是一對眼睛，又大又圓，黑白分明。

他忽然感覺，這才是高蹈武林的隱士、高人，饑食兔肉，渴飲清泉，是何等的豪放氣度。

心中念轉，人卻抱拳一揖，道：「這位兄台，小弟這裏有禮了。」

那破衣少年放下手中兔腿，望著江曉峰淡淡一笑，似是自言自語，又似回答江曉峰的問話，道：「一則是這條野兔該死，二則是閣下的命長，三則是小叫化正覺腹中饑餓，這三方面一湊合，小叫化就打了這隻野兔。」

江曉峰何等聰明，如何會聽不懂那破衣少年弦外之音，當下一欠身，道：「是兄台救了在下。」

破衣少年微微一笑，道：「是野兔找死，竟向閣下的身上撞去。」

話雖說得婉轉，但卻隱隱有責備之意，無疑是說閣下在這等荒野之中，運氣生息，又無護法守候之人，豈不是自取死亡麼？

江曉峰道：「兄弟身受血手奇毒，必得及早療治，但我又無同行親友，只好冒險碰碰運氣了，多虧兄台相救，小弟感激不盡。」言罷，又是深深一揖。

破衣少年笑道：「閣下很多禮……」

左手一伸，抓過熏烤的半隻野兔，撕下一條大腿，道：「接住。」一隻兔腿，疾飛過來。

江曉峰一伸手，食、中二指，挾住飛來兔腿，道：「正想求食，不便開口，多謝兄台之賜。」

破衣少年哈哈一笑，道：「兄台大約是讀書種子，說話很斯文，這野兔不知何故受了驚慌，直向閣下背心撞去，牠想傷你，你食牠之肉，那也是應該了。」

江曉峰緩步行近火堆，在那破衣少年對面坐下，道：「還未請教兄台大名。」

破衣少年哈哈一笑，一道：「在下倒先要請教……」

突然住口，回顧了身後一眼，冷冷喝道：「什麼人？」

只聽一個嬌甜動人的聲音，道：「我。」

隨著那答應之聲，緩步行出身著勁裝，背插長劍的藍家鳳。

江曉峰駭然一震，站起身子，道：「玉燕子……」

藍家鳳接道：「你身上的餘毒未淨，無法和我動手，還是留些氣力養傷吧！」

那褸衣少年心中雖然也在暗中戒備，但表面上，卻是若無其事，回顧了藍家鳳一眼，仍然大啃手中兔腿。

江曉峰看那破衣少年沉著無比，立時也靜了下來，緩緩在原位坐下。

藍家鳳望了烤得香氣撲鼻的半隻野兔一眼，道：「那半隻野兔賣不賣？」

破衣少年輕輕咳了一聲，道：「賣，不過，價錢很高，只怕姑娘買不起。」

藍家鳳一手拿起半隻野兔，一手探入懷中，摸出一錠銀子，丟給那破衣少年，道：「夠了麼？」

那破衣少年伸手撿起銀子，在手中掂了一掂，搖搖頭，道：「差得遠，姑娘還是收著吧！」五指一揮，一塊銀錠，直向藍家鳳投了過去。

藍家鳳接過銀子一看，只見銀錠上指痕宛然，深入兩分之多，冷笑一聲，道：「銀上指印，算不得什麼奇技。」

破衣少年打個哈哈，道：「以玉燕子三個字，在江湖上的聲望，大約還不致於搶區區半隻烤熟的野兔吧？」

藍家鳳怒道：「誰要搶你的，你說吧！半隻野兔多少錢？」

破衣少年笑道：「小要飯的窮極生瘋，難得遇上藍姑娘你這等好主顧，今兒個非得好好的敲上你姑娘一記不可。」

藍家鳳怒道：「你這人說話如此輕浮，是何用心？」

破衣少年笑道：「小要飯有娘生，沒娘管，未讀詩書，胸無點墨，說話難免有些粗氣，姑娘要是覺著小要飯的說話難聽，這生意咱們就談不成了。」

藍家鳳道：「半隻野兔，也談得上生意麼？你開價過來吧！」

破衣少年一伸大拇指，道：「一萬兩。」

這口氣，不但藍家鳳聽得一怔，就是江曉峰也聽得一呆，暗道：「這小叫化子，當真是窮凶極惡，半隻烤野兔，竟然能開出一萬兩銀子的價錢。」

只見藍家鳳揚了揚柳眉，轉動一下眼珠兒，答道：「一萬兩銀子，也不貴。」

褸衣少年笑道：「貨賣識家，以玉燕子的身分，萬把兩銀子，的確也算不得什麼。」

藍家鳳道：「野兔我買定了，不過，就算是當今天子出門行走，也不會帶上一萬兩銀子啊！」

褸衣少年道：「這話不錯，但好在，小要飯的還有一雙識貨的眼睛，姑娘如若帶有明珠、古玉之類的珍玩，小要飯的亦可代為估價，保證不讓姑娘吃虧。」

藍家鳳臉色一變，似想發作，但卻又突然忍了下來，淡淡一笑，探手從懷中摸出一個墨色指環，遞了過去，道：「你估估這個吧！能值多少銀子？」

那褸衣少年接過墨色指環，就著火光之下，仔細地瞧了一陣，臉色突現訝異之色，道：「這個？姑娘捨得出手麼？」

藍家鳳道：「有什麼捨不得，如是一個活人餓成了死人，這玉環再名貴些，也是無用了。」

褸衣少年手托指環，回顧了藍家鳳一眼，緩緩說道：「姑娘，這指環應該有一對。」

藍家鳳道：「閣下果然是有些見識，難得得很啊！」

褸衣少年道：「雙環合璧，價值連城，單環亦有它的作用。」

藍家鳳道：「那是說這指環可以換得那半隻野兔肉了。」

褸衣少年點點頭，道：「這指環之價，何止萬金。」

江曉峰表面上只顧自食其手中的兔肉，但其實，卻是暗中留意著兩人任何細微的一個舉動。

大約是那指環太過名貴，名貴的使那輕鬆、灑脫的褸衣少年，變得有些凝重起來。

藍家鳳此刻倒突然變得無比輕鬆，淡淡一笑，伸手拿過半隻燒熟的野兔，道：「你好好保管指環，別給我丟了，等我拿銀子贖回它，此地你我之外，還有人證，你如若想賴，也是無法賴掉。」

褸衣少年道：「小要飯的可以代你保管，不過總該有個限期，假如過了三月限期，小要飯的就恕不負責了。」

藍家鳳道：「我如何找你贖回指環？」

褸衣少年道：「西南方距此五里，有一座祖師廟，姑娘如若要找小要飯的，可在那供案前香爐下面，留一個便箋，小要飯的定當按時赴約。」

藍家鳳道：「那太麻煩了，三日後，正午時分，咱們在廟中會面，我交銀票，你還我指環。」

褸衣少年笑道：「好是好，不過，在下希望去的只是你藍家鳳一個人。」

藍家鳳冷笑一聲，道：「你怕我帶人去？」

褸衣少年哈哈一笑，道：「希望姑娘不會帶人同往，如是你帶人同去，只怕也找不到小要飯的。」

藍家鳳嗯了一聲，道：「你是丐幫中人？」

褸衣少年道：「天下要飯的千千萬萬，不一定都是丐幫中人。」

藍家鳳道：「我會單身赴約，希望你能守信用。」

轉過身子，慢步而去，美麗的背影，逐漸地消失於夜色之中。

江曉峰低聲說道：「她似是餓得很厲害，一萬兩銀子，買了半隻烤熟的兔子，這等大手筆，只怕武林中再無第二個人。」

褸衣少年揮手熄去火勢，一面緩緩說道：「一萬兩銀子，可以買上十萬八千隻烤野兔，再說，這附近還有兩處農家，她既未受傷，又未生病，一萬兩銀子，買半隻野兔，小要飯的也一樣不信。」

江曉峰道：「兄台之意，可是說她在騙你了？」

褸衣少年道：「這個麼？小要飯的想她還不致於，鎭江藍府，富可敵國，單是這十幾年來，江南武林道上，每年送給那藍天義的壽禮，也値三、五百萬銀子，萬兩之數，在玉燕子藍家鳳眼中，實也算不得什麼。」

江曉峰忍不住微微一笑，道：「看來，兄台實是極精交易之道，藍家鳳固是有錢，但如沒有兄台開價的氣派，半隻野兔要她一萬銀子，也就不足爲奇了。」

褸衣少年哈哈一笑，道：「這個麼？是因爲兄弟看定了她非買不可，借機訛她一下，看起來，是那樣簡單，其實這中間卻也是大有學問。」

江曉峰笑道：「這中間還大有學問？在下就想不通，這是哪門子學問呢？」

褸衣少年道：「要博知，要看穩，要算準，三件缺一不可，我認出她是玉燕子藍家鳳，還要知道藍家富可敵國，非博知，自難辦到了。」

江曉峰只覺這褸衣少年，邪中有正，而且胸藏甚雜，心中暗道：「這人不知是何身分，詼諧中不失俠義。」

但聞那褸衣少年接道：「我看準她衝著閣下而來，但她卻心有所隱，不願讓咱們瞧出來，

這裝作腹中饑餓，是唯一的辦法了。」

江曉峰皺皺眉頭，道：「衝我而來？」

褸衣少年微微一笑道：「閣下可是不信在下之言？」

江曉峰道：「這個，在下確實有些難信。」

褸衣少年道：「小要飯的在此守候甚久，深夜之中，火光可見數里之外，那藍家鳳如是早在這荒野之中，應該是早就瞧到兄弟在燃火烤肉了，但她卻早不來、晚不來，偏偏等閣下現身之時，方始及時趕來。」

一面說話，一面動手熄去燃燒中的枯枝。

一片熊熊燃燒的野火，片刻間盡皆熄去。

褸衣少年突然站起身子，道：「咱們該走了。」

江曉峰道：「到哪裏去？」

褸衣少年道：「閣下如是沒有別的事，那就跟著小要飯走走，如若有事，那就請便了。」

江曉峰突然啊了一聲，道：「我明白了，我明白了。」

褸衣少年道：「你明白什麼？」

江曉峰道：「朋友是有心救我了！打死幾乎害我走火入魔的野兔，在此地生火烤食，分明是有心爲我護法，這番恩情……」

褸衣少年微微一笑，接道：「事情已經過去了，也不用再談它了。」

江曉峰歎息一聲，道：「兄台救了在下，我還未請教兄台姓名。」

褸衣少年笑道：「人家都叫我小要飯的。」

江曉峰接道：「兄弟姓江，名叫曉峰。」

褸衣少年道：「小要飯的可沒有江兄那麼秀氣的名字，小弟叫常明。」

江曉峰一抱拳道：「常明兄。」

常明歎道：「江南武林上人物，大都臣服於藍天義淫威之下，連那素受武林敬仰的少林無缺大師、武當玄真道長，也無法激濁揚清，竟然也歸爲藍天義的屬下，還有那自負異常的乾坤二怪，也做了藍天義的爪牙，只有江兄才是鐵錚錚的漢子，豪氣干雲，視死如歸，不甘爲藍府所用，就憑這一點，兄弟就對你敬佩無比，存心高攀，交你這個朋友。想不到一隻野兔，卻叫小要飯的償了心願，而且順便又敲了那藍家鳳一萬兩銀子。」

江曉峰已然心生警覺，感覺到，這位混跡風塵，形同叫化的人物，不但是一位高蹈自隱的俠士，而且是心懷仁義的奇人，當下說道：「常兄過獎了！」

語聲一頓，道：「常兄似是胸羅甚博，對兄弟的月來經歷，了然不少。」

常明微微一笑，道：「此地不是談話之處，江兄如若信得過兄弟，那就請隨兄弟到一處所在，兄弟隨便替江兄引見幾位武林前輩。」

江曉峰道：「小弟求之不得。」

常明轉身向前行去，一面說道：「江兄傷勢未癒，咱們走慢一些。」

江曉峰隨在常明身後，行約四、五里路，到了一處荒草高可及人的草叢外。

常明停下腳步，道：「這地方很荒涼，那老奸巨猾的藍福也想不到，這深草叢中會住的有人。」

江曉峰心中暗道：「他似是對藍府中的人物，十分了然，那決非一朝一夕之功了。」

忖思之間，常明已然分開草叢，向裏面行去。

江曉峰緊追在常明身後而去。

只見那常明舉動十分小心，似是生怕留下痕跡一般。

深入數十丈，到了一座油布篷帳前面，這油布篷帳，低過那草叢甚多，而且篷帳之上，還加了短草，的確是稱得上隱密二字。

小叫化常明行近篷帳，低言數語，布門啓動，忽有燈光透出。

原來，那篷帳下面，挖掘很深，是以，江曉峰進入篷帳之後，並無低矮之感。

凝目望去，只見那篷帳之中，分坐著四個人。

左首第一人身著天藍大褂，濃眉虎目，頭戴鴉雀武士巾，胸垂花白長髯，身側放著一柄長形古劍。

第二個卻是一個團團臉，細眼睛，慈眉僧袍的大和尚。

第三個身著月白長褂，但卻滿身打著補盯，顎下短鬚如戟，根根見肉，雖然衣著襤褸，但仍然不失那種震攝人心的威武之氣。

第四個頭戴方巾，身著青衫，黑髯垂胸，手搖摺扇，是一中年文士。

江曉峰目光轉動，約略地打量了四人一眼，肅立篷帳一角。

常明卻一改那輕鬆、玩世的神情，恭恭敬敬地先對那滿身補盯，形貌威武的人行了一禮，叫了一聲師父，又對三個人躬身一個長揖，道：「見過三位伯伯、叔叔。」

那身著天藍大褂的老者，一揮手，道：「不用多禮了。」

常明一欠身，道：「謝過伯父。」

那團團臉，細眼睛的和尚，望了江曉峰一眼，笑道：「你這小要飯的，帶了貴賓到此，怎不給我們介紹一下呢？」

常明微微一笑，道：「這一位就是你們幾位老人家常常提起的江曉峰。」

江曉峰心中對這幾位當世武林中身分極爲崇高的人物，趕忙一抱拳，道：「晚輩江曉峰，給四位老前輩見禮。」

那手執摺扇的中年文士，點點頭笑道：「難得啊！江世兄這點年紀，竟然能身帶奇毒奔出藍府。視死亡如登仙界，這份豪氣，實叫人佩服得很。」

江曉峰道：「晚輩不過是適逢其會罷了，說不上什麼豪氣。」

那中年文士微微一笑：道：「非真金，火必熔之！」

一伸手中摺扇，指著那第一個身側放著古劍的老者說道：「這位是天雷劍王清乾……」

江曉峰抱拳一禮，道：「王老前輩。」

王清乾頷首還禮，道：「不敢當。」

中年文士又指著那圓臉細眼的和尚說道：「大名鼎鼎的笑面佛天燈大師。」

摺扇一轉，指著那短鬚如戟，滿身補盯的大漢道：「這位是鐵面神丐李五行。」

李五行哈哈一笑，道：「老要飯的。」

天燈大師目光轉到那中年文士身上，笑道：「你自己呢?怎不自我介紹一番?」

中年文士笑道：「小弟麼?名不見經傳，說了也是白說。」

天燈大師道：「你不好意思，我和尚替你說了吧！」

目光轉到江曉峰的身上，接道：「別瞧他文文靜靜，如若講除惡務盡的手段，我們都輸他一籌，就算那老要飯的，也得甘拜下風……」

中年文士接道：「區區公孫成。」

天燈大師接道：「人稱生死判官，摘星手。」

公孫成微微一笑，道：「當年金蟬子老前輩，以金蟬步和飛輪劍法，行道江湖時，武林中宵小斂跡，過了十幾年平安的歲月，如今江世兄承繼了金蟬老前輩的衣缽，再出江湖，但願能使魔氛平靖，重現武林太平年月。」

江曉峰歎息一聲，道：「晚輩雖然學得了金蟬步，但因未得先師指點，只是粗枝大葉的學了一個梗概，其間精要之處，都未能學到。」

王清乾道：「令師只有你一個傳人吧？」

江曉峰道：「晚輩機遇巧合，無意中找到了先師隱身之地，學得了金蟬步法，和飛輪劍招。」

天燈大師道：「那時，金蟬子老前輩可是已不在隱息之地了麼？」

江曉峰道：「晚輩找到先師隱居之地時，先師已然不在，晚輩在那裏一住七年，始終未見先師回來一次。」

公孫成道：「江世兄全憑毅力，摸索而成絕技了？」

江曉峰道：「晚輩學藝七年，確未受人指點，不過，先師留字的注解甚詳，只可惜晚輩才智有限，未能盡得先師所學。」

王清乾道：「金蟬子老前輩，未留下其他物品麼？例如書信和日常使用之物。」

他問得雖然含蓄，但江曉峰已聽懂了王清乾弦外之音，當下說道：「晚輩查點室中之物，對先師的去向，找出了一點蛛絲馬跡。」

天燈大師道：「金蟬子老前輩生死之謎，惑然武林甚久。今日，當可從江施主口中，求得確實消息了。」

江曉峰道：「先師有個留簡，說明他去求證一事，五年之內，如是仍不歸來，那就把室中之物，遺贈與先入其地的人，如若習他武功，就算他的傳人，晚輩見那留書，已是數十年之後了。」

公孫成道：「如若那金蟬子老前輩，還在世上，此刻已屆百齡之人，但他一去十數年，不見蹤影，就事而論，似是已身登仙境了。」

王清乾道：「金蟬子老前輩生死之謎，今日總算找出了一點確實訊息，雖然未能全部明確，但也八、九不離十了。」

公孫成輕輕歎息一聲，道：「江世兄由藍府中來，想必對藍府中事，有所知曉了，唉！藍天義一生行俠，想不到垂暮之年，竟然忽生奇想，致使武林大局一夕大變……」

王清乾冷笑一聲，說道：「二十年前，我就瞧出他是個假仁假義的人物，只是，那時他俠名正著，兄弟之言，別人只當作過耳東風，還要取笑兄弟妒忌他，才造謠中傷，致養虎爲患，才造成今日之局。」

李五行冷冷說道：「最使老要飯不明的，就是無缺大師和玄真道長，兩人一向受我武林同道的敬仰，德高望重，想不到，這兩人竟然投入藍府，甘爲藍天義所用，哼哼，老要飯的日後如見著兩人，非得問他們個明白不可。」

公孫成道：「李兄稍安勿躁，兄弟對此點，心中一直有些懷疑，但卻始終無法求證，因爲，那些參與壽筵之人，大都是已投入藍府，只有江兄和方秀梅兩個人，未爲藍天義所用，這中間，只怕是大有內情……」

李五行道：「什麼內情，哼！人家江曉峰和方秀梅都能跑出來，難道那無缺大師和玄真道長，就不能跑出來。」

公孫成道：「如是那無缺大師和玄真道長，脫身而出，此刻江湖上早已鬧得血雨腥風了！」

李五行道：「爲什麼？」

公孫成道：「那玄真道長和無缺大師，是何等聲望人物，只要他們振臂一呼，藍天義一生俠名，立刻將付諸流水，必然會激迫他提早動手，不會再這樣多慮了。」

李五行略一沉吟道：「公孫兄說得倒也有理。」

公孫成目光轉到江曉峰的身上，道：「江世兄，在下想請教一事。」

江曉峰道：「老前輩只管吩咐，在下知無不言。」

公孫成道：「藍天義壽筵之上，能使群豪傾服，想來必定是有其原因，江世兄身臨其境，目睹經過之情，如肯詳細說明，必是大有價值了。」

江曉峰沉思了一會兒，道：「當時，在下並未覺著什麼？如今想來，那藍天義是早有準備的了。」

公孫成道：「該是一場精密無比的計畫，事先竟然未洩露出一點風聲。」

江曉峰道：「唉！就在下觀察所得，就是進入藍府中人，在事前也無法瞧出一點蛛絲馬跡，直到事情發生，藍天義露出了猙獰面目，大家才恍然大悟，如夢初醒。」

公孫成道：「藍天義盛名正著時，突然退休，使兄弟覺得非常奇怪，因此，兄弟早已派人暗中混入了藍府中去。」

江曉峰聽得心頭一震，暗道：「這公孫成能在藍天義俠名正著之時，看出他日後要爲害江湖，而且還派人進入藍府中去，這人才智、謀略，可算得非同小可了。」

但聞李五行道：「公孫兄早已派人混入藍府中了？」

公孫成道：「不錯！因此，兄弟對藍府中事，常能事先獲知個一鱗半爪，可惜的是，兄弟選派之人，在藍府中職位甚低，不能參與府中機要大事，而且那位綜理府內大小事務的老管家藍福，又是一位精明異常的人物，兄弟爲了不使這條線索中斷，故而要他盡量減少活動。」

天雷劍王清乾道：「公孫兄事前在這深草叢中，佈置了這樣一個隱密的存身之地，也是得那位內應的報告了？」

公孫成微微一笑，道：「他混入藍府中數年之久，大概就是一件消息最爲重要了。」

李五行道：「那莊院之中，究竟是放的什麼？」

公孫成道：「他只告訴我，藍天義很秘密的在此設了一個別莊，莊中藏的何物，他未說清楚。」

語聲微微一頓，道：「三位沒有到此之前，兄弟曾到那莊院中去看過一次。但那莊院中防守極爲森嚴，除了那片刻不斷的巡邏人之外，還有幾頭巨犬，兄弟深恐打草驚蛇，也不敢進入院中查看。」

江曉峰道：「晚輩倒是曾經混入那莊院中去過一次，但不幸的很快被人發現了，以致未查

出個所以然來……」

他本想說方秀梅還混在其中，但想此事一旦洩漏，對那方秀梅安危影響太大，話到口邊，又嚥了回去。

但聞公孫成說道：「兄弟雖然沒有混進去，但莊院外面一棵大樹，使我查看一些蛛絲馬跡，雖然還無法斷言那莊院存放的何物？但已可確定那不是人……」

一直面帶微笑的笑面佛天燈大師，此刻卻突然一收笑容，道：「不是人？那是什麼？」

公孫成道：「我看到的似是很多巨大的鐵籠，外面用黑布罩著，因爲距離過遠，兄弟只能看到那鐵籠的形式，看上去很高大，如若那鐵籠關的野獸，也定然是很龐大之物了。」

李五行道：「難道是虎豹之類的猛獸不成？」

公孫成道：「這就很難揣測了，但就大體上言，應該不是虎豹才對，虎豹雖是凶猛，用來對付一般人，也還有用，如若用牠對付武林高手，兄弟想不出牠能有什麼威力，就以李兄說吧！三、五隻虎豹，也未必放在你心上。」

李五行道：「這中間有些可疑之處，近日必得去查看一下才成。」

江曉峰道：「就在下所知，此刻是去不得了，因爲鎭江藍府中的精銳，都已經到了此地，據說那藍天義也將於今日到此。」

公孫成沉吟了一陣，道：「江世兄，可是憑仗金蟬步突圍而出的麼？」

江曉峰道：「說來慚愧得很，晚輩這次得脫凶險，並非是憑仗武功闖出。」

公孫成道：「個中詳細內情，江世兄可否見告？」

江曉峰道：「我被人還了一條命，脫圍而出。」

李五行、天燈大師、王清乾、公孫成，雖都是久走江湖之人，閱歷豐富，但也從未聽過還命之舉，都不禁爲之一怔。

公孫成輕輕咳了一聲，道：「什麼人還了江世兄一條命？」

江曉峰道：「玉燕子藍家鳳。數月之前，在下在金陵，無意中救了她一次，這一次在下被藍福率人圍困，堵於那莊院大廳之中，藍家鳳堅持還我一命，叱退藍福，放走了在下。」

李五行道：「玉燕子豔美之名，在下是早有耳聞，想不到這丫頭，竟然還是一位恩怨分明之人。」

目光突然轉到常明的臉上，道：「你出去了一天，是否探到一點消息？」

常明道：「弟子和藍家鳳照了面，半隻烤熟的野兔，賣了她一萬兩銀子。」

天燈大師笑道：「好買賣啊！比我和尙化緣還利大，人家說什麼師父教什麼徒弟，看起來，這話有待商榷，老要飯的一生行事，光明磊落，從來不走偏鋒，你小要飯的卻是什麼鬼花樣都能耍得出來，像公孫教出來的一般。」

公孫成道：「錢到手，飯入口，我不信那藍家鳳會隨身帶有一萬兩銀子。」

常明道：「這個自是不會。」

天燈大師接道：「怎麼？是欠帳？」

常明笑道：「小要飯的如是要人欠了帳，還配學你老人家的降魔十二掌麼？」

天燈大師怔了一怔，道：「我幾時說過傳你降魔十二掌了？」

常明微微一笑，道：「你老人家如是真的沒有說，那就算小要飯的記錯了。」

李五行接道：「你和尙師伯這降魔十二掌，早晚要傳給你，不過，你小子此時的功力，還

無法把降魔十二掌的威力，完全的發揮出來，想學我壓箱底的本領，沒有別的法子，只有用求進一途，到時候，你不學也不成。現在，我倒要聽聽你騙那藍家鳳銀子的事。」

常明道：「藍家鳳確然不可能隨身帶上一萬兩銀子，但藍家富可敵國，要飯的一狠心，要了她一件抵押品，假如我沒有看走了眼，這東西大約可值個三、五萬兩銀子。」

天燈大師道：「什麼東西？」

常明探手從懷中取出一個指環，笑道：「就是這枚指環。」

公孫成道：「給我瞧瞧！」

話未說完，突聞砰然一聲輕震，傳了過來，似是有一物倒摔在地上，公孫成霍然站起身子，常明也收起了墨石指環，一側身，閃出篷帳。

王清乾伸手抓起古劍，緩緩站起了身子，李五行、天燈大師，也隨著站了起來。

江曉峰也長長吁一口氣，蓄勢對敵。

一時間，篷帳中呈現出一片緊張。

只聽一陣步履之聲，常明扶著一個六旬左右的老人，緩步行了進來。

公孫成前行一步，迎了上去，伸手扶著那老人，低聲說道：「閔兄。」

那老者一張嘴，吐出了一口鮮血，低聲說道：「老朽能再見諸位之面，死也瞑目九泉了。」

公孫成道：「閔兄，你先坐息一下，緩一口氣，不用多說話。」

那老者搖搖頭，道：「我不成了，我要撐著這一口氣，把話說完。」

王清乾伸出右手，抵在那老者背心之上，低聲說道：「閔兄，以你精純的內功，大約還不致非死不可，我助你一臂之力，快些運氣調息，有話以後再說。」

天燈大師探手從懷中摸出了一個瓷瓶，倒出了一粒丹丸，道：「吃下和尚這粒丸藥。」

那老者搖搖頭，道：「諸位的盛情，老朽心領了，但我知道不成了，藍福一拳震傷了我的內腑，不用糟蹋靈丹了，讓我把話說完。」

公孫成凝目望去，只見那老人臉色一片慘白，已然不見一點血色，知曉他受傷確然很重，輕輕歎息一聲，道：「大師、王兄，不用費心了，閔兄之傷，恐非人力所能挽救，咱們聽他把話說完，再盡心力救他。」

李五行道：「你知他傷得很重，此刻動手救治，還未必能夠救活，要他說完話，如何還會有救？」

公孫成道：「如若咱們無法救活閔兄，又未讓他說出胸中之秘，閔兄這條命豈不是白白丟了麼？那當是要含恨九泉了。」

只見老人一張嘴，又吐出一大口鮮血，血中帶四、五塊黃豆大小的紫色血塊，顯是震碎了的內臟。

這時，不但公孫成，連天燈大師、王清乾、李五行等，也瞧出來人確已是到了傷重難醫之境。

王清乾內力暗發，一股熱流，攻入了受傷的內腑，帶動行血，也催起將要停息的心臟，重行跳動。原來，那老者吐出第二口鮮血之後，那保心護命的一口元氣，也隨著散去，人已暈了過去。王清乾以本身內功，逼出的真氣，使他由暈迷復甦過來。

只見那受傷老者緩緩睜開眼睛，長長吁了一口氣，道：「我進入那座莊院中……」

一陣急速咳嗽，打斷了他未完之言。

公孫成低聲說道：「閔兄，慢些說，我們會很用心的聽。」

那受傷老人長長吁一口氣，道：「那莊院中，放了很多大鐵籠，籠子裏都是一些人猿。」

公孫成接道：「那些人猿怎樣？」

受傷老人道：「人猿、人猿……」又是一口鮮血湧出，閉目而逝。

王清乾暗運內功，一股強大的真氣，攻入那老人內腑。

但枯油之燈，已難再燃，王清乾強大的內力，也只能見那老人前胸微微起伏兩次，卻無法助他再啓口說話了。

王清乾黯然歎息一聲，道：「他傷得太重了。」

緩緩收回按在那老人背上的手掌。

公孫成道：「他內腑已爲內家掌力震碎，縱然是華陀重生，扁鵲還魂，也無法救活他了。」

天燈大師歎道：「如若他到此之後，咱們不慌著救他，讓他開始述說經過，也許他能夠把想說的話一口氣說完。」

李五行道：「事已至此，後悔無益，倒是那藍天義在莊院之中，養了人猿，不知是何用心？」

天燈大師道：「人猿應該是獸類中最聰明的一種動物了，藍天義養了一大群人猿，其中必有重要的作用。」

公孫成沉吟了一陣，道：「大師常年行腳於深山大澤之中，對人猿之類，比我等了解較

多，就大師所知，那人猿是否可以學習武功？」

天燈大師道：「和尚西行崑崙時，曾經見過崑崙派一位碩果僅存的老前輩多星子，那多星子年高德劭，已不再問派中事務，獨居於崑崙山一座絕峰之頂，養了兩頭人猿爲伴，貧僧親眼看牠們生擒虎豹，除了天生的過人膂力之外，出手隱隱中，似是含有武功招術。」

公孫成道：「大師之意，是說那人猿，亦可能習武功了？」

天燈大師道：「正是此意。」

李五行道：「人猿再狠，也難和人的才智相較，就算牠們能習武功，也難學得深奧之學。」

公孫成道：「正因牠們不像人這等狡猾才智，所以，牠們不學武功則罷，如是一旦能學武功，其藝必專。」

李五行道：「我不信人猿能強過人類。」

公孫成道：「李兄之言，也許有理，但就小弟所見，那人猿有兩大優點，決非人類能及。」

李五行道：「請教公孫兄了。」

公孫成道：「一是牠的天賦膂力，和跳躍飛縱之能，二是牠的忠實，可寄予完全的信任。」

李五行道：「公孫兄高見不錯，不過，人猿究竟非人，就算牠能學成武功，也無法和人抗拒啊！」

公孫成略一沉吟，道：「這並非太難的事，他們有過很長時間，在這些時間，足可以研究成一種手勢或語言，指揮那人猿的舉動，一個狡猾陰沉的人，可以指揮數頭甚至十頭以上的人猿。」

王清乾仰起臉來，長吁一口氣，道：「藍天義太深沉了，他一面博取俠名，以獲武林同道的敬仰，一面卻暗中準備，訓練出很多高級的劍手，直等他一切準備妥當，才選定六十大壽動手，一舉之間，又把江南道上的武林高手，收爲己用，唉！算算他這些準備，怕不要二十年麼？他在四十歲壯年之時，已經有這份野心了。」

李五行道：「經幾位這麼一說，老要飯的也覺得事態有些嚴重了，趁他發動之初，一切尚未完全就緒，咱們幾個，先給他攪一陣如何？」

公孫成搖搖頭，道：「金頂丹書和天魔令害了他，也害了整個武林，他如未得到這武林中正邪兩大寶典，諒他也不敢妄存霸吞江湖之心。」

李五行道：「公孫兄，這都是已成之事，目下最重要的是，咱們應該如何對付那藍天義？」

公孫成苦笑一下，道：「前些時，兄弟邀請諸位至此相聚，原想借仗幾位之力，進入那莊院中，查看一個明白，如是機緣湊巧，一舉間把它毀去，但現在，這法子行不通了。」

李正行道：「爲什麼？」

公孫成道：「因爲過去，兄弟對藍府中的真實情形，並不了解，此刻，聽得這位江世兄一番話，兄弟深感慚愧……」

王清乾道：「你慚愧什麼？」

公孫成道：「我把藍府中的實力，估計的太低了。」

李五行冷冷接道：「但現在，你也不能把他們估計的太高，你如是心中害怕，老要飯的願帶著小要飯的，進入莊院一行，我不信，藍天義那些屬下，個個都是三頭六臂的人物。」

公孫成心知李五行生性躁急，一言不對，說不定真的會帶常明，趕往那莊院中去，必得先設法按下他心中怒火才成。

心中念轉，也冷冷說道：「李兄，這個，閔兄比你的身手如何？」

李五行微微一怔，道：「可和老要飯的拚上百招不敗。」

公孫成道：「你能震碎他內腑，讓他吐血而死麼？」

李五行道：「這個，老要飯的恐怕是很難辦到。」

公孫成道：「玄真道長、無缺大師、和乾坤二怪，比你老要飯的又如何？」

李五行道：「乾坤二怪和老要飯的可在伯仲之間，無缺、玄真也許比老要飯的強些。」

公孫成道：「這就是了，閔兄被藍福一掌震碎內臟而死，玄真、無缺和乾坤二怪都未離開藍府，如是這位江世兄說得不錯，他們已然爲藍天義所收用了……」

語聲微微一頓，接道：「李兄別忘了，那藍福只不過是藍天義一個老僕，藍天義的武功，也許強過他數十百倍不止。」

李五行似是已被公孫成說服，輕輕咳了一聲，道：「若老要飯的就算不行，但還有王兄、天燈和尙，和你公孫兄啊！我不信，咱們幾個人合在一起，還無法和他們大幹一場。」

公孫成道：「不錯，咱們幾個人，都算是江湖上小有名望的人物，但咱們至多和無缺、玄真、乾坤二怪打個半斤八兩，說不定還輸人一籌，如若對方再加上幾個人，咱們是非敗不可，要是咱們去拚命，撈一個夠本，撈兩個賺一個，倒是不妨一試，但如咱們想挽救武林大劫，那就不能冒然從事了。」

李五行一腔火爆之氣，似是完全洩去，乾咳兩聲，道：「公孫兄的意思呢？」

公孫成道：「兄弟邀請諸位到此之時，實是存著先毀去他這座莊院，再作打算，但此刻形勢不同，這法子是不能用了，不論諸位的感覺如何，咱們幾個人，已無法擔起這個擔子了。」

天燈大師道：「你心眼最多，目下既不宜硬拚，應該想想別的法子啊！」

公孫成道：「兄弟覺著，目下第一件大事，應是把眼前江湖大變，傳播於江湖上去……」

長長吁了一口氣，接道：「困難的是，藍天義俠名太盛，一時間說他要造劫江湖，只怕是很難使人接受。」

李五行道：「這麼說來，咱們說出去也無人相信，那豈不是白說了麼！」

公孫成道：「但說了總比不說強些，至少可以使人提高警覺之心……」

目光一掃天燈大師、王清乾、李五行等，接道：「所以，還要三位分頭奔走一陣。」

天燈大師道：「怎麼一個奔走之法？」

公孫成道：「勞三位分到各大門派，說動各派掌門，攜手合作，共同對付那藍天義。」

王清乾道：「此事只怕有些不易。」

公孫成道：「我知道，但諸位一定要辛苦這一趟，除了各大門派的掌門人之外，各位還要設法說服各方雄主……」

目光一掠江曉峰，接道：「這位江世兄，告訴了咱們很多的內情，已夠諸位用以勸說他們了。」

天燈大師道：「我們都有了去處，你呢？」

公孫成道：「兄弟自然是也不能閒著，我要設法找一個人。」

天燈大師道：「找什麼人？」

公孫成道：「神算子王修，那藍天義不但在武功上已經登峰造極，就是在智謀上，兄弟覺著也難以和他抗衡……」

王清乾歎息一聲，道：「四年前，兄弟在黃鶴樓上，曾遇到神算子王修一次，那時，他就告訴過我一句話……」

李五行急道：「他說了什麼？」

王清乾道：「他說江湖上，五年之內必有大變，當時，江湖上一片和平氣象，兄弟也未把此話放在心上，想不到竟被他不幸言中了。」

公孫成道：「他既然早知道了，決然不會不管，兄弟相信，他也在暗中追查此事了。」

李五行伸手抓抓一頭蓬髮，道：「難道咱們就這樣一聚而散麼？」

公孫成道：「李兄有何打算？」

李五行道：「老要飯的意思是，咱們既然聚在一處了，多少也該給藍天義一點顏色看看。」

公孫成道：「這個兄弟自有打算，不過，要你李兄幫忙。」

李五行接道：「成！你老弟吩咐，水裏水中去，火裏火中行。」

公孫成淡淡一笑，道：「兄弟之意，是想留下你老要飯的徒弟，給我幫忙。」

李五行呆了一呆，道：「留下常明。」

公孫成道：「不錯。」

李五行道：「天雷劍王兄，在武林中聲譽極高，大江南北，各門各派，對他敬重異常，一言九鼎，天燈和尚，行腳苦修，武林中人人知曉，說起話來，自有分量，老要飯的素少和人往還，人微言輕，說了也是白說。」

公孫成道：「有一大幫派，非要李兄親自趕往一行不可。」

李五行道：「說說看，老要飯的還有這點分量麼？」

公孫成道：「就兄弟所知，丐幫中有兩位長老，和李兄交非泛泛，那兩位長老，又是丐幫幫主素來敬重之人，對丐幫幫主有著很大的左右力量……」

李五行沉吟了一陣，道：「好吧！老要飯的試試看。」

回顧了常明一眼，接道：「跟著你公孫叔叔，自會有你的好處，但你要好好的幹。」

常明站起身子，恭恭敬敬的行一禮，道：「弟子謹記教言。」

李五行臉色一片嚴肅，緩緩說道：「公孫成，如是老要飯的有了什麼不行，我這個小要飯的徒弟，就算交給你了。」

公孫成道：「在下相信李兄必可說服丐幫，使其重行插手江湖中事。」

江曉峰在一側聽得十分奇怪，暗道：「這李五行師徒，衣著襤褸，頗似丐幫弟子，但聽他口氣，卻似是和丐幫還有著一番恩怨。」

那李五行一向生性躁急，說走就走，一抱拳，道：「王兄、和尚，閔兄後事，幾位照顧吧！老要飯的先走一步了。」

話落口，人已穿出了軟簾，縱身而去，消失於夜色之中。

十三　嬌媚集一身

天燈大師望著李五行遠去的背影，長長吁一口氣，道：「江山易改，本性難移，這老要飯的是永遠改不了這等躁急的脾氣。」

王清乾目光一掠公孫成，道：「公孫兄，你要他去說服丐幫，未免是太過份了，以他的脾氣，如是丐帶中人不理他，豈不要鬧出事故？」

公孫成道：「這個，王兄但請放心，借這番機會，讓他化解去丐幫一番恩怨，也好給丐幫一個重入江湖的機會。」

目光緩緩從天燈大師臉上掠過，道：「大師，希望你辛苦一下，再跑一趟崑崙山。」

天燈大師道：「要我和尚去說服崑崙派的掌門人？」

公孫成道：「最重要的是說服多星子老前輩，使他答允到中原一行，他能役使人猿，必知猿性，或有對付藍天義育養群猿之法。」

天燈大師道：「邀請多星子下山，和尚也曾想過，但他春秋已高，和尚沒有把握能說得動他，但我將盡力而為。」

公孫成道：「大師要走，最好快一些。」

天燈大師望望那閔姓老人的屍體，點點頭，道：「和尚懂得你的意思，不過，讓我多留一

刻，埋葬了這位閔老施主的屍體，再起程如何？」

公孫成道：「我瞧不用了，閔老施主的屍體，由兄弟負責處理，在目前情形之下，咱們不但不能把閔兄之死，張揚開去，而且要隱密異常的把他埋葬起來……」

王清乾接道：「閔兄一世英雄，素行忠義，武林同道大都敬仰他的為人，他是為我武林揭發大奸陰謀而死的第一人，如若把他草草埋葬了事，實是愧對他的忠義，何不把他死亡之情，公諸武林，大大的張揚一番，身後哀榮，雖然對閔兄無補，但亦可聊慰義魂，更重要的是，借此激勵出一段俠情豪氣，也無異把藍天義的罪狀公諸於世。」

天燈大師略一沉吟，道：「不錯，王兄之見，也正是我和尚心中之言。」

但聞公孫成輕輕歎息一聲，道：「兩位只知其一，但卻忽略了咱們目下的實力，根本無法和藍天義抗拒，咱們張揚出去，使武林群豪畢集，正好給那藍天義第二次機會，像他慶祝花甲大壽一般，一網打盡在場之人。」

王清乾一皺眉頭，道：「群雄畢集也正好和藍天義一較長短。」

公孫成道：「在下之意，目下不宜和藍天義明目對陣，只有暗中先行準備，藍天義多行不義，其行必將逐漸在江湖上傳言開去，目下大變已成，咱們只能等待時機，小不忍則亂大謀。」

天燈大師合掌當胸道：「公孫兄言之有理，貧僧先走一步了。」

伸手揭開軟簾，飛躍而出，消失在夜暗之中不見。

公孫成目光轉到王清乾的臉上，道：「兄弟希望王兄能一赴南陽府，獨山白家一行。」

王清乾苦笑一下，道：「白家已然閉門封府，不和武林同道來往十年之久了，何況，他們

已兩代寡居，兄弟實不忍再去驚動他們。」

公孫成道：「藍天義志在整個江湖，獨山白家，該是他們一個很重大的目標，兄弟可以斷言，半年之內，藍天義必然會找上獨山。」

王清乾道：「自從白雲飛死去之後，白家就不再問江湖中事，藍天義爲什麼還要去找白家呢？」

公孫成沉吟了一陣，道：「白家雖已不問江湖中事，但白家的劍法，並未失傳，仍是江湖上公認的劍中絕技，何況白雲飛之死，仍然是武林中一大隱密。」

王清乾道：「當年白雲飛開弔之日，兄弟一直守在白家，公孫兄這番話，兄弟就不敢苟同了。」

公孫成道：「王兄可曾親眼瞧到那白雲飛的屍體？」

王清乾道：「那是因爲白夫人，覺著其夫死狀過慘，不願別人瞧到，故而未讓兄弟一睹其夫遺容，但下葬之時，兄弟在場，白家一門老幼，無不哭得哀哀欲絕，而且下葬之前，白夫人曾經啓動棺木，再瞧乃夫遺容一次，當時，兄弟站的方位，適巧可見，瞧到了棺戶的屍體……」

公孫成對這幾句話，似是特別的注意，聽得全神貫注，不待王清乾的話說完，接道：「你瞧到那白雲飛的面容了？」

王清乾道：「他臉上原本蓋有一層白紗，但我和他多年交往，心中又有懷疑，覺著白夫人不讓我一睹義弟遺容，有些大背常情……」

公孫成接道：「原來，王兄和白雲飛還是義結金蘭兄弟，此事江湖之上，倒是甚少有人知

曉。」

王清乾自知說漏了嘴，但已不便再改口否認，只好接道：「我們結義之事，只求彼此情同手足，也就是了，自然用不著在江湖道上張揚。」

公孫成道：「王兄說得是，你瞧清楚那白雲飛的形貌沒有？」

王清乾道：「我因心中動疑，自然不會放過這個機會，運足了目力瞧看，果然那白紗之下，是我義弟的面容。」

公孫成心中暗道：「那白夫人首先阻攔於你，說她丈夫死狀很慘，不肯讓你看他的遺容，但在下葬之時，偏又故示多情，要啓棺最後一睹先夫的遺容，又偏巧讓你站在棺旁，豈知人家不是故意的讓你瞧到麼？」

心中念轉，口中卻不肯揭破，說道：「這麼說來，王兄更是應該早到白府中去了？」

王清乾道：「爲什麼？」

公孫成道：「白雲飛爲人所害，你是他義兄，但卻一直未能替他報仇……」

王清乾接道：「唉！我爲此事，走遍了大江南北，但卻始終找不出殺害我義弟的仇人，空自負劍長嘯。」

公孫成道：「藍天義陡然間大變心意，生出統霸武林之心，決不會放過南陽白家，你是白雲飛的義兄，正該先行通知白家一聲，免得他們全無戒備，爲人暗算，需知白雲飛雖然已死，但白家定然存有劍譜……」

王清乾接道：「不錯，公孫兄高見甚是，白家兩代寡居，子女幼小，我這做伯伯的理應善盡保護之責，不管如何，應該先去知會他們一聲才是。」舉步向外行去。

公孫成道：「王兄留步。」

王清乾回頭道：「公孫兄還有什麼見教？」

公孫成道：「王兄見著白老夫人之時，請轉告兄弟一言。」

王清乾道：「要兄弟帶什麼話？」

公孫成道：「覆巢之下無完卵，十年納門杜客，並不消去白家在江湖上的聲望，請白老夫人三思。」

王清乾怔了一怔，道：「公孫兄的話，兄弟一定帶到……」一抱拳，轉身奔入夜色之中。

公孫成望望常明和江曉峰，道：「咱們也該走了。」

常明道：「這位閔老前輩的屍體呢？」

公孫成道：「我把你小要飯的留下，就是要你幫我揹著屍體。」

常明道：「有事弟子服其勞，晚輩既然請命，自然聽候吩咐。」

雙手挽起屍體，揹在身上。

公孫成一揮手，道：「你們到外面等我。」

江曉峰、常明走出篷外，片刻之後，公孫成也走了出來，道：「咱們走吧！」轉向正西行去。

三人行約十餘里，來到了一個土崗下面，那土崗下都是深可及腰的深草，公孫成撥開草叢，直行而入。

常明和江曉峰追在公孫成身後，行過草叢，只見一座土崖之下，有著一座深約五尺的洞

穴。

公孫成晃燃火摺子，神色慘然地說道：「小要飯，你放下閔老前輩的屍體，去撿些枯草乾枝來。」

常明應了一聲，轉身而去。

公孫成扶正那閔姓老者的屍體，對著大拜三拜，黯然說道：「閔老哥，是兄弟對不起你，你蓑衣竹笠，垂釣碧波，是何等逍遙自在的生活，但兄弟卻留函相邀，害得你慘死荒崗，如非你強忍傷勢，奔來傳訊，我們四位，應必將遭人毒手，你雖離人間，但這浩然之氣，永留於江湖之上，此刻形勢格禁，不能厚葬閔兄，只有暫時把你安置於此，日後江湖底定，再把你的事蹟昭告武林，予以厚葬。閔兄陰靈有知，亦必會體諒小弟苦衷了。」

江曉峰守在一側默然不語，但卻被一股強烈的淒涼之氣感動，覺著這公孫成機智過人，外圓內方，不失一位豪俠之士，不由之間，對他生出了敬仰之心。

這時，常明已然撿了很多枯枝乾草，行回土洞。

公孫成似是不願常明見到自己跪拜屍體，聽得步履之聲，頓時站起身子，回顧了那枯枝乾草一眼。

探手從懷中摸出一個玉瓶，倒出一些白色粉末，灑在乾草枯枝之上，再把乾草枯枝，分佈開去，燃起枯草，道：「咱們走吧！」躬身行出土洞，登上土崗。

只見他行到一株奇大的古柏之下，側目望著常明，道：「你爬樹的本領如何？」

常明道：「小要飯的極精此道。」

公孫成微微一笑，道：「我知道留下你必有大用，果然不錯。」

從腰中取出一條絲繩，道：「你帶著這個爬上樹去，然後垂下軟索，我們好攀索上樹。」

江曉峰抬頭望了那古柏一眼，星光之下，只見那古柏約有二十餘丈的高低，心中暗道：「這株古柏不知歷經了幾千年，十丈以下，全無著手之處，再好的輕功，也是無能飛登而上，除了爬上之外，確是別無良策。」

忖思之間，只見那常明施出攀登巨樹的絕技，很快爬上了大樹，把手中索繩，繫在一根橫幹之上，將另一端投了下來。

公孫成在江湖上雖然身分極爲崇高，但對江曉峰一直十分客氣，微微一笑，道：「江世兄請啊！」

江曉峰一欠身道：「晚輩有禮了。」手抓繩索攀上巨柏。

公孫成隨在身後，也攀索而上。

這古柏橫生枝幹處，距地不下十五丈高，而且枝幹甚粗，足可容人打坐。

常明收好垂索，回顧了一眼，笑道：「這株古柏高過十餘丈，如在白晝，一眼可見四周數里內的景物，當真是一處既安全又可監視敵人的所在，除公孫叔叔外，大約再無人能找到這樣存身所在了。」

公孫成道：「你不用高興，你閔師伯以喪失性命帶來了口訊，才使我臨時改變了主意，遣走你師父，和王大俠、天燈大師等幾人，唉！如是你那閔師再晚到一刻，我們也許都已趕到了那莊院之中，那就誰也別想活著了。」

語聲一頓，接道：「說起來，也要感激你小要飯的帶回這位江世兄，自從藍天義六十大壽之後，凡是進入藍府中拜壽之人，全部如同投在海中的砂粒，沒有半點消息，這位江世兄，是

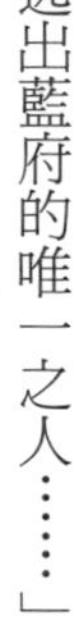

逃出藍府的唯一之人……」

江曉峰此時，對幾人已然不再存絲毫懷疑之心，當下接道：「還有一位方姑娘，逃了出來，現在仍在那莊院之中。」

公孫成道：「笑語追魂方秀梅？」

江曉峰道：「不錯，她雖是女流之輩，但見識廣博，機心過人，強過晚輩十倍。」

公孫成一皺眉頭，道：「你可曾和她訂下會面之處？」

江曉峰道：「約好了，不過，要在七日之後。」

公孫成不再多問，目光一掠常明，接道：「這位江世兄說出了藍天義大壽筵上的惡毒手段，我已生出了戒心，但我知曉決無法阻止你師父和王大俠等幾人，到那莊院探看之心，後來，閔老英雄帶傷而歸，說出那莊院中部分隱秘，我才下決心免去這次入莊探查，唉！閔老英雄和老要飯的、天燈大師、王大俠和我幾人，武功都在伯仲之間，縱然有些差別，那也是有限得很，他的死亡卻救了我們……」

常明輕輕歎息一聲，道：「叔叔把閔老前輩的屍體，移入那土洞之中，而且燃起乾草枯枝，可是想把他屍體焚化麼？」

公孫成道：「如若把他屍體焚化，日後再談他爲武林大義殉身之事，別人縱然相信其事，卻無法確信那骨灰就是閔玉祥的骨灰了。」

長長歎息一聲，接道：「所以我要用煙熏之法，把他的屍體熏乾，然後再找一個瓷罈，裝起他的屍體，日後也好使武林同道，一睹他的遺容。」

常明道：「原來如此……」

望了公孫成一眼，接道：「小要飯的心中還有一樁疑問，不知是該不該問了？」

公孫成道：「你說吧！什麼事？」

常明道：「你把我師父、王老前輩等全都遣走，你卻留此不去，但又留下我小要飯的，不知是何用意？」

公孫成道：「我留此地，是要監視那藍天義的舉動，至少應該設法查出，藍天義下一步舉動為何？這是鬥智謀、鬥膽氣，不能鬥力、鬥氣，你師父和王師伯等，都是豪俠人物，一向正大光明，不用鬼計，留此反足以壞事，至於你小要飯的，卻是天生的鬼靈精，用詐使奸，只怕還要強過我做叔叔的了。」

常明聽得臉上一熱，道：「公孫叔叔誇獎了。」

心中卻是大感受用，暗道：「他這麼看得起我，當真要露它兩手才成。」

只聽公孫成接道：「不要被我這一誇獎沖昏了腦袋，需知，對方高手眾多，稍一不慎，就有喪命之虞，你這點年紀，來日正長，不可輕易丟了性命。」

常明心頭一凜，道：「公孫叔叔教訓的是，小要飯決不逞強，害人害己，壞了公孫叔叔的大事。」

公孫成目光一轉，望著江曉峰，道：「此番咱們用心在暗中觀察，盡量避免和他們動手，還望江世兄能和在下合作。」

江曉峰道：「晚輩識見不多，一切聽憑前輩的吩咐。」

公孫成道：「江世兄肯予合作，在下十分感激，最為重要的幾點是，最好不讓敵人發覺，萬一被人發覺時，亦該走避為上，非絕對必要，不和人動手。」

江曉峰道：「晚輩記下了。」

說話之間，忽見遠處火光高照，夜暗中清晰可見。

江曉峰瞧那起火之處，頗似剛才存身的篷帳，心中暗道：「原來，他剛才留在最後，埋下了火種，燒去篷帳。」

公孫成望望天色，道：「這把火，必然引來藍天義嚴密的搜查，明日，咱們要在這古柏上，留它一天。」

常明看看東方已經變白，接道：「公孫叔叔，如是明日不能離開這株大古柏，咱們得早些備點食物才成。」

公孫成道：「你師父一生耿介，當得完人之稱，唯一的嗜好，就是愛吃，但他收了你這個古靈精怪的徒弟，你師父的好處，你似是都未學會，單單學會了他那唯一的嗜好。」

常明笑道：「我小要飯的，如果再學不會師父唯一的嗜好，師父定要把我逐出門牆了。」

公孫成道：「你自認愛吃，這準備食用之物的事，就交給你辦了。」

常明看看天色，道：「太陽升起之前，小要飯定然趕回來。」言罷，放下軟索，下樹而去。

江曉峰閉目靠在古柏上一處枝椏之上，心中暗道：「我和那方秀梅在大樹身中，躲了一月之久，想不到數日之後，要在一棵大樹之上停留下來，人生的遇合變化，實在不可思議。」

側目看去，只見公孫成也閉著雙目而坐，不知是在運氣調息呢？還是正在運用思考，以籌謀對敵之策。

不大工夫，常明攀索而上，只見他胸前鼓鼓的，不知裝得些什麼東西。

公孫成睜開雙目，笑道：「你替我們準備的什麼食物？」

常明探手從懷中摸出兩隻煮熟的大肥雞和十個雞蛋，三個大饅頭，一壺老酒，笑道：「時間太急了，小要飯只好匆匆而歸。公孫叔叔，將就一些了！」

但聞公孫成道：「你這兩隻雞和十只雞蛋，都是偷來的？」

常明道：「不能算偷，小要飯的留下十倍於此的價錢。」

公孫成道：「難為你這樣短的時間，竟然都把它弄熟了。」

三人匆匆食過，天已大亮。

公孫成一直留心著那土崗下冒起的煙氣，看它逐漸消失，才長長吁一口氣，道：「幸好我沒有算錯，你們可以先坐息一下了，咱們輪流值班。」

常明道：「那麼公孫叔叔和江兄先坐息，小要飯的精神還旺。」

江曉峰道：「兩位……」

公孫成接道：「江世兄不用客氣，小要飯的既然自告奮勇，心中必然有所把握，咱們也可以放心休息。」

江曉峰想想自己傷未痊癒，照那藍家鳳之言，還需要兩月以上的時日養息才成，當下不再多言，閉上雙目，運氣調息！

這株古柏，不僅高大，而且枝葉密茂，分叉之處，更是枝幹交錯，足足有四、五尺方圓大小，只要選擇的位置不錯，坐在上面十分安全。

江曉峰閉目打坐，不覺間進入忘我之境。

不知過去了多少時間，一陣低語之聲，傳入耳際。

睜眼看去，只見常明和公孫成，正在指指點點，低聲交談。

江曉峰順著常明的手指望去，只見三條人影，正對著古柏方向行了過來。

因爲相距過遠，無法看得清楚那些人的形貌，但日光下，隱隱可見那三人佩帶著兵刃。

只聽公孫成道：「這是第三批吧！」

常明道：「不錯，他們似是編組得很有規律，每一批三個人。」

公孫成笑道：「今日夠那藍福忙的了，方圓二十里大概要被他們搜查個天翻地覆。」

常明道：「藍天義千慮一失，他選擇這樣一處荒涼的所在，築建起一座莊院，雖然十分隱密，但這四周都是荒草，隨便在哪裏藏上一個人，夠他們找的了……」

話未說完，突見人影一閃，土崗下草叢中，突然躍飛出一個人來。

這一著大大地出了三人意料之外，公孫成頓然住口。

江曉峰凝目望去，只見那人白髯飄花，身著長衫，正是老管家藍福。

公孫成暗暗吁一口氣，忖道：「好厲害的腳色，無聲無息找到了這裏。」

只見藍福目光轉動，四顧了一眼之後，目光落到那株高大的巨柏之上。

公孫成突然用極低微的聲音說道：「江世兄，你能夠動手麼？」

江曉峰點點頭，道：「晚輩勉強可以。」

常明搖搖頭，低聲道：「他傷勢未癒，不能和人動手。」

公孫成點點頭，不再說話。

但見藍福舉手一招，道：「你們上來吧！」

隨著藍福招動的手勢，兩條人影，飛燕一般地躍上了土崗。

江曉峰凝目望去，只見那躍上土崗之人，正是血手門的高文超和千手仙姬祝小鳳。

藍福望著那高大的古柏，道：「高世兄，你爬樹的本領如何？」

高文超道：「老前輩可是懷疑那株古柏之上有人？」

藍福道：「老夫早就該發覺這株古柏了，登上古柏，可見方圓四十餘里之內的景物，如是有人在樹上……」

祝小鳳接道：「老管家說得……」

藍福冷哼一聲，接道：「祝姑娘，你已是本教中的人，對老夫還是如此稱呼麼？」

祝小鳳呆了一呆，道：「總護法教訓得是，賤妾叫順了……」

藍福冷冷接道：「那就罰你爬上那株高大的古柏之上查一下。」

藍福說話的聲音甚大，江曉峰等都聽得清清楚楚。

常明輕輕地一扯那公孫成的衣角，低聲說道：「老前輩，如若他們要上這株古柏，咱們是否要動手呢！」

公孫成暗暗盤算道：「藍福帶了兩人，我方也是三人，如若是一對一的動手，我們就算不能勝得對方，但至少可以脫身逃走，但如今江曉峰傷勢未癒，我方只有兩人，和對方三人動手，先天上已經吃了大虧……」

心中念轉，低聲說道：「如是今日局面，非要動手不可，出手一擊，必要使對方一人，完全失去迎戰抗拒之能才成，但此乃下下之策，非必要時不可動手。」

只見千手仙姬祝小鳳緩步行到古柏下，抬頭望望那距地十餘丈的高大樹幹，緩緩說道：「總護法，這古柏高近二十丈，就算是天下第一等的輕功，也無法飛上樹去。」

藍福和高文超，快步行了過來，抬頭打量那巨柏一眼，藍福冷笑一聲道：「不錯，這株巨柏夠高，天下第一等的輕功，也無法飛躍而上，不過，他們可以爬上去啊！」

但聞祝小鳳歎一口氣，道：「屬下是女兒之身，這高大的古柏，既非輕功所能躍登，要憑爬樹的本領爬上去，那實非屬下所長，還望總護法賜予諒解。」

藍福皺皺眉頭，道：「高世兄會爬樹麼？」

高文超道：「區區幼時，家教甚嚴，很少在外面野過，這爬樹一道，實非所長。」

藍福一捋前胸白髯，道：「老夫已白髮蒼蒼，總不能叫老夫爬吧？」

但聞祝小鳳接道：「就屬下所見，那江曉峰瀟灑文秀，也不似擅長爬樹的人物。」

藍福點點頭，道：「好吧！回頭咱們再帶人來，在這株巨柏上，設下一座哨台，再放幾隻信鴿，就可以監視方圓十里之內的人物行動了。」言罷，舉步向前行去。

三人去勢甚快，片刻工夫，已走得蹤影不見。

公孫成目睹三人的背影消失之後，微微一笑，道：「你們兩人聽到了麼？」

常明點點頭道：「聽到了。」

公孫成道：「這是很大的教訓，不能當機立斷，只因他心有貪念。」

常明笑道：「晚輩明白。」

江曉峰卻不明所以，微微一皺眉頭，道：「怎麼回事？」

公孫成道：「那藍福追尋至此，發覺這株古柏上，很可能是敵人藏身之地，他的判斷正確，足證有過人的才智，但他不該心存貪念，他們既不願爬樹，又捨不得把這株巨柏砍倒，因爲他一心想在這株巨柏上，建立一座哨台，致使判斷動搖，所謂一念之差，給了咱們一個很大

的機會……」

常明接道：「這還是公孫叔叔才智勝過藍福，才使他一錯再錯。」

公孫成微微一笑：「你什麼都明白，說說看他失誤何在！」

常明道：「公孫叔叔臨危不亂，先行遣走了家師、天燈和尚師伯和王大俠，已減少了衝突的可能，照晚輩的想法，如若他們三位中，有一個人在此，剛才藍福下達爬樹之命時，恐已引起衝突了……」

公孫成點點頭，道：「這古柏之高，非輕功所能躍登，又認為江兄不會爬樹，如是知曉你小要飯的也在此，那就大不相同了。」

常明道：「說來，我真要感謝一個人。」

公孫成道：「什麼人？」

常明道：「藍家鳳姑娘。」

江曉峰奇道：「感謝她什麼？」

常明道：「她未把見著小要飯的事，告訴藍福。」

公孫成道：「咱們雖逃過了他們這次搜查，但這古柏已非久居之地，咱們先得找個容身之地，使得江世兄把傷勢養好。」

語聲一頓，目光轉注在江曉峰的臉上，接道：「江世兄的傷勢，大約幾時可以好？」

江曉峰道：「照那高文超的說法，大約還要一、兩天的時間。」

公孫成道：「那很好，咱們找個安全的地方，你養息傷勢，等完全復元之後，咱們再設法給他們點顏色瞧瞧。」

常明道：「小要飯的和那藍家鳳訂好之約，是否還要去呢？」
公孫成沉吟了一陣，道：「當時情形，我不太了然，你覺著是否該去呢？」
常明道：「小要飯的覺著，這是一樁很重大的事情，藍家鳳已和我約好了，由她單身赴約，但她卻未限制小要飯的一個人去。」
公孫成道：「為什麼呢？」
常明微微一笑，道：「藍家鳳雖然有錢，但一萬兩銀子，並非是小數目，她不瘋不傻，為什麼要拿一萬兩銀子，買半隻烤熟的野兔？就憑我小要飯的這副德行，一兩銀子她也不幹啊！」
公孫成若有所悟地望了江曉峰一眼，微微一笑，道：「你們約好什麼時候見面？」
常明道：「後天中午時分，在那座祖師廟中。」
公孫成道：「好，論心機，你小要飯的不在公孫叔叔之下，你覺著應該去，那就去吧！」
常明微微一笑，道：「你老誇獎了，小要飯覺著，你老人家也該去一趟。」
公孫成微微一怔，道：「我也要去麼？」
常明道：「你老人家先躲在神案之下，小要飯的和她鬥嘴，藍家鳳雖然慧黠，但她終是小女孩，小要飯的自信，可以激她說出一些隱秘，你老人家也許能夠聽出一點子蛛絲馬跡來。」
公孫成目光轉到江曉峰的臉上，接道：「江兄，也要同往一行？」
江曉峰道：「唉！我想在下不去了。」
常明道：「不成，江兄不去，小要飯的再有三頭六臂，也是耍不開了。」
江曉峰道：「好吧！常兄覺著去了有益，兄弟自是不推託。」

三人計議停當，離開古柏，找了一處僻靜所在，讓江曉峰調息養傷。

常明不僅會吃，而且善於烹飪，不論瓜果野味，經他燒烤後，無不香脆可口。

一日夜匆匆而過，第二天一早，常明就請公孫成先走了一步。

將近中午時，常明獨自轉來，並帶回了食物，先讓江曉峰飽餐一頓，一起動身趕往祖師廟。

那是個很小的廟宇，總共只有一座大殿，積塵滿地，蛛網處處，至少有一年沒有人進過香火了。

常明先在四局查看了一陣，不見有何埋伏，才帶著江曉峰行入廟中。

藍家鳳早已在廟中等候，江曉峰轉目看去，只見那藍家鳳，穿著一身玄色勁裝，外罩玄色披風，玄巾包髮，中綴明珠，玉柄金鑲的劍把，透出披風之外，嬌媚中別有一種剛健之氣。

藍家鳳似是已等得不耐，冷笑一聲，道：「小叫化子，現在什麼時刻？」

常明道：「午時未過，我們約訂午時，小叫化準時而來。」

藍家鳳冷笑一聲，道：「我的指環呢？」

常明道：「帶在身上，姑娘的銀票呢？」

藍家鳳道：「交出指環，我自會給你銀票。」

常明搖搖頭，道：「不行，咱們一手交錢，一手交貨。」

江曉峰目光轉動，掃掠了藍家鳳一眼，只見她全神貫注在常明的身上，似是根本未發覺自己也在大殿之中一般，不禁暗暗一歎，轉過身子，悄然退出大殿。

他轉過身子後，藍家鳳兩道目光，立時投到江曉峰的後背之上，瞧著他步出廟外。

一待江曉峰轉過門角消失，藍家鳳才收回目光，緩緩取出一張萬兩銀票，向常明一揚道：「銀票在此，你拿去瞧過吧！」

常明接過銀票，仔細瞧了一陣，也取出指環，送了過去。

大約是藍家鳳覺著了常明手髒，不肯伸手去接，向後退了兩步，道：「丟過來。」

常明右手一抬，掄出指環，微微一笑，道：「藍姑娘可是覺著在下的手髒麼？」

藍家鳳接過指環，冷冷說道：「你訛了我一萬兩銀子去，也該換換行頭了。」

常明仰天打個哈哈，道：「姑娘瞧我滿手油污，不登大雅，但我心地卻是明淨晶潔，纖塵不染，你玉燕子美若嬌花，但論心胸光明磊落，卻未必強過我小要飯的。」

藍家鳳嬌美絕倫，絕光四射，任何男人見了她，無不驚爲天人，但得玉人顧，無不大感榮幸，從未有人這般當面地數說過她。

不禁聽得一驚道：「你罵我？」

常明笑道：「不敢，不敢，在下不過說得實話而已。」

藍天鳳冷笑一聲，道：「你亮兵刃吧！」

常明哈哈一笑道：「怎麼？姑娘想打架？」

藍家鳳道：「你訛我一萬兩銀子，又出口傷人，今日我非要教訓你一頓不可。」

常明笑道：「姑娘錯了，有道是漫天開價，就地還錢，姑娘乃是心甘情願的買，怎麼能談到訛詐二字？」

藍家鳳一抬玉腕，長劍出鞘，緩緩說道：「我既付了銀子，又是單身赴約而來，已是守了

信諾，但你出口傷我，我殺了你，那是另當別論了。」

常明刁鑽古怪、思慮周密，但卻未想到藍家鳳會突然相逼動手，怔了一怔，道：「江湖上盛傳你爲人刁蠻，今日一見，果是不錯……」

藍家鳳長劍一振，唰唰唰連攻三劍。

劍如電閃，閃化一片銀芒，迫得常明連退了三步……

常明正待探手取出兵刃迎敵，心中突然一動，急急叫道：「江兄快來。」

江曉峰聞得常明呼叫之聲，急奔而入，道：「什麼事？」

口中問話，兩道目光，卻已投注在藍家鳳的身上，看她持劍而立，心中早已了然，當下一橫身，攔在常明身前。

藍家鳳冷笑一聲，道：「你替他出頭？」

江曉峰道：「咱們這次會晤，旨在交易，似是用不著動手吧！」

藍家鳳道：「關你什麼事？給我閃開。」

江曉峰搖搖頭，道：「姑娘一定要動手麼？」

藍家鳳一振腕，道：「你一定要管，那就請亮劍吧！」

江曉峰緩緩抽出身上佩劍，道：「姑娘一定要動手，在下只好奉陪了。」

常明心中暗道：「金蟬步乃傳誦武林的絕技，江兄弟就算不能勝她，但足足可以自保，只不知他的傷勢是否痊癒？」

他爲人雖然精明多知，但卻頗具俠氣，他並非是真的害怕藍家鳳，就算非敵，亦可先行放手一搏，呼叫江曉峰趕來相援，只是想證實自己推想，還考慮一下江曉峰的武功如何，是否在這番武林正邪大決鬥中，堪當重任。

但眼看兩人就要打起來時，常明又突然想起江曉峰不知是否傷已全好。心中念轉，口中叫道：「江兄弟，和女孩子們動手，勝之不武，殺雞用不著牛刀，我瞧還是小要飯的來吧！」

右手一揚，五指若鈎，硬向那藍家鳳的握劍右腕上抓了過去。

藍家鳳冷笑一聲，反手一劍，削了過去。

這一劍勢道甚怪，若點若劈，使人無法預測她劍勢的去路。

常明吸了一口氣，向後退了兩步。

但見寒芒一閃，唰的一聲，長劍掠衣而過，劃破了常明身上的衣服。

藍家鳳如若再借勢攻擊一劍，雖然未必能把常明斃於劍下，至少可以使他受傷，但藍家鳳卻及時收住劍勢。

這當兒，突聞金風破空，一道寒芒，由常明和藍家鳳之間，疾閃而過。

原來，江曉峰生恐那藍家鳳再攻一劍，傷了常明，及時發出一劍，希望能攔住藍家鳳的劍勢。

藍家鳳及時收住了劍勢，江曉峰一劍落空。

常明臉色凝重，道：「姑娘劍勢詭異，果非倖致。」

藍家鳳還劍入鞘，道：「客氣，客氣，我可以走了吧！」

常明道：「姑娘刺了在下一劍，就這樣走了麼？」

藍家鳳望望天色，道：「我的行動，早已在藍福監視之下，我如不走，他很快就會追來

了，計算時刻，找我之人，只怕已在途中了。」

常明沉吟了一陣，抱拳說道：「姑娘請吧！適才開罪，還望鑒諒。」

藍家鳳幽幽一歎，欲言又止，轉身向廟外行去。

江曉峰望著藍家鳳的背影消失後，緩緩說道：「常明，你相信她的話麼？」

常明微微一怔，反問道：「你呢？」

江曉峰道：「我覺得她的一舉一動，都是事先經過了精密的算計。」

常明道：「不錯啊！她如不是事先計算清楚，怎肯用一萬兩銀子，買半隻烤兔呢？」

江曉峰道：「照常兄的說法，那日的巧合，今日的相約，都是她預計之謀了？」

常明道：「可以這麼說吧！」

江曉峰道：「她既是經過仔細地計算，如何可以信她的話呢？」

常明道：「這個麼？兄弟倒也想出了一點原因，玉燕子藍家鳳有意幫助咱們，不過，公孫叔叔在這裏，小要飯的不敢賣弄，再說，我心中亦無把握。」

但見人影一閃，神像之後，閃出了一身農家裝扮的公孫成，道：「察其顏，觀其行，她說得一點不錯，此時此情之下，咱們還犯不著和藍福照面。」

一面說話，一面大步向外行去。

常明、江曉峰緊追在公孫成身後，一口氣行出了七、八里路，才找一處隱密所在，停了下來。

公孫成目光轉動，望了兩人一眼，笑道：「可惜！可惜！」

一連兩個可惜，不僅江曉峰丈二金剛摸不著頭腦，連那一向精明的常明，也被弄得直抓頭皮，莫名所以。

忍了又忍，仍是忍不住地問道：「什麼事如此可惜？」

公孫成道：「玉燕子藍家鳳。」

江曉峰道：「她怎麼樣？」

公孫成道：「她對藍天義的作爲極是不滿，不過，那是她生身之父，儘管不滿，但卻不敢抗拒。」

江曉峰「啊」了一聲，道：「有這等事？」

常明道：「所以，她送給江兄解藥，暗中相助咱們。」

公孫成道：「藍家鳳雖然不滿父親的作爲，但她此刻，還不敢背叛父親……」長長吁了一口氣，道：「她頗具俠氣，又能明辨是非，可怕的是，她本身……」話到此處，一頓而住。

常明奇道：「她本身怎樣了？」

公孫成道：「是一股狂流，如若善加運用，是一種很大的力量，如是一個處置不當，極可能氾濫成災，這就是俗話所謂的禍水了。」

仰起臉來，望著天上一朵朵不停變幻的白雲，輕輕歎息一聲，自言自語地說道：「這本是不應該的事情，正人君子，武林俠士，都會痛罵我公孫成有失忠厚。可是，怎麼辦呢？武林中殺機彌漫，蒼生塗炭，這一次，武林的大變，如不能及早平息，牽連的又何止限於武林中人呢？」

常明道：「公孫叔叔，你好像感慨很多啊！」

公孫成苦笑一下，道：「小要飯的，你說公孫叔叔我是好人呢，還是壞人？」

常明道：「你是憂天下之憂，樂天下之樂，是一位大大的俠人。」

公孫成歎道：「我不配做俠人，因爲一個俠人，要有坦坦蕩蕩的胸懷，正正派派的氣度，你師父王大俠，還有死去的閔玉祥，他們才能被尊爲江湖上的大俠，而且是當之無愧。」

常明道：「我師父殺過的人，只怕不會少過公孫叔叔。」

公孫成接道：「那不同，他們殺人，一則那些人是該殺的十惡不赦之徒，而且，你師父殺人，是憑藉武功，殺得正正當當，我卻和他們有些不同，施用權謀，借刀殺人，有時，使用的手段，甚至近乎卑下，怎能和你師父相提並論呢？」

常明道：「雖然手段不同，但用心則一，只要心懷大仁，通權達變，用些手段，亦無不可，殺一人而救千萬人，小侄感覺到並無不對，而且道高一尺，魔高一丈，降魔衛道，也不能全憑武功啊！」

公孫成微微笑道：「你小要飯的不用安慰我，你轉彎抹角的，只不過想從我口中問明內情，是麼？」

常明尷尬一笑，道：「公孫叔叔，難道您覺著不該告訴小侄麼？」

公孫成神情肅然地說道：「藍家鳳是一個可怕的力量，她如全心全意的協助藍天義，不惜以色相誘人，武林中人，能夠過得美人關的，只怕是寥寥無幾。」

常明低聲說道：「小要飯的聽公孫叔叔的口氣，似乎是你老人家胸中已有對付之策？」

公孫成道：「辦法倒是有一個，不過必需要事先下些功夫才成。」

常明道：「公孫叔叔可否說清楚些？」

公孫成不理常明，卻轉望著江曉峰道：「如若那藍家鳳肯於棄暗投明，世兄是否願助她一臂之力？」

江曉峰道：「玉燕子如果真肯棄暗投明，在下自然願助她一臂之力，不過，她和藍天義有著父女之情，只怕此事難。」

公孫成微微一笑，道：「如若江世兄肯和在下合作，也許咱們能夠設法，促成玉燕子大義滅親，至少可使她不滿父親所為，不願全力助他。」

語聲一頓，道：「敵情敵勢，大致如斯，咱們也犯不著再冒險去探那座莊院了。」

常明道：「公孫叔叔之意是？」

公孫成道：「咱們好好利用這幾日休息一下，也不用和他們鬥著玩了，等到江世兄和方姑娘約定之日，看看方姑娘是否能平安離開莊院，如是方姑娘能平安離開，對那莊院中的情形，自然了解甚多。」

常明道：「這法子也好，咱們躲起來，來個避不見面，使他們莫測高深。」

三人計議妥當，就找個地方躲了起來。

時光匆匆，六日時間彈指而過。

這回，到了江曉峰和方秀梅約定的時刻。

這是個浮雲掩月之夜，江曉峰提前了半個更次，趕到了預定的相約之地。

公孫成、常明都同行而來，但兩人都隱身在附近的草叢之中，以作戒備。

江曉峰身體已完全康復，佩帶著長劍，準備萬一方秀梅被人發現生擒，被迫降敵後帶著強敵回來。

突然間，一條人影，疾奔而至，帶起了一陣衣袂飄風之聲。

江曉峰閃身隱於一叢野草之中，凝目望去。

只見來人一身深藍色短衫長褲的婢女衣著，正是笑語追魂方秀梅。

方秀梅停下腳步，四顧了一眼，不見人影，立時探手入懷，摸出奪命金劍，握在手中。

江曉峰吃了一驚，忖道：「此物中藏細針，惡毒無比，常明和公孫老前輩都隱身在近，如若方秀梅射出劍中毒針，必將傷人。」

心中念轉，急急叫道：「是方姊姊麼？」躍出草叢迎了上去。

方秀梅已聽出江曉峰的聲音，喜道：「江兄弟，你無恙麼？」

江曉峰道：「小弟還好。」

方秀梅搶前一步，把手中金劍還給江曉峰，道：「那花樹之下，未見兄弟留下消息，可把姊姊擔心死了。」

江曉峰接過奪命金劍，收入懷中，說道：「姊姊智慧過人，才能在他們嚴密的防範之中，安住了數日之久，小弟就不成了，不過一、兩個時辰，就被人家發覺了……」

語聲一頓，接道：「姊姊在那莊院之中，潛住甚久，定然，深得了不少院中隱密。」

方秀梅點頭道：「可怕得很，咱們得以最迅速的方式，把藍天義的陰謀，轉告給武林同道……」

四顧了一眼，接道：「此地不是談話之處，咱們得先找個靜僻地方，再行詳談。」

江曉峰道：「姊姊，咱們並不孤單，藍天義雖然智慮深遠，也不能一手遮盡天下英雄的耳

目。在咱們之先，已經有很多武林中豪俠人物，對他懷疑了，而且已經有所行動。」

方秀梅道：「有這等事？都是什麼人？」

江曉峰道：「公孫成老前輩，姊姊認識麼？」

不待方秀梅答話，回目望著兩人隱身之處，叫道：「公孫老前輩，常兄弟，請出來吧！」

但見草叢分動，人影一閃，公孫成和常明一先一後地行了過來。

公孫成一拱手，道：「方姑娘別來無恙，還記得區區麼？」

方秀梅道：「五年前咱們在金陵見過。」

公孫成微微一笑，道：「姑娘好記性。」

回望著常明接道：「這一位是小要飯的常明。」

常明出道不久，方秀梅並未見過，當下點頭一笑，道：「原來是常少俠。」

公孫成道：「常明出道不久，姑娘也許不認識。但他的師父李五行，姑娘也許見過了。」

方秀梅道：「失敬，失敬，原來是『鐵面神丐』的傳人。」

公孫成道：「此地不宜久留，咱們換個地方再談。」

語聲甫落，突聞一陣冷厲的笑聲，傳了過來，道：「生死判官摘星手，公孫兄，咱們久違了。」

方秀梅失聲叫道：「藍天義！」

請續看《翠袖玉環》（二）

臥龍生武俠經典珍藏版 37

翠袖玉環（一）

作者：臥龍生
發行人：陳曉林
出版所：風雲時代出版股份有限公司
地址：10576台北市民生東路五段178號7樓之3
電話：(02) 2756-0949
傳真：(02) 2765-3799
執行主編：劉宇青
美術設計：許惠芳
業務總監：張瑋鳳
出版日期：臥龍生60週年珍藏版 2023年5月
版權授權：春秋出版社呂秦書
ISBN ：978-986-5589-78-3
風雲書網：http://www.eastbooks.com.tw
官方部落格：http://eastbooks.pixnet.net/blog
Facebook：http://www.facebook.com/h7560949
E-mail：h7560949@ms15.hinet.net
劃撥帳號：12043291
戶名：風雲時代出版股份有限公司

風雲發行所：33373桃園市龜山區公西村2鄰復興街304巷96號
電話：(03) 318-1378　　傳真：(03) 318-1378
法律顧問：永然法律事務所 李永然律師
　　　　　北辰著作權事務所 蕭雄淋律師

行政院新聞局局版台業字第3595號 營利事業統一編號22759935

定價：320元　　**版權所有　翻印必究**

國家圖書館出版品預行編目資料

翠袖玉環／臥龍生 著. -- 臺北市：風雲時代出版股份有限公司，2021.06- 冊；公分（臥龍生武俠經典珍藏版）
ISBN：978-986-5589-78-3（第1冊：平裝）
ISBN：978-986-5589-79-0（第2冊：平裝）
ISBN：978-986-5589-80-6（第3冊：平裝）
ISBN：978-986-5589-81-3（第4冊：平裝）

863.57　　110007332